항만재개발법 해설

항만재개발법 해설

2020년 7월 17일 초판 인쇄
2020년 7월 27일 초판 발행

저   자 | 김태건·이승용·주동진·전진원
발 행 인 | 이희태
발 행 처 | 삼일인포마인
등록번호 | 1995. 6. 26 제3-633호
주   소 | 서울특별시 용산구 한강대로 273 용산빌딩 4층
전   화 | 02)3489-3100
팩   스 | 02)3489-3141
가   격 | 35,000원

ISBN   978-89-5942-896-0 93360

최신판

항만재개발법 해설

김태건 · 이승용 · 주동진 · 전진원 공저

SAMIL | 삼일인포마인

　율촌 부동산건설 부문에서 함께 일하고 있는 저자들이 금번에 '항만재
개발법 해설'을 발간하게 된 것을 진심으로 축하합니다. 특히 이 책에는
그간 율촌 부동산건설 부문의 성과와 지향이 고스란히 담겨 있어 무척 자
랑스럽고 기쁩니다.

　법무법인(유한) 율촌은 1997년 10여 명의 변호사가 모여 시작한 이래
초고속 성장을 하여 이제 국내는 물론 아시아에서 손꼽히는 메이저 로펌
이 되었습니다. 지난 20년간 인위적인 합병 없이 오로지 구성원들의 실력
과 노력으로 이룬 성과입니다. 율촌은 그간의 성장에 더욱 박차를 가하여
2013년 8월 종전에는 국내 법률시장에서는 찾아볼 수 없던 산업 전문 프
랙티스 그룹인 '부동산건설 부문'을 설립하였습니다. 고객에게 최고의 법
률서비스를 제공하려면 법 영역에 따라 분절되어 있던 기존 법률시장의
틀을 탈피해야 한다는 인식하에 율촌에서는 개별 산업별로 특화된 포괄
적이고 종합적인 법률서비스를 제공할 수 있는 새로운 업무 조직을 구상
하였습니다. 이를 위해 부동산·건설 산업에 관한 지식과 경험을 갖춘 각
분야의 전문가 40여 명이 함께 모여 역량을 결집하는 새로운 형태의 프랙
티스 그룹을 만든 것입니다.

　감사하게도 지난 7년간 율촌 부동산건설 부문은 법률시장에서 매우 높
은 평가를 받았습니다. 특히 율촌 부동산건설 부문의 차별화된 법률서비
스는 개발사업 분야에서 큰 성과를 거두었습니다. 사업의 구상, 계획의
수립, 각종 규제의 조사 및 해결 방법의 모색, 사업 인허가, 부동산 금융
및 신탁, 건설 및 클레임, 운용, 분양, 매각 또는 임대 등 개발사업의 전

단계에 걸쳐 적시에 가장 적합한 전문가들을 투입함으로써 고객이 필요로 하는 법률서비스를 원스톱으로 제공하는 것이 가능하였기 때문입니다. 율촌 부동산건설 부문이 수행한 개발사업은 주택사업, 재개발재건축정비사업, 지역주택사업, 도시개발사업, 기업도시개발사업, 대형복합개발사업(공모형 PF 사업 포함), 초고층빌딩 개발사업, 민간발전사업, 에너지시설개발사업, 산업단지개발사업, 물류단지 및 물류시설 개발사업, 폐기물 및 폐수 처리시설 등 환경시설개발사업, 항만개발사업, 도로 및 철도 개발사업, 민간공원특례사업, 민간투자사업, 골프장 및 리조트 개발사업, 해외건설사업 등 국내외 다양한 개발사업을 총망라하고 있습니다. 이를 위해 율촌 부동산건설 부문 내에 세분화된 7개의 산업전문팀(부동산신탁팀, SOC민간투자사업팀, 건설클레임팀, 해외건설팀, 도시개발사업팀, 골프산업팀, 국방공공계약팀)을 두어 보다 깊은 전문성을 추구한 것도 율촌 부동산건설 부문이 성장하는 원동력이 되었습니다.

이러한 율촌 부동산건설 부문의 특징과 장점은 이 책에서도 잘 반영되어 있다고 생각됩니다. 오는 2020. 7. 30.부터 시행될 예정인 항만재개발법은 아직 관련 법리가 확립되어 있지 않고 구체적인 업무 사례도 드문 상황입니다. 그렇지만 저자들은 그간 다양한 개발사업에 관여하며 각종 법적 문제를 다뤄온 경험과 전문성이 있기에, 항만재개발법의 해석과 적용에 관하여 선제적으로 정확한 법률 검토와 판단을 할 수 있었다고 생각됩니다. 이와 같은 점에서 이 책은 항만재개발사업에 관심을 갖고 사업을 추진하는 모든 분들께 좋은 지침서가 되리라고 확신합니다.

작년에 발간된 '민간투자법 해설과 실무'에 이어 올해 '항만재개발법 해설'이 발간되고, 이를 기반으로 앞으로도 다양한 개발사업 분야의 해설서들이 발간될 예정인바, 율촌 부동산건설 부문은 개발사업 분야의 해설서 총서를 만들어낼 원대한 계획도 수립하고 있고 이를 실현하고 있습니다.

아무도 가지 않은 새로운 길을 용기 내어 걸으며 그 성과를 책으로 엮어낸 저자들을 다시 한번 격려하고, 한편으로 아무쪼록 이 책이 항만재개발법과 관련된 업무에 종사하시는 모든 분들께 도움이 되기를 바라겠습니다.

2020. 7.

법무법인(유한) 율촌

부동산건설 부문 대표변호사 박 주 봉

항만은 우리나라의 경제성장에 중요한 역할을 하였습니다. 1960년대 화물부두 위주로 개발되기 시작한 항만은 1970년대를 거쳐 우리나라가 대외 지향적 경제정책을 펴는 과정에서 수출입의 관문으로서 경제성장을 견인하는 역할을 하였습니다. 다만 시간이 흐름에 따라 항만이 노후화되면서 최근 항만의 재개발에 대한 수요가 커지고 있습니다.

이러한 상황에서 2020년초 항만재개발법이 항만법에서 분리되어 제정되었다는 소식을 접하고, 저자들은 항만재개발법을 검토하기 위해 함께 모이게 되었습니다. 저자들은 모두 법무법인(유한) 율촌의 부동산건설 부문에 속하여 개발사업에 관한 법률 문제를 다루는 것을 업으로 삼고 있었기에, 새로운 개발사업법령을 검토하는 것에 대해 일종의 사명감을 가지고 있기 때문입니다. 저자들은 항만재개발법을 살펴보면서 이 법령이 제도적으로 잘 안착될 경우 항만 도시의 재개발과 경제 발전에 큰 도움이 되리라는 희망을 갖게 되었습니다. 한편으로 항만재개발법이 잘 작동하기 위해서는 국토계획법, 도시개발법, 도시정비법 등 기존 개발사업법령에서 형성된 법리와 실무가 적극적으로 활용되어야 할 필요가 있다는 점도 알게 되었습니다.

이에 저자들은 비록 길지 않은 시간이지만 항만재개발법을 검토하고 고민한 내용을 담아 책자로 마련하기로 하였습니다. 아직 관련된 법리가 형성되지 않았고 구체적인 사례도 충분하지 않은 상황에서 항만재개발법에 대한 해설서를 출판한다는 데에 대해서 상당한 부담을 느끼기도 하였지만, 이 책이 항만재개발법에 대한 보다 구체적인 논의와 발전을 위한 마중물이 될 수 있다면 그것만으로도 의미가 있으리라 생각하여 용기를 내었습니다. 이 책의 부족한 점들에 대해서는 앞으로도 저자들이 더욱 연구하고 고민하여 보완해 나가도록 하겠습니다.

이 책이 나오기까지 많은 분들의 도움이 있었습니다. 무엇보다도 저자들이 개발사업에 계속하여 관심을 갖고 깊이 연구할 수 있도록 지도편달을 아끼지 않은 율촌 부동산건설 부문의 대표이신 박주봉 변호사님께 이 지면을 빌어 다시 한번 감사의 말씀을 드립니다. 그리고 이 책이 나오기까지 함께 토론하며 아낌없는 조언을 하여 주신 율촌의 선후배 변호사님들께도 고마운 마음을 전합니다. 그리고 늦은 퇴근에도 불구하고 묵묵하게 지지하여 준 저자들의 가족들에게도 감사한 마음과 미안한 마음을 함께 전합니다.

아무쪼록 이 책이 항만재개발법과 관련된 업무를 하시는 실무자들 또는 항만재개발법을 연구하시는 분들에게 조금이나마 도움이 될 수 있기를 바라겠습니다.

2020. 7.

법무법인(유한) 율촌의 사무실 파르나스타워에서

저자 김태건, 이승용, 주동진, 전진원

목차의 개요

제2편　항만재개발기본계획

본서에서 사용하는 약어는 다음과 같다.

- 「항만 재개발 및 주변지역 발전에 관한 법률」→ '법'
- 「항만 재개발 및 주변지역 발전에 관한 법률 시행령(안)」(해양수산부공고 제 2020-573호로 입법공고된 것) → '시행령(안)'
- 「항만법」(2020. 1. 29. 법률 제16902호로 전부개정된 것) → '항만법'
- 「항만법」(2020. 1. 29. 법률 제16902호로 전부개정되기 전의 것) → '구 항만법'

그 외 개별법령의 명칭은 법체저 국가법령정보센터에서 제공하는 약칭에 의한다.

제1편

서 론

제1장 항만재개발사업의 개요

제1절 항만재개발사업의 의의

항만재개발사업은 노후하거나 유휴(遊休) 상태에 있는 항만과 주변 지역을 체계적이고 효율적으로 개발하고 정비하는 사업을 말한다(법 제1조, 제2조 제4호). 우리나라 항만의 25%는 1960~1970년대에 건설된 것으로[1], 2020년을 기준으로 할 때 이미 50~60년이 지난 상황이어서 기존의 항만들은 노후화되어 그 자체로서 항만경쟁력을 잃어가고 있는 실정이다. 또한, 항만을 출입하는 컨테이너선의 최대 선형 또한 1960년대 말 2,000TEU급 정도에 그치던 것이 2010년경에는 12,000TEU급 정도까지 규모가 증대됨에 따라[2], 종래의 노후화된 항만만으로 그와 같은 선박까지를 수용할 수 있을 것인지도 의문시되는 상황이다. 이와 같은 노후한 항만은 변화하는 산업환경에 적응하기 어려울 뿐만 아니라, 항만과 더불어 그 주변지역까지도 노후화되어 그 기능을 잃어가기 시작하였다.

특히, 과거 우리나라의 주요 도시들은 모두 수출입의 용이함을 위하

---

1) 한국해양수산개발원, 수익성 및 공공성 확보를 위한 항만재개발 정책방향 연구, 해양수산부 발간자료, 2009, 35면.
2) 국회 농림해양수산위원회, 항만과 그 주변지역의 개발 및 이용에 관한 법률안(정부 제출) 검토보고서, 2007. 2., 5면.

여 항만도시로 발전하여 왔고, 항만이 소재한 그 주변이 해당 각 도시들의 도심지를 형성하여왔다. 그러나 현재 시점에서 상당수의 무역항들은 배후산업의 쇠퇴로 인하여 기능을 잃기 시작하였고, 각 도시들의 도심지들이 항만을 벗어나 다른 곳으로 새로이 이동하기 시작하면서, 항만 주변공간의 노후화와 공동화 현상도 두드러지게 되었다. 부산, 인천, 평택과 같이 현재에도 국제적인 무역항으로서 기능하고 있는 항만 또한 이와 같은 문제를 겪고 있고, 마산과 같이 배후 공업지역의 부침 또는 인접한 다른 항만의 개발로 인하여 과거 도심지를 구성하던 항만 주변지역의 쇠락이 두드러지게 나타나는 곳도 있는 상황이다.

항만재개발사업은 이와 같이 노후화되고 유휴 상태로 있는 항만에 대하여 항만으로서의 본연의 기능을 확대하거나 강화하는 것에만 초점을 맞춘 것이 아니라, 노후화되거나 유휴 상태로 있는 항만을 다른 기능으로 변경하거나 다른 기능을 확대하고자 하는 목적도 포함하고 있는 사업이라고 할 수 있다.[3]

---

3) 신승식, 성공적 항만재개발을 위한 정부의 역할, 해양물류연구, 2010. 3., 26면 참조.

항만재개발사업의 연혁

I. 서설

항만재개발사업에 관한 근거 법령은 몇 차례에 걸쳐 변경되었다. 최초의 법령상의 근거가 마련된 것은 2007. 5. 11. 제정된 '항만과 그 주변지역의 개발 및 이용에 관한 법률'이다. 이후 '항만법'이 2009. 6. 9.자로 전부개정되면서 '항만과 그 주변지역의 개발 및 이용에 관한 법률'을 통합하게 되었고, 그에 따라 항만재개발사업의 근거는 '항만법'으로 이동하게 되었다. 다시 2020. 1. 29.자로 '항만 재개발 및 주변지역 발전에 관한 법률'이 제정되면서 항만법에서 규정하고 있는 항만재개발 관련 내용을 분리하게 되어 현재에 이르고 있다.

II. 2007년 항만과 그 주변지역의 개발 및 이용에 관한 법률 제정

1. 입법 배경

2007년 이전에도 항만재개발사업이라는 관념의 사업을 시행할 수 없었던 것은 아니다. 기존에 마련되어 있던 항만법 또는 도시개발법이나 도시정비법 등을 활용한 사업의 추진이 가능하다는 논의들이 대두되어 왔으나, 그와 같은 법령들에 의존하기에는 미흡하다는 지적 또한 지속적으로 제기되어 왔다.[4] 구체적으로 살펴보면, 문헌들은 구 항만법, 도시개발법, 도시정비법에 대하여 당해 법령들만으로는 항만재개발사업의 정상적인 추진이 어려울 수 있다는 비판을 제기하여 왔는 바 대체로 기존의 법률에 근거한 행정계획 및 도시계획적 수단들만으로는 "항만

---

4) 심기섭, 우리나라 항만재개발제도의 문제점과 개선방안에 관한 연구, 월간 해양수산, 2006. 4., 12면.

구역의 컨셉"에 맞는 개발이 불가능하다는 비판이었다.[5]

구법 시대에는 항만재개발사업이라는 용어 자체가 법률상의 용어가 아니었으므로 이를 포섭하는 내용의 사업이 별도로 존재하지 아니하였고, 따라서, 개별법령상의 사업종류만으로는 항만재개발사업이 전제하는 항만시설 및 주변지역까지를 사업범위로 포섭하기가 어려웠다. 때문에, 항만재개발사업이라는 별도 유형의 사업을 관장하고, 실무적으로는 그에 대하여 예산을 편성하여 지출할 수 있는 근거를 마련하여야 한다는 의미에서 근거법령의 제정 시도가 끊임없이 대두되어 왔던 것이기도 하다.

이상과 같이 항만재개발사업을 위한 독립된 개별법률이 제정되어야 한다는 필요성은 해양수산부와 학계를 통하여 지속적으로 제기되어왔다. 그 결과 최초로 제정된 것이 2007년 '항만과 그 주변지역의 개발 및 이용에 관한 법률'이다. 2007년 당시 정부는 여수엑스포 유치를 위하여 여수신항을 재개발하는 한편, 이를 통한 엑스포 개최 부지를 마련하여야 하였다.[6] 아울러 그와 같은 개발에 민간자본을 유치할 수 있는 근거를 마련할 필요가 있었다. 이와 같은 시기적 요인과 맞물려서 항만재개발사업에 관한 근거 법률 제정은 순탄하게 진행되었고, 그 결과 '항만과 그 주변지역의 개발 및 이용에 관한 법률'이 제정될 수 있었던 것이라 할 수 있다.

2. 주요 내용

동법은 총 6개 장, 35개 조로 구성되어 있는바, 그 편제를 살펴보면

---

5) 각 법률들에 대한 비판에 대하여는 심기섭, 우리나라 항만재개발제도의 문제점과 개선
   방안에 관한 연구, 월간 해양수산, 2006. 4., 12면을 참조.
6) 항만재개발법률 국회 본회의 통과, 뉴시스 2007. 4. 19.자 기사 참조.

다음과 같다.

동법의 체계를 보면 ① 해양수산부장관이 10년을 주기로 기본계획을 수립하고, ② 기본계획의 내용에 따라 개별 항만재개발사업에 대한 사업계획을 수립하며, ③ 사업구역을 지정하고, ④ 사업시행자를 지정하여, ⑤ 실시계획인가를 받아, ⑥ 최종적으로 준공검사에 이르도록 정하고 있다. 이와 같은 사업의 추진절차는 통상적인 개발사업법령의 체계를 그대로 답습·승계한 것으로 보이는바, (1) 해양수산부장관에게 모든 인허가 권한을 집중시키고, (2) 예산지출을 위한 근거를 마련하며, (3) 항만재개발사업을 관장하기 위하여 항만재개발위원회를 신설하였다는 측면에서 그 의의를 생각해볼 수 있을 것으로 사료된다. 이와 같은 측면에서 보면, 동법 자체만으로는 어떠한 특별한 특색을 찾기 어려우며, 다른 법령에 의하여 개발사업에 대한 인허가 권한이 분산되어 있던 것을, 해양수산부장관에게 집중하여 주었다는 측면에서 그 의의를 찾을 수 있을 것이다.

특이한 것은, 항만재개발기본계획이라는 개념은 동법에서 비로소 등장한 것인데, 동법의 제정 이전인 2006년에 이미 해양수산부는 '제1차 (2007~2016) 항만재개발 기본계획'을 수립하여 고시[7]하여놓은 상태였다는 점이다.

3. 개정 논의 − 항만재개발사업의 대상 범위의 축소에 관한 논의

이후, 한광원 의원 등 11인에 의하여 동법에 대한 개정안이 발의된 바 있으나, 결과적으로는 임기만료로 폐기되었다. 그 구체적인 내용을 살펴보면, 해당 개정안은 "개발 대상을 노후하거나 유휴 상태에 있는 항만으로 불분명하게 규정함으로써 정작 재개발이 시급한 노후한 항만보다는 준설토 투기장 등 기존의 항만법 및 도시개발법 등으로도 개발 가능한 유휴지가 개발 대상으로 지정되어 재래항만의 기능을 직접적으로 개선·발전시키는 것과는 다소 동떨어진 숙박시설, 쇼핑몰 및 골프장과 같은 체육시설 등 유휴지에 대한 개발이 우선시되는 등의 향후 문

---

7) 한국해양수산개발원, 항만재개발에 따른 갈등요소 도출 및 사전방지대책 수립, 해양수산부 발간자료, 2010, 7면 참조.

제점이 예상"된다고 지적하면서[8], 법률의 취지에 부합하도록 "노후하거나 유휴 상태에 있는 항만과 그 주변지역"이라는 정의규정을 "노후한 항만과 그 주변지역"으로 변경하자는 것이 주된 내용이었다.

구체적으로 보면, 동법의 시행 이후 2007. 2. 4. 고시된 제1차 항만재개발기본계획에 의하면 광양, 대천, 묵호항의 준설토 투기장 개발계획이 포함되어 있었고, 당시 목포・군산항의 경우에도 준설토 투기장을 포함하여 사업구역을 확대해 줄 것을 요구하고 있는 상황이었다. 개정안의 제안이유에 의하면, 동법이 제정된 배경은 "기존 건설교통부 소관의 법률들은 육역(陸域)에 대한 재개발을 전제로 하기 때문에 수역(水域)시설인 크루즈, 화물부두 등 항만시설의 재개발을 추진하기에는 부적절 하다"는 것이었는데[9], 준설토 투기장의 경우 선박의 접안과는 직접적인 관련이 없는 것이므로 이를 골프장이나 휴양시설 등으로 개발하는 것을 항만재개발사업의 주된 사례가 되도록 방치하는 것은 부적절하다는 것이 개정안의 제안 취지였다.

그러나, 당시 해양수산부는 개정안에 대하여 다음과 같은 이유를 들어 반대의견을 표시하였는바, 다음의 각 이유들은 이후 항만재개발사업에 대한 해양수산부의 전반적인 정책방향을 이해함에 있어서도 도움이 될 것이다.[10] ① 우선, 해양수산항만재개발사업의 의의 자체가 Waterfront 사업이라는 점을 강조하고 있다. Waterfront란 "해변, 강변, 호수변 등 비교적 규모가 큰 수역과 주변육지와 유기적으로 결합된 영역을 지칭

---

8) 이상 항만과 그 주변지역의 개발 및 이용에 관한 법률 일부개정법률안(한광원 의원등 11인) 제안이유 및 주요내용에서 직접 인용.

9) 국회 농림해양수산위원회, 항만과 그 주변지역의 개발 및 이용에 관한 법률 일부개정법률안(한광원 의원 대표발의) 검토보고서, 2007. 11., 4면에서 직접 인용.

10) 이하의 해양수산부의 개정안에 대한 입장은 제269회 국회(정기회) 농림해양수산위원회 회의록 제5호, 2007. 11. 14., 60면 이하 참조.

할 때 사용"하는 개념인데[11], 도시계획의 영역에서 Waterfront 개발이라는 용어는 주로 수변 공간을 공업, 유통, 어업과 같은 생산적인 기능과 더불어 상업, 주거, 휴양 등 전형적인 도시의 기능이 종합적으로 어우러진 방향으로 계획하고 개발하는 것을 지칭하는 맥락으로 주로 사용된다.[12] 즉, 해양수산부가 항만재개발사업이 'Waterfront' 사업임을 강조하는 이유는, 개정안이 지적하고 있는 바와 같이 항만재개발사업이라는 수단을 이용하여 골프장이나 위락시설들을 건설하는 것 자체가, 항만재개발사업의 목적이나 방향과 반드시 배치되거나 대립된다고 볼 수는 없다는 점에 있는 것으로 판단된다. 이는 현행법상의 항만재개발사업의 의의나 방향을 해석함에 있어서도 적지않은 함의를 주는 것인데, 항만재개발사업이 반드시 종래의 항만의 기능에 폐쇄적으로 의존하거나 안주하지 아니하고, 새로운 방향으로 이를 적극적으로 개발하는 것으로서의 의미를 부여해내는 것이 법의 취지임을 강변할 수 있게 된다.[13] 즉, 항만재개발사업은 항만을 부수고 다시 항만을 짓는 사업에만 국한된 것이 아니다.

② 아울러, 해양수산부는 준설토 투기장을 항만재개발사업의 범위로 포함시키는 것 자체에 대하여 부정적인 입장을 견지하고 있지는 않은 것으로 사료된다. 해양수산부의 공식적인 입장은 가사 준설토 투기장을

---

11) 이재환·유현준, 도시 친수공간적 활용을 위한 워터프론트에 관한 연구, 대한건축학회 학술발표대회 논문집 - 계획계, 2009. 10., 118면에서 인용.
12) 이재환·유현준, 도시 친수공간적 활용을 위한 워터프론트에 관한 연구, 대한건축학회 학술발표대회 논문집 - 계획계, 2009. 10., 118면 참조.
13) 때문에 당시 이은 해양수산부차관은 "한계구역 내에 있는 것 아닌 내륙 쪽으로 가 있는 도시지역에 있어서도 한 50%까지, 항만구역 면적의 50%까지 확장해서 재개발할 수 있도록 이렇게 적용범위가 넓혀져 있다"라고 설명하였다. 제269회 국회(정기회) 농림해양수산위원회 회의록 제5호, 2007. 11. 14., 60면.

항만재개발사업에 포함시키는 것이 문제라 하더라도, 이를 법률로서 일률적으로 금지할 수는 없는 것이고, 개별 사업의 특성에 따라 사정을 달리하여 판단할 수 있어야 한다는 것이다.[14]

 이상의 논의에 따라, 결국 개정안은 임기만료로 폐기되었고, 항만재개발사업의 범위는 변함이 없이 현재까지 승계되어오고 있다.

III. 2009년 항만법으로의 통합

1. 입법 배경

 항만법과 별도의 법률로 제정되었던 '항만과 그 주변지역의 개발 및 이용에 관한 법률'은 항만법이 2009. 6. 9. 법률 제9773호로 전부개정되면서 항만법으로 통합되었다.

 당시 개정 이유를 살펴보면, 항만과 그 주변지역을 체계적이고 효율적으로 개발하고 운영·관리할 수 있도록 항만법과 항만과 그 주변지역의 개발 및 이용에 관한 법률을 통합하여 각 법률별로 규정되었던 비용부담 원칙, 비용보조 관련 규정 등을 하나로 통합하고, 항만공사 시행 또는 항만재개발사업실시계획의 승인고시 시 인허가가 의제되는 경우를 추가하며, 항만배후단지의 관리·운영 제도를 도입하는 한편, 그 밖에 현행 제도의 운영상 나타난 일부 미비점을 개선·보완하려는 것이라고 밝히고 있다.

2. 주요 내용

가. 법률의 구성

 두 종전의 항만과 그 주변지역의 개발 및 이용에 관한 법률에 있던

---

14) 참고로, 당시 위와 같은 개정안이 대두된 이유는, 투기장 준설을 두고 인근 주민들의 지속적인 민원이 제기되었기 때문인 것으로 사료된다. 제269회 국회(정기회) 농림해양수산위원회 회의록 제5호, 2007. 11. 14., 63면 참조.

내용은 항만법 '제6장 항만재개발사업'의 15개 조로 편입되고, 나머지 조문들은 기존 항만법상의 유사 조문에 반영하는 식으로 양자가 통합되었다. 그 구체적인 내용을 살펴보면 다음과 같다.

[표] 2009년 전부개정 항만법 제6장의 구성

제6장 항만재개발사업	제58조 사업구역의 지정해제 등
제51조 항만재개발기본계획의 수립	제59조 사업시행자의 지정 등
제52조 항만재개발기본계획의 고시 등	제60조 항만재개발사업실시계획의 승인 등
제53조 항만재개발기본계획의 변경	제61조 준공확인
제54조 항만재개발사업계획의 수립	제62조 공사완료의 공고 등
제55조 재개발사업계획의 제안	제63조 공공시설 등의 귀속
제56조 사업구역의 지정	제64조 국공유지의 처분제한 등
제57조 사업구역의 지정절차 등	제65조 다른 법률과의 관계

나. 사업 추진 절차의 간소화

이와 같이 항만법으로의 통합의 주된 취지는 종전 법에 의하여 규정되어 있던 사업의 추진절차를 간소화하려고 하는데 있었다.

'항만과 그 주변지역의 개발 및 이용에 관한 법률'에 의하면 항만재개발사업계획의 수립절차는 크게 3가지 경로로 분류되었는데, ① 첫째는 국토해양부장관이 관계 중앙행정기관의 장과 협의를 거쳐 '직접 수립'하는 경우, ② 둘째는 시·도지사가 국토해양부장관의 승인을 받아 수립하는 경우, ③ 셋째는 사업시행자가 사업계획을 마련하여 시·도지사를 거쳐 국토해양부장관의 승인까지를 거쳐서 수립하는 경우 등이었다(제7조, 제8조 참조).[15] 후술하겠지만, 항만재개발사업계획이 사업의 추진과 관련하여 가장 직접적인 역할을 하는 계획인데, 그 상위계획인 기본

---

15) 이상 국회 국토해양위원회, 항만법 전부개정법률안 심사보고서, 2009. 4., 14면 참조.

계획의 경우에는 지나치게 추상적일 뿐만 아니라 '기본계획'의 특성상 어느 정도까지 구속력을 인정하여야 하는 것인지에 대하여 다툼의 소지가 있고, 실시계획의 경우에는 물리적인 공사에 나아가기 위한 단계에서 수립되는 것이기 때문에, 사업의 대강이 구체화되는 것은 '사업계획'의 수립 단계라 할 수 있다. 이에, 사업계획을 '누가', '어떠한 절차'를 통하여 수립하게 되는지가 사업의 전반적인 추진방향을 결정하는 단계라고 할 수 있는 것이다.

2009년 전부개정된 항만법의 경우 항만재개발사업 절차를 통합하면서, 위와 같은 절차를 간소화하였다. 항만법 제54조 내지 제55조는 ① 국토해양부장관이 사업계획을 직접 수립하는 경우(제54조 제1항)와, ② 시·도지사나 사업시행자가 사업계획을 국토해양부장관에게 제안하는 경우(제55조 제1항)로 구분함으로써, 종래 사업시행자가 사업계획을 제안하는 경우 시·도지사와 국토해양부장관에 의한 두 단계 절차를 거치도록 한 것을 간소화한 것이다.

다. 사업의 최소면적 규정의 삭제 논의

한편, 2009년 항만법 개정 당시, 종전 항만과 그 주변지역의 개발 및 이용에 관한 법률 제9조에 의하여 제한되었던 항만재개발사업구역의 최소면적(1만㎡)에 대한 제한을 삭제하려는 시도가 있었다.

국토계획법적 관점에서 본다면, 개발의 규모에 따라서 이를 개별적인 인허가만을 통하여 개발할 것인지 - 곧, 개발행위허가만을 받는 방식으로 개발할 것인지, 아니면 대규모 개발로 취급하여 계획을 미리 수립한 후 그에 따라 개발을 진행할 것인지 여부를 구분하게 된다. 이때 1만㎡ 라는 면적이 중요한 의미를 갖게 되는데, 국토계획법 시행령 제55조 제1항은 주거지역·상업지역에서는 1만㎡ 미만의 면적[16]에 대하여만 개발행위허가의 발급이 가능하다고 정함으로써, 그 이상의 규모에 대하여는 개발행위허가와 같은 개별적인 인허가가 아닌 지구단위계획 등과 같은 도시계획을 수립함으로써 개발을 하여야 한다는 경계선을 긋고 있는 것이라 볼 수 있기 때문이다.[17] 따라서, 1만㎡라는 면적의 기준은, 곧 계획을 선행하여야만 개발할 수 있는 '대규모 개발'로 볼 것인지, 아니면 개별적인 인허가로도 개발이 가능한 '소규모 개발'로 볼 것인지의 경계선이 된다고 볼 수 있다.

그런데, 당초 국토해양부가 제안한 항만법 전부개정법률안 제56조는 이와 같은 1만㎡의 제한을 삭제함으로써, 그 이하의 면적에 대하여도 항만재개발사업구역을 지정하여 사업을 시행할 수 있도록 하려했던 것으로 보인다. 그러나, 항만법 개정과정에서 최소면적규정의 삭제 타당성에 대한 장시간의 논의가 있었고, 그 결과 면적의 하한을 유지하는 방향으로 결론이 도출되었는바, 그 주된 이유는 소규모 개발의 난립으로 인한 난개발을 방지하고자 하는 취지에 있었던 것으로 보인다.[18]

IV. 항만법의 개정 경과

1. 2012. 2. 22. 일부개정

항만재개발사업이 항만법으로 통합된 이후, 2012. 2. 22.자로 최초의 개정이 이루어졌는데, 이는 '항만재개발의 추진으로 작업장이 소멸된 항운노동조합원에게 항운노동조합원의 퇴직 여부, 다른 작업장으로의

---

16) 물론, 국토계획법 시행령은 공업지역 등에서는 3만㎡를 기준으로 설정하고 있다.
17) 이상의 논의에 관하여는 본서의 공동저자인 전진원, 개발행위허가에 관한 연구, 서울대학교 법학전문석사학위논문, 2015. 2., 28면 등 참조.
18) 이상 입법 경과에 관한 논의에 대하여는 국회 국토해양위원회, 항만법 전부개정법률안 심사보고서, 2009. 4., 18면 참조.

이전 여부 및 근로자 평균임금 등을 고려하여 생계지원금을 지급하거나 다른 작업장 이전 등의 생계대책을 수립하도록 의무화하고, 해당 항만을 관할하는 지방해양항만청장 또는 시·도지사는 재개발 대상 항만의 항운노동조합 또는 항만운송사업자, 사업시행자가 요청하는 경우에는 생계대책협의회를 구성하여 항운노동조합원의 생계대책 및 작업장 이전 등과 관련된 내용을 협의하도록 하려는' 목적에서 개정되었다.

당시 감사원의 부산항만공사에 대한 2009. 10. 5.자 감사 결과 부산 북항 재개발 사업에 따른 항운노조원 보상이 그동안 법적 근거 없이 이루어졌다는 지적이 있었는데, 그와 같은 보상에 대한 법률상의 공백을 메우고자 항만법 제64조의2가 신설된 것이다.[19]

2. 2012. 12. 18. 일부개정

가. 항만시설 중 지원시설의 범위 확대

2012. 12. 18. 개정법은 항만재개발사업의 관점에서 크게 3가지의 의미를 지닌다. ① 첫째, 항만시설 중 지원시설의 범위가 확대되었다[제2조 제5호 다목(7) 신설]. 후술할 바와 같이 '항만시설'에는 '기본시설', '기능시설', '지원시설', '항만친수시설' 등이 포함되는데, 종전 법률에 의하면 '지원시설'에는 배후유통시설, 선박기자재 등의 보관·판매·전시시설 등이 열거되어 있었고, 신·재생에너지 관련 시설, 자원순환시설 및 기후변화 대응 방재시설 등은 열거되어 있지 아니하였다. 개정법에서는 이를 추가함으로써 저탄소 항만의 건설을 위한 시설을 추가한 것이다. 항만재개발사업 또한 항만구역을 전제한 개념이므로 항만시설이 포함될 수밖에 없는바, 그에 의하여 설치될 수 있는 지원시설의 범위가 확대

---

19) 이상 국회 국토해양위원회, 항만법 일부개정법률안 심사보고서, 2011. 12., 2 내지 3면.

된 것이라 볼 수 있겠다.

나. 항만재개발사업에 대한 국유재산 사용허가기간의 증대와 영구축조물 설치제한의 완화

② 둘째, 항만재개발사업구역의 국유재산에 대한 임대 특례 조항이 마련되었다(제64조의2 신설). 국유재산의 사용이나 대부에 대하여는 동법상의 특별한 규정이 없는 한 국유재산법이 적용되는 것인데, 국유재산법은 국유재산에 영구시설물 축조를 금지하고 있을 뿐만 아니라, 사용허가의 기간 등을 제한하고 있다. 이에 개정법은 도시개발법 제69조, 경제자유구역의 지정 및 운영에 관한 특별법 제17조 제6항 등의 사례를 참조하여, 영구시설물 축조 금지를 적용하지 아니하고, 사용허가기간을 20년으로 확대하는 등으로 규제를 완화한 것이다.[20]

다. 인·허가 의제규정의 확대 및 정비

③ 셋째, 관련 인·허가의제 규정을 정비하였다(제85조). 먼저, 인·허가 의제의 범위에 산업입지법에 따른 산업단지 지정·변경 고시를 추가하였다. 법령의 체계나 항만재개발사업에 따른 개발결과 등을 고려하면 산업단지개발사업과의 유사성을 발견할 수 있는데, 추측건대 그와 같은 특성을 고려한 것으로 사료된다. 아울러, 의제의 대상이 되는 인·허가와 관련하여서는 관계 행정청과 협의를 거쳐야 하는데 관계 행정청이 협의기간 내에 의견을 제출하지 아니한 경우에는 협의가 이루어진 것으로 간주하는 규정을 두어 사업의 효율적 추진을 꾀하였다.

---

20) 이상 국회 국토해양위원회, 항만법 일부개정법률안 심사보고서, 2012. 11., 4 내지 6면 참조.

3. 2014. 3. 24. 일부개정

가. 원형지의 공급·개발을 허용하는 근거규정의 마련

원형지란 "기초인프라 외에 부지에 대한 조성 계획없이 미개발 상태로 공급하는 토지"를 의미하는바[21], 항만재개발사업의 시행에 있어서 원형지 공급이 가능하다고 정하는 것은 사업시행자가 전체 사업이 준공되기 이전에 미개발상태의 토지를 수요자에게 저렴한 가격으로 공급할 수 있는 근거를 마련한 것이라 할 수 있다. 이와 같이 원형지 공급 방식을 허용한 것은 '민간의 투자수요를 유발하고 보다 특성화된 항만재개발 사업이 이루어질 수 있도록 하려는 취지'에서 비롯된 것이다.[22] 이와 같은 원형지 공급의 근거 규정은, 유사 제도를 이미 도입하고 있던 도시개발법 제25조의2, 신행정수도 후속대책을 위한 연기·공주지역 행정중심복합도시 건설을 위한 특별법 제18조, 기업도시개발 특별법 제22조 등을 참조한 결과이다.

2014. 3. 24. 개정법에서는 제42조 제5항 제7호의2 및 제60조의3 등을 신설함으로써, 사업시행자는 해양수산부장관의 승인을 받아 사업구역의 3분의 1의 범위 이내에서 국가기관, 지방자치단체 등에 원형지를 공급하여 개발할 수 있도록 허용하게 되었다.

나. 사업시행자 자격의 확대

기간시설로서의 항만의 특수성을 고려하여, 항만의 개발에 관련된 사업주체는 제한되어 있었고, 항만은 정부가 주도하는 방식으로 건설·관리되어왔다. 그러나 2003. 5. 29. 항만공사법이 제정되면서 국가와 지방

---

21) 기획재정부, 시사경제용어사전에서 인용.
22) 국회 농림축산식품해양수산위원회, 항만법 일부개정법률안 심사보고서, 2014. 2., 31 내지 32면 인용.

자치단체가 출자한 항만공사가 개별 항만별로 설립되어 그 역할을 점차 대체하게 되었고, 민간투자의 개념이 항만에 도입되면서 사업주체는 보다 유연화되고 민간화되기 시작하였다. 이에 2014. 3. 24. 개정법이 사업시행자의 자격을 확대한 것도 그와 같은 추세의 연장선에 있는 것이라 볼 수 있다.

종전 법률은 사업시행자의 범위를 국가기관 또는 지방자치단체, 항만공사, 공공기관의 운영에 관한 법률에 따른 공공기관 중 대통령령으로 정하는 공공기관, 지방공기업, 자본금 등 일정한 요건을 갖춘 민간투자자와 더불어, 이상의 주체들 중 "둘 이상"이 항만재개발사업을 시행할 목적으로 출자하여 설립한 법인 또는 공사 등으로 정하고 있었다(개정 이전 항만법 제59조 제1항 각 호). 즉, 구법은 여전히 민간투자자 단독으로 출자하여 설립한 SPC 등에 대하여 사업시행자 자격을 부여하지 않고 있었으며, 반드시 공공주체가 출자에 참여한 법인이어야만 한다는 제한을 두고 있었던 것이다.

반면, 개정법에서는 "제1호, 제2호 및 제4호부터 제6호까지의 어느 하나에 해당하는 자가 항만재개발사업을 시행할 목적으로 출자에 참여하여 설립한 법인으로서 대통령령으로 정하는 기준에 적합한 법인"이라고 하여, 반드시 '둘 이상'의 주체가 출자에 참여할 것을 요구하던 것을 폐지하였다. 이로써, 대통령령이 정한 출자비율을 충족하기만 한다면, 민간투자자 단독으로 출자하여 설립한 SPC도 사업시행자가 될 수 있게 된 것이다. 이를 통해 각종 연기금·군인공제회 등 재무적 투자자도 항만재개발사업에 참여가 가능하게 되어, 자금 공급의 원활화 등 항만재개발 사업이 보다 활발히 추진될 수 있게 되었다.[23][24]

---

23) 국회 농림축산식품해양수산위원회, 항만법 일부개정법률안 심사보고서, 2014. 2., 24면

다. 사업대행자 제도의 도입

사업시행자 자격의 확대와 더불어, 개정법은 해당 항만재개발사업구역에 입주하려는 자 또는 입주하려는 시설의 운영자에게 항만재개발사업의 일부를 대행하게 할 수 있도록 하는 사업대행자 제도를 도입하였다. 이는 입주 업체가 관련 부지나 시설을 직접 조성할 수 있도록 하여 수요자의 욕구에 맞는 개발이 이루어질 수 있게 하고, 그 밖에 공기(工期)를 단축할 수 있거나 사업시행자의 재정 부담을 완화하는 등의 긍정적인 효과[25]를 유도하기 위해 도입된 것으로 보인다.

사업대행자 제도는 물류시설의 개발 및 운영에 관한 법률 제27조를 참고한 것으로 사료된다.

라. 선수금 제도의 마련

통상적인 토지매매거래의 경우 토지의 소유권 이전과 매매대금의 지급은 동시이행의 관계에 있으므로, 토지의 소유권 이전 시점에 매매대금을 완납받는 것이 보통이다. 아울러, 공동주택과 같이 선분양을 허용하고 있는 예외적인 경우를 제외하면, 실무적으로는 토지의 조성시점에 즈음하여 이를 매각하는 것이 원론적인 모습이라 할 수 있다.

그러나, 이와 같은 경우 사업시행자로서는 조성시점까지 항만재개발사업부지 중 매각대상인 토지 등을 매각하지 못함으로써 자금조달에 어려움을 겪을 수 있으므로, 이를 완화하고자 하는 취지에서 개정법은

인용.

24) 그 외에도 정부가 제출한 개정안에서는 항만재개발사업계획을 제안할 수 있는 자로 "항만재개발사업에 참여하려는 자"를 추가하려는 안이 포함되어 있었으나, 입법과정에서 이는 반영되지 아니하였다.

25) 국회 농림축산식품해양수산위원회, 항만법 일부개정법률안 심사보고서, 2014. 2., 25면 인용.

'선수금 제도'를 도입하였다. 특히, 선수금 제도는 ① 지방자치단체, 항만공사나 공공기관의 경우 최근 채무 비율의 증가나 과다로 재정여력이 크지 않고 ② 민간투자자의 경우 건설업 업황 악화 등으로 자금공급이 원활하지 않은 여건임을 종합적으로 고려하여, 보다 많은 투자자들을 사업에 참여하게 하여 사업시행자의 초기 사업비 부담을 완화함으로써 항만재개발사업 등이 원활히 이루어질 수 있도록 기여하고자 하는 취지에서 도입된 것이다.[26]

마. 개발이익 재투자

개정법은 항만재개발사업 등의 공익성과 건전성을 확보하고자 하는 목적에서, 항만재개발사업 등을 통하여 개발이익이 발생하는 경우 사업시행자로 하여금 그 개발이익의 100분의 25 이내의 범위에서 해당 사업구역의 분양가격이나 임대료 인하, 기반시설 설치비용 등으로 발생한 개발이익을 재투자토록 하였다.[27]

이는 경제자유구역의 지정 및 운영에 관한 특별법 제9조의8, 산업입지법 제39의13 등을 참조한 것이다.

바. 입주자협의회 구성

개정법은 항만재개발사업의 결과 조성되는 토지 등에 입주하는 입주자 및 입주예정자들을 구성원으로 하는 입주자협의회를 구성하여 사업구역을 효율적으로 관리할 수 있도록 하였다. 이는 물류시설의 개발 및 운영에 관한 법률 제53조, 산업집적활성화 및 공장설립에 관한 법률 제31조 등의 사례를 참조한 것이다.

---

26) 이상 국회 농림축산식품해양수산위원회, 항만법 일부개정법률안 심사보고서, 2014. 2., 26 내지 27면에서 직접 인용.
27) 항만법 제개정이유에서 인용.

사. 환지방식의 사업시행에 관한 근거 마련

2014. 3. 24. 개정법에서 특기할만한 것 중 하나는 환지에 관한 근거규정을 마련하였다는 점이다. 도시개발법에 근거하여 시행되는 도시개발사업의 경우 사업구역 내 기존 토지소유자(조합원)들에 대하여 기존 토지를 조성 후의 토지로 변환하여주는 방식의 사업구조를 마련하고 있고, 이를 '환지방식' 사업이라고 한다. 반면, 기존 토지소유자에게 분배, 변환할 것을 예정하지 아니하고, 사업시행자가 구역 내 토지를 모두 수용하는 등으로 취득하여 개발한 후, 이를 분양 등의 방법으로 매각하는 것을 '수용방식' 사업이라고 한다. 도시개발사업을 제외하면 대부분의 공익사업들은 '수용방식'으로 진행되며, 따라서 사업구역 내 토지들에 대한 시행자의 수용권 행사가 예정되어 있다고 볼 수 있다.

항만재개발사업의 경우에도 개정법 이전 시대에는 당연히 수용방식을 전제하고 있었고, 사업시행자가 사업을 시행한 후 이를 타에 매각하거나 분배하는 방식을 전제하고 있었다. 그러나, 개정법에 이르러 환지방식에 대한 근거를 마련하였는바, 그 주된 취지는 '사업이 보다 효율적으로 추진될 수 있도록 하고 항만별 여건에 맞게 개발이 이루어질 수 있도록 하려는' 것에 있다.[28]

다만, 도시정비법의 사례와 같이 주택재개발사업에 대하여 환지방식에 관한 근거규정을 마련하고 있음에도 불구하고, 현실적으로 해당 조문이 사용되는 실 사례는 거의 드문 경우들이 존재하는바, 이와 같은 개정법의 조문이 실질적으로 사업의 추진방식에 어떠한 영향을 미칠 수 있을지는 의문이 있다.

---

28) 국회 농림축산식품해양수산위원회, 항만법 일부개정법률안 심사보고서, 2014. 2., 52면 인용.

4. 2016. 12. 20. 일부개정

2016. 12. 20. 개정법에 이르러 제1종[29] 항만배후단지개발사업에 대하여 항만재개발사업의 각 규정들을 포괄적으로 준용하는 규정을 마련하게 되었다.

기존 법은 편의·주거시설 등의 2종 항만배후단지에만 항만법상의 항만재개발 절차를 준용하여 민간개발 및 토지취득·분양이 가능하도록 규정하고 있었으나, 물류·제조시설 등의 1종 항만배후단지는 정부, 항만공사 등이 개발하여 물류기업 등에 부지를 임대(최장 50년)하고, 입주기업은 창고 등의 시설을 건축하여 사용하고 있는 등 항만재개발 절차 준용규정에서 제외되어 있었다.[30] 그런데, 개정법을 통하여 제1종 항만배후단지에 대하여도 항만재개발사업의 각 규정을 적용토록 함으로써, 민간투자에 개방하여 민간의 개발 및 분양이 가능하도록 하였다는 측면에서 의의를 찾을 수 있다.

---

29) 참고로, 항만법은 ① 지원시설과 항만친수시설을 집중적으로 설치하는 곳을 '1종 항만배후단지', ② 그 외 일반업무시설·판매시설·주거시설 등을 설치하는 곳을 '2종 항만배후단지'로 구분하고 있다. 즉, 1종 항만배후단지와 비교하여 2종 항만배후단지에서 허용되는 토지 및 건축물의 용도가 상대적으로 유연한 것이라 평가될 수 있으므로, 인허가관청 및 사업시행자의 편의에 따라 수익성이 높은 용도의 시설 또한 포함 가능성이 있다.
30) 이상 국회 농림축산식품해양수산위원회, 항만법 일부개정법률안 심사보고서, 2016. 11., 7면 직접 인용.

V. 2020년 항만재개발 및 주변지역 발전에 관한 법률 제정

1. 입법 배경

이상과 같이 항만법의 한 장으로서 규율되어 오던 항만재개발사업에 관한 각 규정들은 2020. 1. 29. 제정된 항만 재개발 및 주변지역 발전에 관한 법률로 분법(分法)되었다. 해양수산부에 의하면 종래 항만법에 항만재개발사업에 관한 규정이 혼재하여 있음으로써, 제1·2종 항만배후단지개발사업과의 혼동이 발생할 우려가 있고, 특히 이는 수요자들의 이해에 혼란을 야기할 우려가 있었다. 따라서, 항만법으로부터 항만재개발사업에 대한 사항만을 분법해내어, 항만재개발사업 특유의 정책수단을 강구하는 한편, 효율적인 제도 운영이 가능할 수 있도록 법률 체계를 구축하기 위해 분법하기에 이른 것이다.[31] 해양수산부는 2017. 10. 9. 신법을 입안하여, 2018. 12. 31. 국무회의를 거친 후, 2019. 1. 3. 국회에 제출하여 제정에 이르게 되었다.

아래는 구 항만법에서 항만재개발사업에 관한 내용이 분리되는 과정에서 각 조문의 연원에 대하여 정리한 입법자료인바, 각 조문의 위치변화 및 개정방향에 대하여 총괄적으로 살펴볼 수 있으므로 참고할만할 것으로 보인다.

---

31) 이상 해양수산부, 2019 항만재개발 정책설명회 자료집, 2019. 5. 16., 18면.

[표] 구 항만법과 분법 이후 법의 조문의 이동(국회 농림축산식품해양수산위원회, 항만재개발 및 주변지역 발전에 관한 법률안 검토보고서, 2019. 3., 10 내지 16면에서 발췌)

구 분	조 문	주요내용	비 고
제1장 총칙 (제1조~제4조)	제1조 (목적)	항만과 주변지역을 재개발·발전시키는데 필요한 사항을 정하여 지역발전 및 국민경제에 이바지	신설
	제2조 (정의)	• 「항만법」 제2조 규정 중 항만재개발사업 관련 규정을 이관 또는 인용하되, － 복합시설용지 규정을 신설하여 하나의 용지에 항만의 기능시설, 지원시설, 항만친수시설 또는 주거·교육·휴양·관광·문화·상업·체육 등과 관련된 시설을 복합설치할 수 있도록 함.	「항만법」 제2조 이관, '복합시설용지' 신설
	제3조 (국가 및 지자체의 책무)	국가는 항만의 고부가가치를 창출하고 주변지역의 지속가능한 발전을 위한 시책을 수립·추진 등	신설
	제4조 (다른 법률과의 관계)	• 항만재개발사업에 적용되는 규제에 대한 특례는 다른 법률 규정보다 우선 적용 － 다만, 다른 법률에서 보다 완화된 규정이 있으면 그 법률이 정하는 바에 따름	「항만법」 제65조를 이관, 단순 자구수정
제2장 항만재개발 기본계획 등 (제5조~제8조)	제5조 (항만재개발기본계획의 수립)	해양수산부장관은 항만과 주변지역의 체계적인 재개발·발전을 위해 10년마다 기본계획을 수립·시행	「항만법」 제51조를 이관 규정하면서 계획내용 보강
	제6조 (기본계획의 고시 등)	• 기본계획 수립 또는 변경 시 이를 고시하고 관계기관에 통보 • 통보받은 기관은 일반인에게 열람	「항만법」 제52조를 이관, 단순 자구수정
	제7조 (기본계획의 변경)	• 해수부장관은 5년마다 타당성을 검토하여 필요 시 기본계획 변경 가능 • 해수부장관이 변경 필요가 있거나 관계기관의 변경 요청 시 변경 가능	「항만법」 제53조를 이관, 단순 자구수정
	제8조 (기초조사)	• 기본계획의 수립·변경 시 기초조사를 실시 • 기초조사의 내용·방법 등 필요한 사항을 대통령령으로 정하도록 위임	「항만법 시행령」에서 규정하고 있는 기초조사를 유사입법례에 따라 법률로 상향 규정

구 분		조 문	주요내용	비 고
제3장 항만 재개발 사업의 시행 (제9조~제38조)	제1절 항만 재개발 사업 계획의 수립	제9조 (항만재개발사업 계획의 수립)	• 해수부장관은 기본계획에 적합한 범위에서 사업계획을 수립·시행(필요시 공모·선정, 반영) • 사업계획 수립(변경)고시한 경우, 그 범위에서 공유수면매립기본계획, 산업단지를 지정하거나 변경 고시로 봄	• 「항만법」 제54조를 이관 규정하면서 계획내용을 보강 • 「항만법」 제85조 제2항 규정을 이관
		제10조 (복합시설용지의 용적률에 관한 특례)	사업계획수립 시 복합시설용지에 대해 국토계획법에 따른 용적률의 최대한도 적용	신 설
		제11조 (항만재개발사업 계획의 제안)	지방자치단체 등 일정한 자격을 갖춘 자는 해수부장관에게 사업계획의 수립 또는 변경 수립을 제안	「항만법」 제55조를 이관, 단순 자구수정
		제12조 (사업구역의 지정)	• 해수부장관은 사업계획에 따라 사업구역을 지정·고시 • 사업구은 항만구역의 전부 또는 일부와 그 주변지역을 대상으로 하되, - 주변지역을 현행과 같이 사업구역에 포함되는 항만구역의 50%(사업구역 총면적이 20만 m^2 미만인 경우 100%) 이내로 제한하되, 항만재개발사업에 포함되는 항만구역의 경계로부터 직선거리 1.5km 이내 지역(항만구역과 연접하지 않은 지역을 포함)으로 설정 - 사업구역 지정 고시 시 "사업시행자" 를 포함하도록 하여 제24조에 따른 「토지보상법」 상 사업인정 및 사업인정 고시 의제규정과 정합성을 갖추도록 함.	• 「항만법」 제56조(사업구역의 지정) 및 제57조(사업구역의 지정절차 등)를 하나의 조문으로 이관 규정 • 주변지역의 지정 범주 설정과 사업구역 지정 고시 시 내용 등 추가
		제13조 (항만재개발 사업구역의 지정해제)	• 해수부장관은 지정된 사업구역이 다음 어느 하나에 해당하는 경우 중앙심의회 심의를 거쳐 지정해제 가능 - 사업구역 지정일부터 2년 이내 사업시행자를 지정하지 않은 경우 - 사업시행자가 그 지정일부터 2년 이내 실시계획 승인을 신청하지 않은 경우	「항만법」 제58조를 이관, 단순 자구수정

구 분	조 문	주요내용	비 고
제3장 항만 재개발 사업의 시행 (제9조~ 제38조)		－사업시행자가 실시계획 승인일부터 1년 이내 사업에 착수하지 않은 경우 －사업구역 지정해제 시 대통령령으로 정하는 바에 따라 그 사실을 고시하도록 함.	
	제14조 (행위제한 등)	사업구역에서 건축물의 건축 등 일정한 행위 제한 등을 규정	현행 「항만법」 제84조 중 필요 규정을 이관, 단순 자구수정
	제2절 항만 재개발 사업 시행자 및 항만 재개발 사업 실시 계획	• 사업시행자 지정에 관한 사항을 규정 • 사업시행자 지정 취소 및 공사의 중지 등 행정처분에 관한 사항을 규정 －거짓이나 그 밖에 부정한 방법으로 사업시행자로 지정받은 경우 －사업시행자로 지정받은 날부터 2년 이내 실시계획 승인을 신청하지 않은 경우 －실시계획 승인일부터 1년 이내 사업에 착수하지 않은 경우 －실시계획의 승인이 취소된 경우 －천재지변, 시행자 파산 등으로 항만재개발사업의 목적을 달성하기 어렵다고 인정되는 경우 －사업시행자가 승인을 받지 않고 원형지를 공급한 경우 사업구역 지정해제 시 대통령령으로 정하는 바에 따라 그 사실을 고시하도록 함.	현행 「항만법」 제59조를 이관하고, 「항만법」 제71조 행정처분 중 사업시행자 지정 취소 조항을 이관규정
		제15조 (사업시행자의 지정)	
		제16조 (사업시행자의 대체 지정 등)	신설
		• 사업시행자 지정을 취소하는 경우 다른 사업시행자로 대체 지정 • 해수부장관은 지정 취소된 사업시행자에게 매수토지를 대체지정된 사업시행자에게 매도명령할 수 있도록 함. • 매수협의가 성립되지 아니하거나 협의를 할 수 없는 경우에는 관할 토지수용위원회에 재결신청	

구 분		조 문	주요내용	비 고
제3장 항만 재개발 사업의 시행 (제9조~ 제38조)	제2절 항만 재개발 사업 시행자 및 항만 재개발 사업 실시 계획	제17조 (항만재개발사업실 시계획의 승인 등)	사업시행자가 항만재개발사업을 시행하려는 경우 실시계획을 작성, 해수부장관의 승인을 받아야 함.	「항만법」 제60조를 이관, 단순 자구수정
		제18조 (실시계획 승인의 취소 등)	• 해수부장관은 다음 어느 하나에 해당하는 경우 실시계획의 승인을 취소하거나 공사의 중지 등 행정처분 - 사업시행자가 거짓이나 그 밖의 부정한 방법으로 실시계획의 승인을 받은 경우 - 사업시행자가 승인받은 실시계획의 내용과 다르게 사업을 시행한 경우 - 천재지변 등 대통령령으로 정하는 사유로 항만재개발사업의 목적을 달성하기 어렵다고 인정되는 경우 - 사업시행자가 승인을 받지 아니하고 원형지를 공급한 경우	규정 신설 및 「항만법」 제71조의 행정처분 중 실시계획승인의 취소 등 행정처분에 관한 사항을 이관 규정
		제19조 (인가·허가 등의 의제)	• 실시계획을 승인 또는 변경승인 시 다른 법률에 따른 인가·허가를 의제처리 • 의제사항에 아래 사항을 추가 - 「도시개발법」에 따른 도시개발구역의 지정, 도시개발사업계획의 수립, 도시개발사업시행자의 지정 및 실시계획 인가	「항만법」 제85조 중 항만재개발 관련 규정을 이관하면서 일부 의제사항을 추가 및 제2항은 제정법 제9조로 이관
		제20조 (인가·허가등 의제를 위한 일괄협의회)	해수부장관은 실시계획의 승인·변경승인 시 다른 법률에 따른 인가·허가 등 의제를 위한 일괄협의회 개최 가능	「항만법」 제85조의2를 인용 규정
		제21조 (타인의 토지에의 출입 등)	사업시행자는 실시계획 작성 등을 위한 조사·측량 또는 항만재개발사업의 시행을 위해 타인 소유·점유 토지에 출입 등 가능	「항만법」 제75조 중 항만재개발 관련 규정을 이관, 단순 자구수정
		제22조 (토지 출입 등에 따른 손실보상)	타인 토지 출입 등 행위로 인한 손실은 사업시행자가 보상	「항만법」 제80조 중 항만재개발 관련 규정을 이관, 단순 자구수정

구 분	조 문	주요내용	비 고
제3장 항만 재개발 사업의 시행 (제9조~ 제38조)	제3절 항만 재개발 사업의 시행	제23조 (항만재개발사업의 총괄관리)	항만재개발사업을 효율적·체계적으로 관리·지원하기 위해 사업계획 수립단계부터 일정한 공공기관을 총괄관리사업자로 지정할 수 있도록 함.	신설
		제24조 (토지 등의 수용·사용)	사업시행자는 항만재개발사업의 시행을 위하여 토지보상법 등에 따라 토지 등을 수용·사용	「항만법」 제77조 중 항만재개발관련 규정을 이관, 자구수정
		제25조 (토지소유자에 대한 환지)	사업시행자는 사업완료 후 사업계획에 따라 해당 토지소유자에게 환지 가능	「항만법」 제77조의2 중 항만재개발 관련 규정을 이관, 단순 자구수정
		제26조 (토지매수업무 등의 위탁)	사업시행자는 토지매수업무 등을 관할 지자체 또는 대통령령으로 정하는 공공기관에 위탁 가능	「항만법」 제78조 중 항만재개발 관련 규정 이관, 단순 자구수정
		제27조 (선수금)	사업시행자는 항만재개발사업으로 조성하는 토지 등을 공급받거나 이용하는 자로부터 대금의 전부 또는 일부를 미리 받을 수 있도록 함.	「항만법」 제60조의2를 이관하고, 이와 관련한 해수부장관승인을 받도록 하는 사항을 삭제(신고제도 합리화) 차원 및 유사입법례
		제28조 (원형지의 공급과 개발)	사업시행자는 사업구역 일부(전체 면적의 1/3 이내)를 자연친화적 또는 입체적으로 개발하기 위해 원형지 공급계획을 작성, 해수부장관의 승인을 받아 국가·지자체·공공기관 등에 공급·개발하게 할 수 있다.	「항만법」 제60조의3을 이관, 단순 자구수정
		제29조 (국공유지의 처분제한 등)	사업구역내 국공유지는 실시계획에서 정한 목적 외의 용도로 처분을 금지	「항만법」 제64조를 이관, 단순 자구수정
		제30조 (국·공유재산 매각의 예약)	국가·지자체는 사업시행자에게 사업완료를 조건으로 국공유재산의 수의매각 예약 가능	「항만법」 제64조의2를 이관, 단순 자구수정
		제31조 (국유재산의 임대 특례)	국가는 사업시행자에게 사업구역내 국유재산을 「국유재산법」에 불구하고 20년 범위에서 임대 가능	「항만법」 제64조의3을 이관, 단순 자구수정

구 분	조 문	주요내용	비 고
제3장 항만 재개발 사업의 시행 (제9조~ 제38조)	제3절 항만 재개발 사업의 시행	제32조 (비용의 부담)	• 항만재개발사업에 필요한 비용은 사업시행자가 부담 국가는 예산 범위에서 항만재개발사업 시행에 필요한 비용의 일부를 보조 또는 융자	「항만법」 제66조 및 제67조 중 재개발사업 관련 규정을 하나의 조문으로 이관, 단순 자구수정
		제33조 (항운노동조합의 조합원에 생계지원금지급)	항만재개발사업의 시행으로 작업장이 소멸된 항운노조 조합원에 대해 생계지원금을 예산 범위에서 지급	「항만법」 제64조의4를 이관, 단순 자구수정
		제34조 (항운노동조합 소속 조합원 생계대책협의회)	항만재개발사업 시행 관할 해양수산부 소속기관의 장 또는 시・도지사는 항운노조 조합원의 생계안정 등을 협의하기 위해 협의회를 구성・운영	「항만법」 제64조의5를 이관, 단순 자구수정
	제4절 준공 확인 등	제35조 (준공확인)	• 사업시행자는 항만재개발사업의 전부 또는 일부를 끝낸 경우 해수부장관의 준공확인을 받아야 함. • 해수부장관은 준공검사결과 실시계획의 내용대로 끝나지 아니한 경우에는 보완시공 등 필요한 조치	「항만법」 제61조를 이관, 「항만법」 제정안 (보완시공) 추가반영
		제36조 (공사완료의 공고 등)	해수부장관은 준공확인 결과 실시계획대로 완료된 경우 공사완료 공고 등 조치	「항만법」 제62조를 이관, 단순 자구수정
		제37조 (공공시설 등의 귀속)	사업시행자는 항만재개발사업의 시행으로 새로 공공시설을 설치하거나 기존의 공공시설에 대체되는 시설을 설치한 경우에는 「국토계획법」 제65조를 준용	「항만법」 제63조를 이관, 단순 자구수정
		제38조 (조성토지의 처분)	사업시행자는 조성토지를 실시계획에 따라 직접 사용하거나 분양 또는 임대 가능	「항만법」 제63조의2를 이관, 단순 자구수정
		제39조 (개발이익의 재투자)	사업시행자는 개발이익의 25% 범위에서 사업구역내 항만시설용지 등 분양가 또는 임대료 인하, 기반시설이나 공공시설 설치비용에의 충당 외에 "해당 사업구역의 창업보육센터 등 항만물류산업의 일자리 창출을 위한 시설에의 충당"을 추가	「항만법」 제64조의6을 이관하고, 재투자대상 추가

구 분	조 문	주요내용	비 고
제4장 보칙 (제39조~제44조)	제40조 (입주자협의회의 구성 등)	공사완료 공고 후 입주자 및 입주예정자는 입주 자협의회를 구성·운영	「항만법」제64조의7을 이관, 단순 자구수정
	제41조 (부동산가격 안정을 위한 조치)	해수부장관 등은 사업구역과 인근 지역의 부동산 가격안정을 위해 필요한 조치를 하여야 함.	「항만법」제79조를 이 관, 단순 자구수정
	제42조 (청문)	해수부장관은 행정처분 시 「행정절차법」에 따라 청문을 실시	「항만법」제86조 중 항만재개발 관련 규정 이관, 단순 자구수정
	제43조 (권리·의무의 이전)	허가나 승인으로 발생한 권리나 의무를 이전하려 면 해수부장관의 인가를 받아야 함.	「항만법」제87조를 이 관, 단순 자구수정
	제44조 (권한의 위임)	해수부장관은 이 법에 따른 권한의 일부를 대통 령령으로 정하는 바에 따라 소속기관의 장 또는 시·도지사에게 위임	「항만법」제92조 중 항만재개발 관련 규정 이관, 단순 자구수정
제5장 벌칙 (제45조~제49조)	제45조 (벌칙)	거짓 또는 부정한 방법으로 사업시행자 지정을 받거나 실시계획 승인을 받은 자에 대해 3년 이하 징역 또는 3천만원 이하 벌금 부과	「항만법」제96조 중 항만재개발 관련 규정 이관, 단순 자구수정
	제46조 (벌칙)	거짓 또는 부정한 방법으로 행위허가를 받거나 실시계획 승인을 받지 않고 사업을 시행한 자는 2년 이하 징역 또는 2천만원 이하 벌금 부과	「항만법」제97조 중 항만재개발 관련 규정 이관, 단순 자구수정
	제47조 (벌칙)	•1년 이하 징역 또는 1천만원 이하 벌금 부과 －행위허가 또는 변경허가 받지 않고 행위한 자 －사용신고하지 않고 조성·설치된 토지·시 설을 사용한 자 －공사중지 등 명령을 위반한 자	「항만법」제98조 중 항만재개발 관련 처벌 규정을 이관
	제48조 (양벌규정)	행위자를 벌하는 외에 그 법인 또는 개인에게도 해당 벌금형 부과	「항만법」제99조 중 항만재개발 관련 규정 이관
	제49조 (과태료)	토지소유자 또는 점유자 동의 없이 토지에 출입 등 한 자에 대해 2백만원 이하 과태료 부과	「항만법」제101조 중 항만재개발 관련 규정 이관

2. 주요 내용[32)]

가. 법률의 구성

신법은 다음과 같이 5개 장 49개 조문으로 구성되어 있다. 항만재개발에 관한 최초의 입법이 이루어졌던 2007년과 비교하면, 13개 조문이 더 늘어난 것이라 할 수 있다.

[표] 2020년 항만 재개발 및 주변지역 발전에 관한 법률의 구성

제1장 총칙 제1조 목적 제2조 정의 제3조 국가 및 지방자치단체의 책무 제4조 다른 법률과의 관계 **제2장 항만재개발기본계획 등** 제5조 항만재개발기본계획의 수립 제6조 기본계획의 고시 등 제7조 기본계획의 변경 제8조 기초조사 **제3장 항만재개발사업** **제1절 항만재개발사업계획 및 사업구역** 제9조 항만재개발사업계획의 수립 제10조 복합시설용지에 관한 특례 제11조 사업계획의 제안 제12조 사업구역의 지정 제13조 사업구역의 지정해제 제14조 행위 제한 등 **제2절 항만재개발사업 시행자 및 항만재개발사업실시계획** 제15조 항만재개발사업 시행자의	지정 제16조 사업시행자의 대체지정 등 제17조 항만재개발사업실시계획의 　　　　승인 등 제18조 실시계획 승인의 취소 등 제19조 인가·허가 등의 의제 제20조 인가·허가 등 의제를 위한 　　　　일괄협의회 제21조 타인의 토지에의 출입 등 제22조 토지 출입 등에 따른 손실보상 **제3절 항만재개발사업의 시행** 제23조 항만재개발사업의 총괄관리 제24조 토지 등의 수용·사용 제25조 토지소유자에 대한 환지 제26조 토지매수업무 등의 위탁 제27조 선수금 제28조 원형지의 공급과 개발 제29조 국공유지의 처분제한 등 제30조 국유재산 또는 공유재산 매각 　　　　의 예약 제31조 국유재산의 사용허가 등에 관 　　　　한 특례

---

32) 본 항목은 해양수산부, 2019 항만재개발 정책설명회 자료집, 2019. 5. 16., 18면을 주로 인용하거나 참조한 것이다.

제32조 비용의 부담
제33조 항운노동조합의 조합원에 대한 생계지원금 지급
제34조 항운노동조합 소속 조합원 생계대책협의회

제4절 준공확인 등
제35조 준공확인
제36조 공사완료의 공고
제37조 공공시설 등의 귀속
제38조 조성토지의 처분
제39조 개발이익의 재투자

제4장 보칙
제40조 입주자협의회의 구성 등

제41조 부동산 가격 안정을 위한 조치
제42조 청문
제43조 권리・의무의 이전
제44조 권한의 위임

제5장 벌칙
제45조 벌칙
제46조 벌칙
제47조 벌칙
제48조 양벌규정
제49조 과태료

이상과 같은 신법상의 규정들을 2007년 제정된 구법과 비교하여 보면, 다음과 같은 조문들이 새로이 등장하였음을 알 수 있다.

[표] 2007년 법과 2020년 법의 비교(새로이 등장한 조문들)

제3조 국가 및 지방자치단체의 책무
제10조 복합시설용지에 관한 특례
제11조 사업계획의 제안
제16조 사업시행자의 대체지정 등
제18조 실시계획 승인의 취소 등
제20조 인가・허가 등 의제를 위한 일괄협의회
제23조 항만재개발사업의 총괄관리
제25조 토지소유자에 대한 환지
제27조 선수금
제28조 원형지의 공급과 개발
제30조 국유재산 또는 공유재산 매각의 예약

제31조 국유재산의 사용허가 등에 관한 특례
제33조 항운노동조합의 조합원에 대한 생계지원금 지급
제34조 항운노동조합 소속 조합원 생계대책협의회
제38조 조성토지의 처분
제40조 입주자협의회의 구성 등
제41조 부동산 가격 안정을 위한 조치
제43조 권리・의무의 이전

나. 항만시설의 복합개발 및 용적률 특례 적용

분법된 법에서는 정의규정에 '복합시설용지'라는 개념을 도입하였는바, 이는 "하나의 용지에 항만법 제2조 제5호 나목부터 마목까지의 항만시설[같은 호 나목6)의 시설은 제외한다] 또는 주거·교육·휴양·관광·문화·상업·체육 등과 관련된 시설의 일부 또는 전부를 설치하기 위한 용지"로 정의된다(제2조 제6호). 항만법은 항만시설을 기본시설, 기능시설, 지원시설, 항만친수시설 등으로 구분하고 있는바, 개정법에 의하면 이와 같은 항만시설과 더불어 그와 직접적인 연관성이 없는 일반적인 시설까지를 복합적으로 개발할 수 있는 용지 – 곧, 용도가 유연한 용지를 공급할 수 있도록 규정을 둔 것이다.

개정법은 이와 같은 복합시설용지에 대한 특례를 두어 각 지방자치단체의 조례에도 불구하고 국토계획법이 정하고 있는 각 용도지역별 용적률의 상한대로 적용할 수 있도록 하는 특례를 마련하고 있다(제10조). 국토계획법은 각 용도지역별로 용적률의 상한을 정하고, 그 이하의 범위에서 각 지방자치단체 조례로 그보다 낮은 상한을 정할 수 있도록 하고 있는데, 때문에 대부분의 지방자치단체들은 법상 부여된 용적률 상한보다 낮은 용적률만을 허용하고 있는 경우가 대부분이다.[33] 따라서 개정법은 그와 같은 조례에도 불구하고 법정용적률 상한까지를 부여할 수 있도록 하여 사업성과 효율성을 증대하여 준 것이라 볼 수 있다.

다. 항만 주변지역의 범위 특정 및 결합개발방식의 허용

개정법은 항만재개발사업의 사업구역의 범위를 보다 정확하게 특정

---

33) 일례로 국토계획법 제78조 제1항 제1호 가목은 주거지역의 경우 용적률을 500% 이하로, 동법 시행령 제85조 제1항 제5호는 '제3종일반주거지역'의 경우 100% 이상 300% 이하의 용적률을 규정하고 있는데, 그 위임을 받은 서울특별시 도시계획 조례 제55조 제1항 제5호는 '제3종일반주거지역'의 용적률 상한을 250%로 하향하여 정하고 있다.

하였다.

항만법은 항만재개발사업의 대상구역을 항만구역과 주변지역을 대상으로 하도록 하되 다만, 주변지역의 면적비율이 항만구역 면적의 50%를 초과할 수 없다는 상한만을 두고 있었다. 그에 따르면 면적 비율만 충족하는 이상 구역의 범위나 형상은 해양수산부장관이 정할 수 있도록 되어 있었다(구 항만법 제56조 제2항 참조).

반면, 개정법은 사업구역의 범위를 "사업구역에 포함되는 항만구역의 경계로부터 직선거리 1.5킬로미터 이내의 지역"으로 특정함으로써(법 제12조 제2항 제1호), 사업구역의 대략적인 형상이나 범위를 제한하였다.

아울러, 개정법은 항만재개발사업의 효율적 추진 및 사업성 제고 등을 위하여 필요하다고 인정하는 경우에는 지리적으로 연접하지 아니한 둘 이상의 항만구역과 그 주변지역을 결합하여 하나의 사업구역으로 지정할 수 있다고 정하여(법 제12조 제3항), 반드시 지리적인 연속성·계속성을 지니고 있지 아니하고 단절되어 있는 공간이라 하더라도, 필요성이 인정되는 경우에는 하나의 사업으로서 결합하여 개발할 수 있도록 하는 근거를 마련하였다.

라. 사업시행자 대체지정 및 토지 매도명령제도 도입

법 제15조 제2항은 사업시행자에게 일정한 귀책이 있는 열거된 사유가 인정되는 경우 사업시행자 지정 자체를 취소할 수 있도록 정하고 있는바, 그와 같이 사업시행자가 취소된 경우 사업의 공백을 막기 위하여 개정법은 해양수산부장관이 사업시행자를 대체하여 지정할 수 있도록 하는 제도를 도입하였다(제16조). 이 경우 새로이 지정된 사업시행자는 종전 사업시행자의 지위를 승계하고(동조 제2항), 아울러 종전 사업시행자가 당해 항만재개발사업을 위하여 매수하였던 토지들을 매수하도록 하여(동조 제3항 내지 제8항) 새로이 지정된 사업시행자가 안정적으로 사업을 승계할 수 있도록 정하고 있다.

마. 총괄사업관리자 제도 도입

전술한 바와 같이, 항만재개발사업에 관한 각종 법률들이 등장하게 된 것은 국토교통부장관이나 지방자치단체장들에게 도시계획 및 개발에 관한 행정권한이 부여되어 있는 기존 법체계에서는, 육지와 해양을 아우르는 종합적인 개발이 어려웠기 때문이다. 이에 법률들은 항만재개발사업에 관한 행정고권을 해양수산부장관에게 집중시킴으로써, 항만개발이 통일적이고 계획적으로 이루어질 수 있도록 하였다.

그러나, 이와 같은 집중은 사업의 대상이나 범위가 늘어남에 따라 부하가 걸릴 수밖에 없는 것인바, 개정법은 총괄사업관리자 제도를 도입하여, 해양수산부장관이 수행하여야 할 각종 행정고권의 행사를 보조할 수 있도록 하였다. 즉, 총괄사업관리자는 사업계획이나 실시계획 등과 같이 사업의 시행에 관한 중요 인허가 대상들을 검토하는 권한을 부여받게 된다(법 제23조 제2항).

개정법은 총괄사업관리자가 될 수 있는 자를 항만공사, 공공기관, 지방공기업으로 제한하고 있다(동조 제1항).

VI. 입법 연혁에 대한 평가

이상과 같이 항만재개발사업에 관련된 법률의 개정 경과를 살펴보면, 다음과 같은 추세들을 발견해낼 수 있다.

첫째, 항만법은 과거 정부 주도의 항만개발방식에서 탈피하여 점차 민간주체를 항만개발에 참여시키려는 방향으로 개정되어 왔다. 민간투자자자만으로 SPC를 설립하여 사업시행자가 되는 경우를 허용하고 있을 뿐만 아니라, 사업계획 제안의 구조나 절차를 단순화함으로써 점차 항만공간을 사적 영역에 의한 개발이 가능하도록 허용해오고 있다.

둘째, 항만법은 사업추진절차를 유연화함으로써 재원조달을 조력하기 위한 각종 제도들을 도입하고 있음을 확인할 수 있다. 원형지 공급이나 선수금 제도가 대표적인데, 사업비를 미리 조달할 수 있는 길을 열어줌으로써 보다 활발한 초기 투자가 이루어질 수 있도록 허용한 것이라 할 수 있다.

셋째, 사업방식의 다각화를 꾀하고 있다는 것을 발견할 수 있다. 환지방식의 도입이 대표적인데, 과연 그 실익이나 실제 사업구조에 미치는 영향이 어떠할지는 별론으로 하더라도 법 스스로 사업추진방식을 다각화하려는 시도 자체는 긍정적으로 평가할 수 있겠다.

넷째, 이미 국토교통부 소관의 각종 개발사업법령이 개발사업에서 발생할 수 있는 각종 제도들을 구체화하여 입법해놓고 있으므로, 항만법은 주로 국토교통부 소관 법령들을 참조하여 항만재개발사업이라는 특색에 맞게 이를 적절히 절충하여 도입하여왔음을 알 수 있다. 상당수 입법자료들이 도시개발법, 산업입지법이나 물류시설의 개발 및 운영에 관한 법률 등에 대한 비교분석을 하고 있다는 점과 법조문의 체계나 구성의 유사성 등을 고려해볼 때, 항만법의 해석에 있어서도 이들 유사 법령에 대한 판례나 유권해석사례들을 주요하게 참조할 수 있을 것이다.

항만재개발사업의 현황

I. 항만재개발기본계획의 현황

지난 2007. 10. 4. 당시 시행되던 항만과 그 주변지역의 개발 및 이용에 관한 법률 제5조 제1항 및 동법 시행령 제4조의 규정에 의해 「제1차 (2007~2016) 항만재개발 기본계획」이 고시 및 시행되면서 10개 무역항(인천항, 군산항, 목포항, 제주항, 광양항, 여수항, 부산항, 포항항, 묵호항)이 항만재개발사업의 대상항만으로 선정되었다.

이어서 2012. 4. 9.에는 항만법 제52조, 제53조의 규정에 의하여 「제1차(2011~2020) 항만재개발 기본계획 수정계획」이 고시 및 시행되었다. 위 수정계획에 따르면 종전에 대상항만으로 지정된 항만 외에 무역항으로는 서귀포항, 고현항이, 연안항으로 대천항이 추가되어 대상항만이 12개 항만, 16개소로 변경되었다.

해양수산부는 2014. 6. 제2차 항만재개발 기본계획 수립에 착수하여 2016. 10. 31. 이를 고시하였다. 제2차 항만재개발 기본계획은 2020년도 이전까지 사업에 착수할 수 있거나 준공이 가능한 구역들을 중심으로 계획을 수립한 것으로, 총 13개 항만 18개소를 대상항만으로 선정하였다.

한편, 해양수산부는 2019. 5. 제3차 항만재개발 기본계획 수립을 위한 작업에 착수하였고, 2019. 6.부터 각 지방해양수산청과 지방자치단체 등을 통하여 대상항만을 선정하기 위한 수요조사를 실시하였다. 현재 해양수산부는 2020. 연내까지 관계기관 협의 및 중앙항만정책심의회 의결을 마무리할 계획이다.[34]

---

34) 해양수산부, 해수부, 제3차 항만재개발 기본계획('21~'30) 수립 착수, 2019. 5. 1.자 보도자료 참조.

II. 대상항만의 개관

1. 제1차 항만재개발 기본계획

2007년 수립된 제1차 항만재개발 기본계획에 의하면 총 10개 항만이 대상항만으로 지정되었고, 추정 총 사업비는 4조 6,959억 원 규모였다. 제1차 항만재개발 기본계획에 따라 2008. 12. 부산항만공사(BPA)를 사업시행자로 하여 부산 북항 재개발사업을 추진하였으나, 당시 서브프라임 모기지 사태로 인한 경기침체가 겹치면서 사업을 시행하기 위한 PF를 일으키기가 힘든 여건상 전반적인 사업의 진척이 지연되는 현상이 나타났다.[35)

[그림] 제1차 항만재개발 기본계획에 의한 항만재개발 예정구역 위치도(국토해양부, 제1차 항만재개발 기본계획 수정계획(2011~2020), 2012. 4., 6면에서 발췌)

---

35) 국토해양부, 제1차 항만재개발 기본계획 수정계획(2011~2020), 2012. 4., 13면 참조.

이에 국토해양부는 2012. 제1차 항만재개발 기본계획에 대한 수정계획을 마련하였고, 종전 10개 항만에 2개 항만을 추가하여 총 12개 항만 16개 대상지를 선정하게 되었는바, 인천항(영종도투기장, 내항), 대천항(투기장), 군산항(내항), 목포항(내항, 남항투기장), 제주항(내항), 서귀포항, 광양항(묘도투기장), 여수항(신항), 고현항, 부산항(북항, 자성대부두, 용호부두), 포항항(구항), 동해·묵호항(묵호지구) 등이 그 대상이다. 각 구역별 지정사유 및 추정사업비는 다음과 같다.

[표] 제1차 항만재개발 기본계획 수정계획에 따른 대상항만의 선정사유(국토해양부, 제1차 항만재개발 기본계획 수정계획(2011~2020), 2012. 4., 24 내지 25면에서 발췌)

대상항만	항만재개발 예정구역	면적대상 (천m²)	선정사유
총계		14,130	
인천항	인천 중구 영종동 영종도 준설토 투기장	3,161	• 항만시설로서의 활용계획이 없음. • 인천국제공항과 수도권에 인접해 있어, 종합관광레저단지로서의 개발 잠재력 보유
	인천 중구 북성동 인천 내항 1, 8 부두 일원(신규)	300	• 신항의 개발에 따라 내항의 부두기능을 재정립하여, 내항을 효율적으로 운용(장기적으로 내항의 경쟁력 저하 예상) • 인천 해양문화 랜드마크 및 수도권 해양문화 도심기능 발휘
대천항	충남 보령시 신흥동 대천항 준설토 투기장	326	• 항만시설로서의 활용계획이 없는 지역 대상 • 대천해수욕장과 연계한 관광지로서의 개발 잠재력과, 대천항 수산물의 가공·유통·

대상항만	항만재개발 예정구역	면적대상 (천m^2)	선정사유
대천항			연구를 수행하는 수산 종합 타운으로서의 육성 가능성 보유
군산항	전북 군산시 장미동 군산항 내항 일원	474	• 외항으로의 항만기능 이전에 따른 기능상실 • 지자체의 근대 역사문화 테마 공원 계획과 연계한 재개발로 구도심에 활력부여 기대
목포항	전남 목표시 해안동 목포항 내항 일원	135	• 북항으로의 항만기능 이전 및 주변 환경 노후화 • 도심 및 주변 관광자원과 연 계한 관광·여가형 친수공간 조성 추진
	전남 목포시 산정동 목포항 남항 준설토 투기장	376	• 항만시설로서의 활용계획이 없는 지역대상 • 유치 예정인 호남권 생물자 원관 및 주변 관광자원을 연 계한 재개발로 인근 도심에 의 파급효과 기재
제주항	제주 제주시 건입동 제주항 내항 일원	391	• 화물부두 외항 이전에 따라 여객중심으로 항만기능 재편 • 국제여객터미널 개발에 따라 관광, 상업, 업무 등의 복합 기능회 추진
서귀포항	제주 서귀포시 서귀동 서귀포항 일원(신규)	69	• 항만기능 재편(물동량 감소로 배후지유휴화) • 주변 관광자원 및 도시환경개 선과 연계하여 제주도 남부의 해양관광 중심 역할 기재

대상항만	항만재개발 예정구역	면적대상 (천m²)	선정사유
광양항	전망 여수시 묘도동 묘도 준설토 투기장	3,121	• 현재 항만시설로서의 활용계 획이 없음. • 에너지 관련사업, 물류·제 조·가공 등 신성장 산업 집 적 공간으로서의 개발 잠재 력 보유
여수항	전남 여수시 건입동 여수항 신항 일원	1,176	• 2012 세계박람회 개최 예정 지(개발 중) • 박람회 사후 활용과 연계한 수변 여가 공간의 확보 및 주 변지역을 포함한 재개발로 도 시 환경정비와 지역경제 파급 효과 기재
고현항	경남 거제시 고현동 고현항 일원	919	• 항만기능 이전 • 거가대교의 개통으로 관광수 요가 증가하고 있고, 지역 주 민의 삶의 질 향상을 위한 도 시기반시설 확충의 필요성이 증대되고 있으며, 지자체의 개 발의지도 높음.
부산항	부산시 중구 중앙동, 동구 초량동 부산 북 항 1~4 부두 일원	1,527	• 신항의 개발로 인한 장래 항 만기능 재편 • 주변 도심과의 조화로운 재 개발로 부산의 새로운 해양 랜드마크로서의 역할 기재
	부산시 동구 범일동· 좌천동 부산 북항 자 성대부두 일원(신규)	748	• 신항개발에 따른 장래 항만 기능의 재편 • 진행 중인 북항재개발 사업 지구와의 기능분담 및 보완 효과가 있으며, 국제업무 및 교류가 있는 유라시아 관문 거점역할 기대

대상항만	항만재개발 예정구역	면적대상 (천m²)	선정사유
부산항	부산시 남구 용호동 부산 북항 용호부두 일원(신규)	38	• 부산 북항의 항만기능 재정립에 따라 항만기능 이전(폐쇄) • 지역 주민을 위한 여가공간으로서의 재개발 여건 우수
포항항	경북 포항시 송도동 포항항 구항 일원	174	• 영일만항으로의 항만 및 배후 산업기능 이전 • 주변 도심의 환경정비와 연계하여 도심의 해양 랜드마크로서의 역할 기대
동해 · 묵호항	강원 동해시 반한동 동해 · 묵호항 묵호지구 일원	1,195	• 항만기능 재정립 (동해지구 - 산업항, 묵호지구 - 여객 · 관광항) • 구도심과 연계한 여객 · 어항 · 관광기능의 복합화로 활성화 기재

[표] 제1차 항만재개발 기본계획 수정계획에 따른 추정사업비(국토해양부, 제1차 항만재개발 기본계획 수정계획(2011~2020), 2012. 4., 29면에서 발췌)[36]

항명	보상비			기반 조성비	부대비	예비비	총사업비
	토지	건물	소계				
인천항 영종도	419,373	–	419,373	328,198	35,345	74,987	857,903
인천 내항	138,322	11,792	150,114	21,384	5,059	17,415	193,972
대천항	152,854	–	152,854	73,579	7,580	22,664	256,677

---

36) 아래 표의 토지매입비의 경우에는 2011년 공시지가를 기준으로 산출된 것이고, 기반시설공사의 기준단가는 한국토지주택공사가 2011. 1. 발표한 단지개발사업 조성비 추정 기초자료에 근거한 것이다. 건축물의 보상비의 경우 토지보상법상의 기준을 적용함. 이상 국토해양부, 제1차 항만재개발 기본계획 수정계획(2011~2020), 2012. 4., 29면 참조.

항명	보상비			기반 조성비	부대비	예비비	총사업비
	토지	건물	소계				
군산항	84,405	13,785	98,190	16,480	4,173	11,697	130,540
목포항 내항	7,842	1,553	9,395	1,433	1,967	1,249	14,044
목포항 남항	66,051	–	66,051	20,349	4,500	8,864	99,764
제주항	149,789	13,561	163,350	22,982	5,640	18,937	210,909
서귀포항	26,745	2,150	28,895	3,479	1,547	3,346	37,267
광양항	17,561	–	17,561	159,891	16,067	17,752	211,271
여수항	109,919	50,692	160,611	331,040	26,675	48,580	566,906
고현항	153,648	–	153,648	414,459	38,169	56,513	662,789
부산항 북항	337,521	51,878	389,399	1,386,839	89,451	173,148	2,038,837
부산항 북항 자성대	658,532	4,100	662,632	61,047	7,844	72,526	804,049
부산항 북항 용호부두	9,322	300	9,622	1,692	1,206	1,226	13,746
포항항	33,671	13,785	47,456	27,134	3,618	7,541	85,749
동해·묵호항 (묵호지구)	34,501	42,013	76,514	48,209	9,051	12,857	146,631
합계	2,400,056	205,609	2,605,665	2,918,195	257,892	549,302	6,331,054

주) 상부 건축비 제외(사업계획 수립단계에서 검토)

이상과 같이, 제1차 항만재개발 기본계획의 최초 수립 당시 추정 총 사업비 4조 6,959억 원에서 약 1조 6천억 원 가량 증대된 6조 3,310억 원 정도로 총 사업비가 추산되었다.

2. 제2차 항만재개발 기본계획

2014년 수립된 제2차 항만재개발 기본계획에서는 대상항만에 1개 항만 2개 대상지가 추가되어 총 13개 항만 18개 대상지를 선정하였다. 이후 부산북항 2단계가 추가되어 총 13개 항만 19개 대상지에서 사업이 추진중이거나 완료단계에 있다.

[그림] 제2차 항만재개발 기본계획에 의한 대상지역의 현황(해양수산부, 2019 항만재개발 정책설명회 자료집, 2019. 5. 16., 11면에서 발췌)

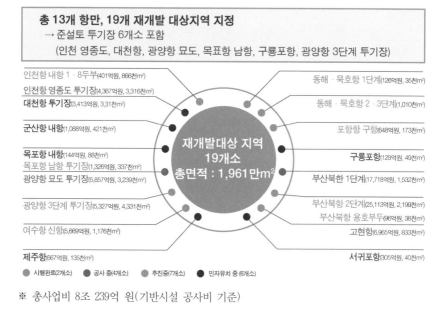

총 13개 항만, 19개 재개발 대상지역 지정
→ 준설토 투기장 6개소 포함
(인천 영종도, 대천항, 광양항 묘도, 목표항 남항, 구룡포항, 광양항 3단계 투기장)

인천항 내항 1 · 8두부(401억원, 866천㎡)
인천항 영종도 투기장(4,367억원, 3,316천㎡)
대천항 투기장(3,413억원, 3,31천㎡)

군산항 내항(1,088억원, 421천㎡)

목포항 내항(144억원, 88천㎡)
목포항 남항 투기장(1,326억원, 337천㎡)
광양항 묘도 투기장(5,857억원, 3,239천㎡)

광양항 3단계 투기장(5,327억원, 4,331천㎡)

여수항 신항(5,669억원, 1,176천㎡)

제주항(667억원, 135천㎡)

재개발대상 지역
19개소
총면적 : 1,961만㎡

동해 · 묵호항 1단계(126억원, 35천㎡)

동해 · 묵호항 2 · 3단계(1,010천㎡)

포항항 구항(648억원, 173천㎡)

구룡포항(128억원, 49천㎡)

부산북한 1단계(17,718억원, 1,532천㎡)

부산북항 2단계(25,113억원, 2,199천㎡)
부산북항 용호부두(96억원, 38천㎡)

고현항(6,965억원, 833천㎡)

서귀포항(305억원, 40천㎡)

● 시행완료(2개소) ● 공사 중(4개소) ● 추진중(7개소) ● 민자유치 중 (6개소)

※ 총사업비 8조 239억 원(기반시설 공사비 기준)

제2차 항만재개발 기본계획에 의한 각 대상항 별 특화 방안을 살펴보면, ① 부산항(북항 1단계), 인천항(내항 1 · 8부두), 고현항, 포항항(구항) 등 4개 소의 경우에는 도심기능 복합거점으로서, 해양 관련 비즈니스 활동 및 도심형 관광, 컨벤션 센터 등이 복합된 국제교류 거점화 등을 특성화 전략으로 한다. 국제회의장(MICE), 도심형 복합리조트, 테마형 쇼핑몰, 시내면세점, 상업 및 해양레저 시설 등을 도입하여 관광객을 유인하겠다는 전략이다.

② 광양항(묘도 투기장), 광양항(3단계 투기장), 대천항(투기장) 3개

소의 경우 해양산업·물류거점으로서 R&D·지식 산업화에 기반한 항만 관련 제조·물류 및 수산물 가공·유통 산업의 클러스터화가 특성화의 목적이다. 미래 신소재산업, 해양관련 복합물류시설, 태양광 등 신에너지 생산시설, 복합 에너지 발전시설 등의 도입이 구상되고 있다.

③ 인천항(영종도 투기장), 동해·묵호항(묵호지구 1단계, 2·3단계), 여수항(신항), 목포항 남항(투기장), 구룡포항(투기장), 부산항(북항 용호부두), 제주항(내항), 서귀포항 등 총 9개 소의 경우 해양관광·여가거점으로 계획되었다. 숙박시설, 위락시설, 관광·휴게시설, 판매·업무시설, 근린생활시설, 문화 및 집회시설 등을 도입함으로써, 해양레저·관광시설, 해상교통 및 관광지원시설 등의 집적을 통한 관광·여가 활동의 거점화를 꾀하겠다는 전략이다.

④ 마지막으로 군산항(내항), 목포항(내항) 등 2개 소의 경우 지자체에서 시행 중인 개항기 문화 및 원도심 역사문화의 길 정비사업과 연계할 수 있도록 수변 여가공간 및 관광객 편익시설 등 조성함으로써, 근대문화거리, 전시·문화시설, 항만 관련 근대산업유산 등을 테마화한 역사·문화 거점화하겠다는 것이 특성화 전략에 해당한다.[37]

3. 사업의 추진 현황

2019. 5. 현재 2개 소의 사업이 완료되었고, 4개 소의 사업이 착공단계에 있으며, 나머지 9개 소는 사업을 추진 중에 있고, 4개 소의 경우에는 투자유치를 받고 있는 중에 있다.

---

37) 이상 해양수산부, 제2차 항만재개발 기본계획수립, 2016. 10. 31., 8 내지 9면에서 인용.

[표] 항만재개발사업의 추진 현황(해양수산부, 해수부, 제3차 항만재개발 기본계획('21~'30) 수립 착수, 2019. 5. 1.자 보도자료 4면에서 발췌)

구 분	대 상 지	면 적 (천㎡)	추정사업비 (억원)	추 진 현 황	비 고
완 료 (2개소)	여수신항	1,176	5,669	• 여수엑스포박람회 사업으로 완료	
	동해·묵호항 묵호지구 1단계	35	126	• 타당성 조사('09.3), 협약체결 ('15.6), 사업계획 고시('15. 10), 실시계획 승인('16.5), 준공('17.12)	동해시
공사중 (4개소)	부산북항 (1단계)	1,532	17,718	• 사업시행 중(정부/BPA/부산시)	'08.12. 착공
	고현항	833	6,965	• 사업제안('13.6), 협약체결 ('14.3), 사업계획 고시 ('14.8), 실시계획 승인('15.6)	'15. 9. 착공
	광양항 묘도투기장	3,239	5,857	• 공모('13.11~'14.5), 협약체결 ('15.2), 사업 계획 고시('16.2), 실시계획 승인('16.12)	'18. 4. 착공
	영종도 투기장	3,316	4,367	• 사업제안('12.9), 제3자 공모 ('13.7~11), 협약체결('14.7), 사업계획 고시('14.12), 사업 계획 변경('16.4), 실시계획 승인('17.12)	'19. 3. 착공
추진중 (9개소)	부산북항 (2단계)	2,199	25,113	• 통합 기본구상 마련('17.12), 기본계획 변경 고시('19.2)	'22년 착공을 위해 공모 추진
	부산북항 용호부두	38	96	• BPA, 부산시와 주변지역과 연계한 공동개발 추진	사업제안 추진 (부산시, BPA)
	인천내항 1,8부두	286	401	• 사업계획 고시('15.3), 사업자 공모('15.4), 재공모('16.5), 공공개발 MOU체결('16.12)	사업제안 추진 (인천시, LH, IPA)

구 분	대 상 지	면 적 (천㎡)	추정사업비 (억원)	추 진 현 황	비 고
추진중 (9개소)	광양항 3단계 투기장	4,331	5,327	• 제2차 항만재개발 기본계획 반영(신규), 사업시행자 공모('18.7), 우선협상대상자 지정('18.12)	협상 진행 (YGPA)
	포항항 구항	173	648	• 도시재생 부처 협업 사업으로 추진 * 도시재생 선도 지역 지정('18.12)	사업제안 추진 (포항시)
	동해·묵호항 묵호지구 2,3단계	1,010	881	• 타당성 조사('09.03) * 동해시 주도로 사업계획 마련 예정('19~)	사업제안 추진 (동해시)
	목포항 남항 투기장	377	1,326	• 타당성 재조사('13.12), 민간 사업제안 ('17.5) * 목포시 주도로 사업계획 마련 예정('19~)	사업제안 추진 (목포시)
	목포항 내항	88	144	• 타당성 조사('10.03), 노후호안 정비('14~'15)	유지보수 사업 등으로 일부 추진
	군산항 내항	421	1,088	• 타당성 조사('08.10), 노후호안 정비('14~'16)	정부, 군산시에서 유지보수, 도시정비 사업 등으로 추진
투자 유치중 (4개소)	대천항 투기장	331	3,413	• 타당성 조사('12.9)	보령시에서 제안 검토 중이나 사업성 부족으로 난항
	구룡포항 투기장	49	128	• 제2차 항만재개발 기본계획 반영(신규)	지역 업체에서 케이블카 설치 등과 연계하여 제안 검토 중
	제주항 내항	135	667	• 타당성 조사('09.12)	–
	서귀포항	40	305	• 민간 사업제안('16.12) * 제주도 협의 과정에서 중단(서귀포항 규모 확대 추진 중)	항만기능 확대 추진(제4차 항만기본계획 반영요청)
13개항(19개 대상지)		19,609	80,239		

* 추정사업비는 제2차 항만재개발 기본계획상 금액, 기반시설 비용임(상부건축비 제외).

용어의 정의[제2조]

I. 항만[제2조 제1호]

1. 항만의 개념

> 법 제2조(정의) ① 1. "항만"이란 「항만법」 제2조 제1호에 따른 항만을 말한다.

　사전적 의미에서 '항만'이란 선박이 안전하게 머물 수 있고, 화물 및 사람이 배로부터 육지에 오르내리기에 편리하도록 정비된 장소를 말한다. 다만 법률에서 말하는 항만의 범위는 바다와 면(面)하여 배가 정박하는 부분에 국한되는 것이 아니라, 화물의 보관 및 처리, 해양친수활동 등을 위한 시설과 화물의 조립·가공·포장·제조 등 부가가치의 창출을 위한 시설 등이 갖추어진 배후지를 포함한다.

　즉, 항만법은 항만을 "선박의 출입, 사람의 승선·하선, 화물의 하역·보관 및 처리, 해양친수활동 등을 위한 시설과 화물의 조립·가공·포상·제소 등 부가가치 창출을 위한 시설이 갖추어진 곳"으로 정의하고 있다(항만법 제2조 제1호). 법은 항만의 개념에 대하여 항만법[38]을 그대로 준용한다.

---

38) 이하에서는 법의 분법 제정에 따라 2020. 1. 29. 전부개정된 항만법을 '항만법'이라고 지칭한다.

2. 항만의 분류

항만법은 '국민경제와 공공의 이해(利害)에 밀접한 관계가 있고, 주로 외항선이 입항·출항하는 항만으로서 제3조 제1항에 따라 대통령령으로 정하는 항만'을 '무역항'으로, '주로 국내항 간을 운항하는 선박이 입항·출항하는 항만으로서 제3조 제1항에 따라 대통령령으로 정하는 항만'을 '연안항'으로 구분하고 있다(항만법 제2조 제2호 내지 제3호). 무역항의 경우 국내외 육상·해상운송망의 거점으로서 광역권의 배후화물을 처리하거나 주요 기간산업 지원 등으로 국가의 이해에 중대한 관계를 가지는 항만인 '국가관리무역항'과, 지역별 육상·해상운송망의 거점으로서 지역산업에 필요한 화물처리를 주목적으로 하는 항만인 '지방관리무역항'으로 구분되는바(항만법 제3조 제2항), 현재 지정되어 있는 무역항의 현황을 살펴보면 다음과 같다.

[표] 무역항의 현황(항만법 시행령 별표 2)

구분	항 명
국가관리무역항 (14개)	경인항, 인천항, 평택·당진항, 대산항, 장항항, 군산항, 목포항, 여수항, 광양항, 마산항, 부산항, 울산항, 포항항, 동해·묵호항
지방관리무역항 (17개)	서울항, 태안항, 보령항, 완도항, 하동항, 삼천포항, 통영항, 장승포항, 옥포항, 고현항, 진해항, 호산항, 삼척항, 옥계항, 속초항, 제주항, 서귀포항

항만법은 연안항의 경우에도 국가안보 또는 영해관리에 중요하거나 기상악화 등 유사시 선박의 대피를 주목적으로 하는 항만인 '국가관리연안항'과 지역산업에 필요한 화물의 처리, 여객의 수송 등 편익 도모, 관광 활성화 지원을 주목적으로 하는 항만인 '지방관리연안항'으로 구분하고 있는바(항만법 제3조 제3항), 그 현황은 다음과 같다.

구분	항 명
국가관리연안항 (11개)	용기포항, 연평도항, 상왕등도항, 흑산도항, 가거항리항, 거문도항, 국도항, 후포항, 울릉항, 추자항, 화순항
지방관리연안항 (18개)	대천항, 비인항, 송공항, 홍도항, 진도항, 땅끝항, 화홍포항, 신마항, 녹동신항, 나로도항, 중화항, 부산남항, 구룡포항, 강구항, 주문진항, 애월항, 한림항, 성산포항

참고로, 항만법은 이상과 같은 항만들 중에서도 특별히 국가관리연안항의 개발을 우선적으로 시행하거나 지원하여야 한다고 정하고 있는바(제3조 제4항), 이는 국가안보나 영해관리에 중요하게 활용되는 국가관리연안항의 기능을 고려하여, 국가재정이 우선적으로 그에 분배될 수 있도록 하기 위함인 것으로 사료된다.

3. 항만 개념 분류의 변천 – 지정항만 제도의 폐지

참고로, 2009년 전부개정된 항만법 이전의 시대에는 항만을 지정항만과 지방항만으로 구분한 뒤, '지정항만' 내에서만 현재와 같은 무역항과 연안항의 구분을 하였다. 구 항만법은 '국민경제와 공공의 이해(利害)에 밀접한 관계가 있는 항만으로서 대통령령으로 그 명칭·위치 및 구역이 지정된 항만'을 '지정항만'으로, '지정항만 외의 항만으로서 특별시장·광역시장·도지사 또는 특별자치도지사가 그 명칭·위치 및 구역을 지정·공고한 항만'을 '지방항만'으로 구분하여(구 항만법 제2조 제2호 내지 제3호), 단순히 ① 지정권자가 국가인지 혹은 지방자치단체장인지 여부나 ② '국민경제와 공공의 이해에 밀접한 관계가 있는지' 여부에 따라 – 곧, 상대적인 중요도의 차이에 따라 양자를 구분하고 있었을 뿐, 기능적인 측면에서 양자를 구분하지 아니하였다.

다만, 지정항만의 하위개념으로만 무역항과 연안항의 개념이 존재하였으며(구 항만법 제3조 제1항), 구 항만법 시행령 별표 1 또한 지정항만을 무역항 30개 항와 연안항 25개 항으로 구분하여 열거하고 있었다.

[표] 구법 시대 항만의 구분(국회 국토해양위원회, 항만법 전부개정법률안 심사보고서, 2009. 4., 4면에서 발췌)

지정 항만 (52개항)	무역항(28개항) • 건설 및 운영 : 국토해양부장관	• 서해안 (8) : 인천, 평택·당진, 대산, 태안, 보령, 장항, 군산, 목포 • 남해안(13) : 완도, 여수, 광양, 제주, 서귀포, 삼천포, 통영, 고현, 옥포, 장승포, 마산, 진해, 부산 • 동해안 (7) : 울산, 포항, 삼척, 동해, 묵호, 옥계, 속초
	연안항(24개항) • 건설 : 국토해양부장관 • 운영 : 시·도지사	• 서해안 (8) : 용기포, 연평도, 대천, 비인, 대흑산도, 홍도, 팽목, 송공 • 남해안(12) : 신마, 녹동신, 나로도, 거문도, 한림, 화순, 성산포, 애월, 추자, 부산남, 화홍포, 갈두 • 동해안 (4) : 구룡포, 후포, 울릉, 주문진

2009년 전부개정된 항만법에 이르러 이와 같은 지정항만과 지방항만의 구분을 폐지한 것은 1967년 항만법 제정 이래 지방항만이 단 한차례로 지정된 사례가 없었기 때문이다. 당시 국토해양부는 이와 같은 구분을 폐지하되 무역항 중 일부 항을 지방자치단체에 위임할 수 있는 법적 근거를 마련하고자 하였는바, 이는 "무역항 일부와 연안항의 항만 개발·관리·운영권이 지방으로 위임될 경우, 지방자치단체가 각 지역의 경제여건, 물동량 등을 고려하여 항만과 배후단지를 개발하고, 항만운영과 연계하여 지역 개발을 선도해 나갈 수 있도록" 장려하기 위한 취지에서 입법된 것이다.[39]

4. 해석상의 쟁점 – 항만재개발사업의 대상이 될 수 있는 '항만'의 범위

법은 항만의 개념과 관련하여 항만법을 준용하고 있으므로, 원론적으로만 본다면 항만법 제2조 제1호가 정하는 개념에 포섭되는 공간이라 할 경우, 무역항이나 연안항 등으로 지정되어 있지 않다고 하더라도 항만재개발사업의 대상이 되는 '항만' 혹은 '항만구역'에 해당할 수 있는 것이 아닌지에 대한 의문이 제기될 수 있다.

현실적으로는, 항만재개발사업이 대상으로 하는 항만은 일견 항만법이 무역항이나 연안항으로 지정하고 있는 항만에 한정된 것이라 볼 수밖에 없을 것으로 사료된다. 항만재개발사업구역의 직접적인 범위는 엄밀하게 따진다면 '항만'이 아니라 '항만구역'인데, 후술할 바와 같이 항만구역의 정의에 대하여 법은 항만법에 의존하고 있고, 항만구역에 포함되는 수상구역과 육상구역의 범위에 대하여는 항만법 시행령이 구체적으로 특정하고 있으므로, 항만재개발사업의 대상이 되는 항만구역의 범위 자체가 항만법 시행령에 의하여 구체화되고 있는 것이다. 그런데, 항만법 시행령이 정하고 있는 항만구역의 대상이 되는 항만들은 모두 무역항 또는 연안항으로 지정된 것들에 속하는 것인바, 그와 같은 범위를 벗어나 단순히 '항만'의 개념적 정의에 충족한다고 하더라도 항만재개발사업의 대상이 되는 항만구역 혹은 항만에 속한다고 보기는 원칙적으로는 쉽지 않아 보인다.

다만, 장기적으로는 법의 기능을 어떻게 활용할 것인지에 따라, 항만이나 항만구역 개념을 확장하는 것은 얼마든지 가능할 것으로 보이며, 다만 사업의 대상이 넓어질수록 항만재개발사업에 대한 국가나 지방자

---

39) 이상 국회 국토해양위원회, 항만법 전부개정법률안 심사보고서, 2009. 4., 5면에서 직접 인용.

치단체의 책무 및 사업의 공공성과의 절충점을 어떻게 찾아갈 것인지가 관건이 될 것이다.

5. 항만관리 주체의 변화

종래 항만법은 해양수산부장관이 무역항과 연안항을 관리한다고 정하고 있었으나(제20조 제1항), 2021. 1. 1. 시행 예정인 개정 항만법에서는 관리청 개념을 도입하여 각 관리청이 관리청은 무역항과 연안항을 관리하도록 정하게 되었다. 관리청이란 시행예정인 항만법 제2조 제6호에 따라 구분되는데, 국가관리무역항 및 국가관리연안항의 경우에는 해양수산부장관이, 지방관리무역항 및 지방관리연안항의 경우에는 특별시장·광역시장·도지사 또는 특별자치도지사가 각 관리청이 된다.

이와 같은 권한의 이양은 중앙행정권한 및 사무 등의 지방 일괄 이양을 위한 물가안정에 관한 법률의 일괄개정에 따른 것으로, 중앙행정기관 업무를 지방으로 분권화하는 정부 정책의 추이에 따라 이루어진 것이다.

II. 항만구역

2. "항만구역"이란 「항만법」 제2조 제4호에 따른 항만구역을 말한다.

1. 항만구역의 정의

법은 항만구역에 대한 정의 또한 항만법에 전적으로 의존하고 있다. 항만법은 항만구역을 "항만의 수상구역과 육상구역"으로 정의하고 있다(항만법 제2조 제4호). 항만구역 또한 2009년 전부개정 이전에는 지정항만과 지방항만의 구역이라는 용어를 사용하였다가, 개정한 것으로, 2009년 전부개정 당시에는 '해상구역'이라는 명칭을 사용하였다가 2012. 12. 18. 개정을 통하여 해양 뿐만 아니라 하천까지도 포함하는 개념인 '수상구역'으로 확대하였다.[40]

항만구역에 속하는 수상구역과 육상구역의 범위는 모두 대통령령으로 정하여져 있다. 항만법 시행령 별표 1은 각 항만별로 수상구역과 육상구역의 범위에 관하여 정하고 있는바 ① 수상구역의 경우 동 별표 스스로 위도를 이용하여 구체적으로 확정하고 있는 반면, ② 육상구역의 경우 "해양수산부장관이 관할 시·도지사와 협의한 후 중앙항만정책심의회의 심의를 거쳐 지정·고시한 구역"이라고 정하여, 해양수산부장관이 독자적으로 지정하기 보다는 이를 관할하는 지방자치단체의 의견을 일정부분 수렴하여 지정하도록 정하고 있다. 후술하다시피 항만구역의 범위는 해양수산부장관의 직접적인 고권이 미치는 공간적인 범위가 되어, 해당 육지를 관할하는 지방자치단체장의 계획고권[41]과 충돌할 우려가 있으므로 항만법은 수상구역과 달리 육상구역에 대하여는 법령으로 그 구역을 특정하지 아니하도록 정한 것으로 사료된다.

2. 항만구역 구분의 의의

항만구역의 범위가 중요한 의미를 지니는 이유는, 해양수산부장관의 직접적인 고권이 미치는 가장 직접적인 범위를 획정하는 것이기 때문이다.[42] 다만, 항만구역이라 하더라도 육상구역에 해당하는 곳에 대하여는 국토계획법의 적용을 받게 되는바, 지방자치단체장이 보유한 도시

---

40) 이상 한국법제연구원, 항만법령 체계정비 방안 연구, 2016. 12., 43면 참조.

41) 쉽게 말해 도시계획을 입안·수립할 수 있는 행정권한

42) 항만법은 "해양수산부장관은 무역항과 연안항을 관리한다"라고 하여 항만구역에 속하는 무역항, 연안항의 관리권한이 해양수산부장관에게 있음을 명시하고 있다(항만법 제20조 제1항).

계획권한과 상관없이 해양수산부장관이 항만구역에 대하여 배타적인 권한을 지니는 것이라 보기는 어려울 것이다.[43] 항만시설을 설치공사의 인허가와 관련하여 도시관리계획결정을 의제하고 있으나(항만법 제98조 제1항) 의제를 위해서는 지방자치단체장의 협의를 거쳐야 한다는 점을 보더라도, 항만구역 내에서 해양수산부장관이 다른 행정기관의 도시계획권한을 배제하면서까지 일방적이고 배타적인 권한을 행사한다고 보기는 어렵다. 정리컨대 항만구역은 해양수산부장관과 도시계획권한을 지닌 지방자치단체장 등의 권한이 '중첩적'으로 작용하는 곳에 해당하고, 이를 일응 해양수산부장관의 고권이 미치는 영역으로 볼 수 있는 것과 별개로, '배타적'인 권한이 작용하는 곳으로 보기는 어려울 것으로 사료된다.

항만구역의 경우 항만시설이 설치되는 원칙적인 공간적 범위가 되며(항만시설 외의 곳에 설치하려는 경우에는 해양수산부장관의 별도 지정·고시가 필요, 제2조 제5호), 항만배후단지개발사업의 직접적인 공간적 범위가 된다(제2조 제10호 참조). 또한 해양수산부장관은 항만구역 내에서 상업항구, 공업항구 등 9종의 분구를 설정할 수 있고(제21조), 항만구역 내에서 안전사고 예방을 위하여 인명사고가 자주 발생하거나 발생할 우려가 높은 일련의 장소에 대하여 출입통제 조치를 취할 권한을 가진다(제28조 제2항).

만일 국가나 지방자치단체가 항만개발사업의 시행허가를 하거나 항만시설의 사용허가를 하려는 경우에는 해양수산부장관의 협의 또는 승인을 받아야 하는바(항만법 제96조 제1항), 항만개발사업과 항만시설의 공

---

43) 실제로도 항만구역에 대하여도 용도지역이 지정되고 있다. 예컨대 부산신항 북컨테이너부두나 인천항 제1, 2부두 등은 일반공업지역이나 준공업지역의 용도지역이 지정되어 있다.

간적 범위 또한 원칙적으로 '항만구역'이 된다. 아울러, 국가나 지방자치단체가 ① 공유수면 관리 및 매립에 관한 법률 제22조에 따른 매립기본계획에 항만구역을 반영하려는 경우, ② 항만구역, 항만시설 설치 예정지역을 산업입지법에 따라 산업단지로 지정하려는 경우에는 해양수산부장관과 협의토록 하고 있다(동조 제2항 각 호).

이밖에 항만배후단지로 고시된 지역에서 개발행위가 제한되는 것(제97조 제1항) 또한 항만구역에서의 해양수산부장관의 고권적인 권한과 관련된 것이라 할 수 있겠다.

3. 관련 판례

현재로서는 중요한 의미를 지니는 것은 아니기는 하나, 종래 부산신항의 명칭 결정을 두고 경상남도와 부산광역시 간에 분쟁이 일었던 사례가 있었는바, 그에 대한 헌법재판소의 결정례 중 항만구역에 대하여 다음과 같이 설시한 부분이 있다. 이하의 판례에 의하면 ① 항만구역을 정하고 그 명칭을 정하는 것은 기본적으로 국가사무에 해당하는 것인 한편, ② 그 최종적인 권한 또한 중앙항만정책심의회가 아닌 대통령령 그 자체로 정하여 지는 것이라 할 수 있다. 항만구역에 대한 국가적 차원의 고권을 인정한 사례라 볼 수 있을 것이다.

헌법재판소 2008. 3. 27. 자 2006헌라1 결정

지정항만에 관한 사무는 국가사무이므로, 새로이 건설된 항만을 독립된 지정항만으로 할 것인지, 이미 지정된 지정항만의 하위항만으로 할 것인지, 아니면 지방자치단체장이 관리하는 지방항만(구 항만법 제2조 제3항, 제22조)으로 할 것인지에 관하여는 국가가 그 결정권한을 가진다 할 것이고, 국가가 신항만을 지정항만의 하위항만으로 하기로 결정한 이상 그 항만구역의 명칭을 무엇이라 할 것인지 역시 국가에게 결정할 권한이 있다고 할 것이다.

중앙항만정책심의회는 항만기본계획의 수립 및 변경, 항만의 지정 및 폐지, 항만구역의 지정 및 조정, 항만배후단지의 지정 및 그 개발에 관한 종합계획의 수립, 기타 항만의 개발 및 관리·운영에 관하여 해양수산부장관이 심의에 부치는 사항에 관하여 심의하기 위하여 해양수산부장관 소속하에 설치된 기구로서 단지 심의권한만을 가지고 있을 뿐만 아니라 항만법상 지정항만의 명칭은 대통령령으로 정하도록 되어 있어 비록 위 위원회가 항만의 명칭에 대하여 의결하여 결정한다 하더라도 이로써 항만의 명칭이 확정적으로 정해진다고 볼 수 없다. 따라서 중앙항만정책심의회의 결정은 정책방향을 결정하는 국가기관 내부의 의사결정에 불과하여 그 자체로 대외적인 효력이 발생할 수 없고 국민의 권리와 의무에 대하여 변동을 주지 않으므로 헌법소원심판의 대상이 되는 공권력 작용으로 볼 수 없다.

III. 주변지역

3. "주변지역"이란 항만구역과 인접한 지역으로서 항만구역과의 조화로운 개발을 위하여 항만재개발사업에 포함시킬 필요성이 있는 지역을 말한다.

1. 주변지역의 개념

주변지역은 항만구역 이외에도 그에 인접하여 항만재개발사업에 포함시킬 필요성이 있는 지역을 의미한다. 즉, 이는 항만재개발사업의 대상구역을 항만구역에 한정하지 아니하고, 넓히기 위하여 사용되는 개념이다.

주변지역이라는 용어가 처음 등장한 것도 2007년 항만과 그 주변지역의 개발 및 이용에 관한 법률 제정 당시였는데, 2009년 동법이 항만법으로 편입됨에 따라 항만법 제2조 제9호에 규정되었다가, 금번에 분법되면서 새로이 항만법에서 떨어져 나오게 된 것이다.

주변지역의 연혁이나 정의규정에서 보는 바와 같이, 주변지역은 오로지 '항만재개발사업구역'의 공간적 범위로서만 의미를 가지는 개념에 해당한다.

2. 주변지역의 요건(법 제12조 제2항)

가. 항만재개발사업구역에 포함된 항만구역의 경계로부터 일정거리 이내일 것

주변지역으로서 항만재개발사업구역에 포함되기 위한 요건으로 법 제12조 제2항 제1호는 항만구역으로부터 1.5km 이내에 위치할 것을 요구하고 있다. 이는 종래 항만법이나 항만과 그 주변지역의 개발 및 이용에 관한 법률에서는 요구되지 않던 요건이었는데, 구법들의 경우에는 후술할 바와 같이 주변지역을 항만재개발사업구역으로 포섭함에 있어 연접할 것을 전제하고 있었기 때문에, 이와 같은 일정 거리 내에 위치할 것을 명시적으로 요구하지 않았던 것이다. 그러나 분법 이후 지리적 연접성을 요구하지 않게 됨으로써, 항만구역과 아무런 관련성이 없는 공간까지 항만재개발사업의 방식으로 개발되는 것을 피하기 위해서 이와 같은 규정이 마련된 것으로 사료된다.

한편, 주변지역의 범위를 이와 같이 제한함으로써, 도시공간에 대하여 관할 지방자치단체장이 지니는 도시계획 입안·수립권한 – 곧, '계획고권'을 지나치게 침해하는 문제를 방지하고, 양자를 조화롭게 조정한 것이라 할 수 있다.

나. 지리적 연접성의 불요

종래 항만법의 경우 주변지역이 반드시 항만지역에 연접할 것을 명시적으로 요구하지는 않았으나(구 항만법 제56조 제2항), 실무상으로나 해석상으로는 양자는 연접하여 있을 것이 당연히 전제되었던 것으로 사료된다. 전술한 바와 같이 주변지역의 공간적 범위가 확대될 수록 지방자치단체장의 계획고권과의 충돌 문제가 발생할 수 있으므로, 항만구역과의 견련성 혹은 연관성을 명확하게 하는 측면에서도 가급적 양자가 연속하여 있는 것이 바람직하였을 것으로 사료된다.

그러나, 법이 항만법으로부터 분법되면서 항만재개발사업구역에 포함될 수 있는 주변지역의 범위에 대하여 "항만구역과 지리적으로 연접하지 아니한 지역을 포함한다"라는 명시적인 문언을 두게 되었고, 이로써 반드시 연접하지 않더라도 항만재개발구역에 주변지역으로서 포함될 수 있도록 하였다.

이와 같은 입법적 변화는 항만재개발사업을 유연화하여 사업성을 개선하는데 도움을 주게 될 것으로 판단된다.

다. 주변지역의 포함 비율 요건의 충족

항만재개발사업은 '항만구역'을 주된 공간적 범위로 하는 사업이므로, 만일 항만구역의 구성면적이 지나치게 적게 될 경우 항만재개발사업과 국토교통부 소관의 여타 개발사업법과의 경계가 희미하게 된다. 특히 고현항의 사례와 같이 항만재개발사업의 결과 공동주택, 상가와 같이 통상적인 개발사업의 결과물들도 동일하게 개발되므로, 항만구역이 비율이 적어질수록 항만재개발사업을 독자적인 사업의 형태로 분리하여놓은 취지가 무색하게 될 우려가 있다.

이 때문에 법은 2007년 제정 당시부터 항만재개발사업구역에 포함될 수 있는 주변지역의 비율을 원칙적으로 당해 사업구역에 포함된 항만구역 면적의 50% 이내일 것을 요구하고 있다(법 제12조 제1항 제2호 전단). 즉, 주변지역은 항만구역 면적의 절반까지만 포함될 수 있는 것이므로, 전체적으로 본다면 항만구역이 전체의 2/3, 주변지역이 1/3까지만을 구성할 수 있는 것이다.

다만, 사업구역이 20만㎡ 미만인 경우에는 주변지역을 보다 더 많이 포함할 수 있도록 정하여, 항만구역과 주변지역이 1:1의 비율로 포함될 수 있도록 정하고 있다(법 제12조 제2항 제2호 후단). 이는 항만재개발사업이 소규모로 진행될 경우의 경제성이나 사업성을 충족시켜줄 수 있도록 하기 위함인 것으로 사료된다.

3. 주변지역 개념에 대한 비판론

한편, 주변지역이라는 개념이 오로지 항만재개발사업구역의 범위에 포섭할 수 있는 비(非)항만구역을 지칭하는 것으로 사용되고 있어 관할 지방자치단체장의 계획고권과의 완충지대 역할을 하고 있음에 비하여, 그에 대한 명확한 법적·제도적 규율이 부재하다는 비판론이 한국토지주택공사(LH, 2018)의 연구보고서에 의하여 제기된 바 있다.[44]

첫째, 주변지역에 대한 관련된 행정기관들의 역할분담이 불분명하다는 문제가 제기되고 있다. LH(2018)는 대표적으로 부산항 북항의 사례를 들고 있는바, 지금까지 여러 정부부처와 부산광역시 등이 사업을 추진하거나 협의하고 있지만, 그 사이의 이해관계가 명확하지 아니하거나 역할이 불명확하다는 점이 잠재적인 갈등요인으로 작용될 수도 있다는 점을 우려하고 있다. 둘째, LH(2018)는 항만구역에 대하여 해양수산부장관이 수립하게 되는 계획과, 주변지역에 대하여 존재하는 지방자치단체장의 도시계획을 유기적으로 연결해주는 통합된 계획이 부재하다는 점[45]이나, 주변지역의 명확한 범위가 부재하고 그 기준 또한 부재하다

---

44) 이하의 내용은 한국토지주택공사 토지주택연구원, 항만재개발사업의 주변지역 연계를 통한 생활권계획 추진방안 연구, 2018, 41 내지 44면의 논의를 정리하고, 그에 대하여 본서의 견해를 부가한 것이다.

45) 전술한 바와 같이 항만구역 또한 국토계획법의 적용을 받게 되고, 실무상으로도 공업지역의 용도지역제 도시계획이 수립되어 있다. LH의 이와 같은 지적은 그럼에도 불

는 점 등을 지적하고 있다.

특히, 본서에서도 지적하는 바와 같이 해양수산부장관의 고권(권한)이 작용하는 곳이라는 점이 상대적으로 명확한 항만구역과 비교하여, 주변지역은 해양수산부장관이 '항만재개발사업'이라는 수단을 통하여 권한의 행사범위를 지방자치단체장의 계획고권이 작용하는 도시지역 등으로 일시적으로 확장·팽창하는 공간에 해당하는바, 양 행정청 간의 갈등은 필연적으로 발생할 수밖에 없다.

더욱이 통상적인 개발사업들이 사업구역을 지정하면 구역지정에 대하여 도시관리계획 혹은 그 하위개념인 지구단위계획의 결정·고시를 의제하고 있어 그로써 기존의 도시관리계획을 변경하거나 폐지하는 효력이 있는 반면(대표적으로 도시정비법 제17조 제1항을 참조), 항만재개발사업구역의 경우에는 그와 같은 의제조항을 두고 있지 아니하므로 해양수산부장관의 구역지정 행위가 있다고 하더라도 반드시 관할 지방자치단체장이 결정·수립한 기존의 도시관리계획이 폐지·변경되는 관계에 있다고 보기는 어렵다. 이를 통해 보더라도 여전히 분법 이후에도 주변지역을 두고 해양수산부장관과 다른 행정기관들의 권한 범위 혹은 각 계획들간의 유기적인 관계가 명확히 정리되지 아니한 상태라는 점을 알 수 있다.

구하고 국토계획법에 따른 도시관리계획과 항만구역의 관계를 유기적으로 규명할만한 마땅한 수단이 존재하지 않는다는 점을 지적한 것으로 보인다.

IV. 항만재개발사업

> 4. "항만재개발사업"이란 노후하거나 유휴 상태에 있는 항만구역 및 그 주변지역
> 에서 「항만법」 제2조 제5호에 따른 항만시설 및 주거 · 교육 · 휴양 · 관광 · 문
> 화 · 상업 · 체육 등과 관련된 시설을 개선하거나 정비하기 위하여 시행하는 사
> 업을 말한다.

1. 정의규정의 변천

2007년 항만과 그 주변지역의 개발 및 이용에 관한 법률이나 구 항만
법 모두 항만재개발사업을 "항만구역 및 주변지역에서 항만시설 및 주
거 · 교육 · 휴양 · 관광 · 문화 · 상업 · 체육 등과 관련된 시설을 개선하
거나 정비하기 위하여 시행하는 사업"으로 정의하여(구 항만법 제2조 제8
호) 정의규정에서는 '노후' 혹은 '유휴'라는 문언을 사용하지 아니하였다.
다만, 구법들은 항만재개발사업기본계획에 관한 조문에 가서 비로소
"노후하거나 유휴(遊休) 상태에 있는 항만과 그 주변지역의 효과적인
개발과 지속가능한 이용을 위하여 대통령령으로 정하는 바에 따라 10
년마다 항만재개발기본계획(이하 "항만재개발기본계획"이라 한다)을
수립하여야 한다"라고 하여 기본계획의 수립 대상을 지칭함에 있어 '노
후하거나 유휴상태에 있는 항만과 그 주변지역'이 당해 사업의 대상이
되는 것임을 명시하고 있었다(구 항만법 제51조 제1항).

이후 분법과 함께 항만재개발사업의 규정 자체에 '노후하거나 유휴
상태에 있는'이라는 문언을 옮겨오게 된 것이다.

2. '노후' 또는 '유휴' 요건의 수식 범위

'노후하거나 유휴 상태에 있을 것'은 항만재개발사업구역으로 지정되
기 위한 하나의 요건으로 작용하는 것이라 볼 수 있다. 예컨대, 도시정

비법의 경우 정비사업의 일종인 재개발사업이나 재건축사업의 정의규정에 "노후·불량건축물이 밀집한 지역"과 같은 문언을 사용하고 있는데(도시정비법 제2조 제2호), 이와 같은 노후·불량건축물 자체가 정비구역 지정 등을 위한 하나의 요건으로 작용하고 있는 사례에 비추어보면, 항만재개발사업구역의 지정 등에 있어서도 유사한 법적 의미를 지니는 것이라 볼 수 있다. 다만, 법은 노후 혹은 유휴의 정도를 인정할 수 있는 구체적인 판단의 방법(예컨대 재건축사업의 경우 안전진단)을 특정하고 있지 아니하므로, 그 판단은 해양수산부장관의 재량에 맡겨져 있는 것이라 볼 수 있다.

한편, '노후하거나 유휴 상태에 있을 것'이라는 요건이 항만재개발사업구역에 포함될 '항만구역'에 대하여만 요구되는 것인지, 아니면 그 주변지역에 대하여도 요구되는 것인지에 대하여 해석의 여지가 있다. 만일 주변지역에 대하여 그와 같은 요건이 요구되지 않는다고 한다면 항만재개발사업구역을 구획함에 있어 보다 유연한 접근이 가능한 것이다. 분법 이후 법이 주변지역에 대한 연속성 요건을 명시적으로 요구하지 않고 있는 점이나, 전반적으로 주변지역이 항만재개발사업의 사업성을 확보하기 위한 제도적인 수단으로 활용되고 있는 점 등을 종합하면, 주변지역에 대하여는 '노후하거나 유휴 상태에 있을 것'이라는 요건이 요구되지 않는다고 해석하는 것이 상당할 것으로 사료된다.

그 외, '노후'나 '유휴'라는 요건이 동시에 충족될 필요는 없을 것으로 판단된다. 왜냐하면, 준설토 투기장이 현재 진행 중인 항만재개발사업의 상당수 사례를 차지하고 있음을 고려하면, 그와 같은 투기장들이 '유휴'한 공간에 해당할지언정 '노후'한 공간이라고 보기는 어렵기 때문이다.

V. 사업구역

> 5. "사업구역"이란 항만재개발사업을 계획적이고 체계적으로 시행하기 위하여 제12조에 따라 지정·고시한 구역을 말한다.

법은 사업구역을 법 제12조에 따라 지정·고시한 구역으로 정의하고 있는바, 항만구역과 주변지역을 포함한 항만재개발사업의 대상이 되는 구역을 의미하는 것이다. 본래 2007년 항만과 그 주변지역의 개발 및 이용에 관한 법률과 구 항만법은 '사업구역'이라는 용어 대신 '항만재개발사업구역'이라는 용어를 사용하였으나(구 항만법 제2조 제10호), 분법되면서 '사업구역'이라는 용어로 축약하게 되었다.

VI. 복합시설용지

> 6. "복합시설용지"란 하나의 용지에 「항만법」 제2조 제5호 나목부터 마목까지의 항만시설[같은 호 나목6)의 시설은 제외한다] 또는 주거·교육·휴양·관광·문화·상업·체육 등과 관련된 시설의 일부 또는 전부를 설치하기 위한 용지를 말한다.

1. 복합시설용지의 개념

복합시설용지란 항만법이 정하고 있는 항만시설과 그 외 항만시설에 속하지 아니하는 시설을 하나의 용지에 복합적으로 설치할 수 있도록 허용하는 용지로, 항만 및 주변지역의 효율적인 공간활용과 항만재개발사업 활성화를 위하여 도입된 것이다.[46] 법이 복합시설용지 제도를 새로이 도입한 이유는 항만재개발사업의 효율성과 사업성을 증진하기 위

---

46) 국회 농림축산식품해양수산위원회, 항만재개발 및 주변지역 발전에 관한 법률안 검토보고서, 2019. 3., 19면 인용.

한 것으로 풀이된다.

복합시설용지는 산업입지법 제23조의 '복합용지' 제도를 참조한 것으로 사료된다.[47] 복합용지란 산업시설(공장)과 지원시설(상업·판매·업무·주거시설 등), 공공시설이 복합적(평면적 또는 입체적)으로 입지할 수 있는 용지를 말하는 것으로 2014년 산업입지법 개정 시에 도입된 것인데, 그 도입으로 인하여 동일 건물에 공장 뿐만 아니라 상업·업무시설, 지원시설 등이 동시에 입주할 수 있어 업무효율이 높아지고, 편의·휴식시설이 확충되어 생활여건이 크게 개선될 것으로 기대되었다.[48] 동법 또한 복합용지에 대하여 용적률 상향의 특혜를 부여하고 있었다. 복합용지의 개념을 도식화 하면 다음과 같다.

[그림] 산업입지법에 도입된 복합용지의 개념(국토교통부 산업입지정책과, 산업단지에 도입되는 복합용지 Q&A, 2014. 12. 31.자 자료에서 발췌)

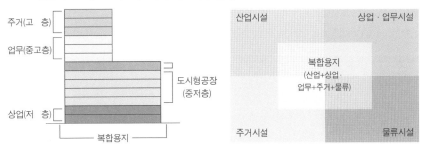

주의할 것은, 복합시설용지 내에서 항만시설을 건설하지 아니한 채 오로지 주거·교육·휴양·관광·문화·상업·체육 등과 관련된 시설만을 건설하는 것은 허용되지 않는다는 것이다. 즉 복합시설용지는 용

---

47) 국회 농림축산식품해양수산위원회, 항만재개발 및 주변지역 발전에 관한 법률안 검토 보고서, 2019. 3., 28면 참조.

48) 이상 국토교통부 산업입지정책과, 산업단지에 도입되는 복합용지 Q&A, 2014. 12. 31. 자에서 직접 인용.

어 그대로 항만시설과 그 외 시설을 '복합'하여 설치할 수 있도록 하는 것이기 때문이다. 입법과정에서도 법의 문구가 "항만시설과 관련시설이 함께 설치되지 않아도 되는 것으로 오인될 수 있"다는 점이 지적된 바 있는바[49], 이를 통해 보더라도 입법자의 의사는 명시적으로 양 시설이 반드시 "함께" 설치되는 경우를 위하여 복합시설용지 제도를 도입한 것으로 보아야 할 것으로 사료된다.

2. 복합시설용지에 대한 특례

법은 이와 같은 복합시설용지에 대한 특례를 두어 각 지방자치단체의 조례에도 불구하고 국토계획법이 정하고 있는 각 용도지역별 용적률의 상한대로 적용할 수 있도록 하는 특례를 마련하고 있다(법 제10조). 국토계획법은 각 용도지역별로 용적률의 상한을 정하고, 그 이하의 범위에서 각 지방자치단체 조례로 그보다 낮은 상한을 정할 수 있도록 하고 있는데, 때문에 대부분의 지방자치단체들은 법상 부여된 용적률 상한보다 낮은 용적률만을 허용하고 있는 경우가 대부분이다.

개정법은 그와 같은 조례에도 불구하고 법정용적률 상한까지를 부여할 수 있도록 하여 사업성과 효율성을 증대하여 준 것이다.

VII. 기반시설

> 7. "기반시설"이란 「국토의 계획 및 이용에 관한 법률」 제2조 제6호에 따른 기반시설을 말한다.

---

49) 국회 농림축산식품해양수산위원회, 항만 재개발 및 주변지역 발전에 관한 법률안 검토보고서, 2019. 3., 19면.

법은 기반시설의 정의에 대하여 전적으로 국토계획법의 정의를 준용하고 있다. 국토계획법은 기반시설의 의미에 대하여는 특별히 언급하지 아니한 채 다음과 같이 그 종류만을 열거하고 있다.

국토계획법 제2조 제6호

6. "기반시설"이란 다음 각 목의 시설로서 대통령령으로 정하는 시설을 말한다.
   가. 도로·철도·항만·공항·주차장 등 교통시설
   나. 광장·공원·녹지 등 공간시설
   다. 유통업무설비, 수도·전기·가스공급설비, 방송·통신시설, 공동구 등 유통·공급시설
   라. 학교·공공청사·문화시설 및 공공필요성이 인정되는 체육시설 등 공공·문화체육시설
   마. 하천·유수지(遊水池)·방화설비 등 방재시설
   바. 장사시설 등 보건위생시설
   사. 하수도, 폐기물처리 및 재활용시설, 빗물저장 및 이용시설 등 환경기초시설

기반시설의 개념에 대하여는 문헌상으로 논의가 발견되는 바 "국토계획법상 도로, 공원 등 도시민의 생활을 위해 필요한 기초시설을 의미"한다고 정의하고 있다.[50] 즉, 기반시설이란 도시의 형성이나 기능에 필수적인 시설을 의미하는 것으로서, 그 자체로 공적인 성격을 강하게 지니는 개념이다. 참고로, 문헌들 중에는 국토계획법이 열거하고 있는 모든 종류의 시설들이 기반시설에 해당한다고 보아서는 아니되고, 그 중에서도 '공공성'을 갖춘 것들만이 '기반시설'의 개념에 속한다고 인정되어야 한다는 논의도 존재한다.[51]

때문에 국토계획법은 기반시설을 원칙적으로 공적인 주체 - 곧, 국

---

50) 김종보, 건설법의 이해, 제6판, 피데스, 2018, 206면에서 직접 인용.
51) 김종보, 도시계획시설의 공공성과 수용권, 행정법연구, 2011, 282면.

가나 지방자치단체에 의하여 '도시계획시설사업'이라는 수단을 통하여 설치되도록 하는 입장을 취하고 있고(국토계획법 제86조 제1항)[52], 이와 같이 도시계획시설사업을 통하여 설치 된 기반시설을 '도시계획시설'이라고 한다(국토계획법 제2조 제7호).

다만, 모든 기반시설이 반드시 공적 주체에 의하여 설치되어야만 하는 것은 아니고 사업시행자로 지정된 '민간 주체'에 의하여도 건설될 수 있는 것이기는 하고(동조 제5항), 대부분의 개발사업법들이 당해 법령에 의하여 시행되는 사업구역 내 기반시설의 설치와 관련하여 도시계획시설사업의 시행자 지정이나 실시계획인가를 의제하고 있어 이 역시 '민간 주체'에 의하여 기반시설이 건설되는 경우를 전제한 것이기는 하다. 그러나, 통상적으로 민간주체가 기반시설을 도시계획시설로서 설치하는 경우, 당해 사업의 인허가에 부관이 붙는 등으로 이를 인허가관청에 기부채납토록 하는 경우가 실무적으로 빈번하고, 기반시설들 중에서도 특별히 후술할 '공공시설'에 속하는 것들의 경우에는 국토계획법 제65조 제2항, 제99조 등에 의하여 법률 규정에 의하여 당해 시설을 관리할 관리청에게 무상으로 귀속된다. 이 모든 규율이 기반시설이 지니는 공적인 성격을 반영한 것이라 볼 수 있다.

법은 기반시설에 관한 설치계획을 항만재개발사업계획 및 항만재개발사업실시계획에 포함토록 하고 있고(법 제9조 제3항 제7호, 제17조 제1항 제5호), 국가나 지방자치단체에 대하여 항만재개발사업을 위하여 필요한 도로·철도·용수시설(用水施設) 등 대통령령으로 정하는 기반시설을 설치하는 것을 우선적으로 지원하여야 한다고 하여 우선적인 비용지원 의무를 명시적으로 정하고 있다(제32조 제3항).

---

52) 정태용, 국토계획법, 개정판, 한국법제연구원, 2005, 243면 참조.

VIII. 공공시설

> 8. "공공시설"이란 「국토의 계획 및 이용에 관한 법률」 제2조 제13호에 따른 공공 시설을 말한다.

　국토계획법은 기반시설과 별도로 공공시설이라는 개념에 대하여 정의규정을 두고 있는데, 법 또한 그와 같은 규율체계를 그대로 수용하여 공공시설에 대한 별도의 정의규정을 두고 있다.

　국토계획법상 공공시설은 "도로·공원·철도·수도, 그 밖에 대통령령으로 정하는 공공용 시설"로 정의되는데(제2조 제13호), 그 실질적인 내용만 놓고 본다면 '기반시설'과의 개념적 차이를 쉽게 구분해내기 어렵다. 표면적으로만 본다면 기반시설에 포함되는 시설의 범위가 공공시설에 포함되는 시설의 범위보다 훨씬 넓고, 대체로 공공시설에 포섭되는 시설들은 기반시설들에도 포함되므로 기반시설 중에서도 특별히 규율할 필요가 있는 것들을 한정하여 둔 것이 '공공시설'의 개념이라고 이해할 수도 있다.

　공공시설이라는 용어가 유의미하게 사용되는 것은 법 제37조에서가 유일한데, 이는 전술한 바와 같이 당해 사업으로 인하여 새로이 설치된 공공시설의 무상귀속 등에 관하여 정하고 있는 것이다. 이를 통해 보면, '공공시설'이라는 개념을 인정할 실익은 무상 귀속과 무상 양도가 가능한 기반시설의 범위를 확정한다는 측면에 있는 것이라 볼 수도 있다. 즉, 기반시설들이 기본적으로 모두 공적인 성격을 일정부분 겸유하고 있는 것이 사실이지만, 그렇다고 하여 모든 종류의 기반시설들이 반드시 무상귀속의 대상이 되어 행정청에게 그 소유관계가 일률적으로 귀속되어야 한다고 보기는 어렵다. 예컨대 주차장의 경우를 보면, 민간이 설치하는 주차장 또한 기본적으로 기반시설로의 지위를 지니는 것이지만, 그렇다고 하여 모든 민간 주차장의 소유권이 행정청으로 통일적으로 귀속되어야 한다고 볼 수는 없는 것이다. 때문에 무상귀속의 대상이 되는 공공시설의 범위와 관련하여서 국토계획법 시행령 제4조 제2호는 "행정청이 설치하는 저수지"만을 공공시설의 범위에 포섭하는 방식으로 제한하고 있다.

제**3**장

국가 및 지방자치단체의 책무[제3조]

법 제3조(국가 및 지방자치단체의 책무) ① 국가는 노후하거나 유휴 상태에 있는 항만의 고부가가치를 창출하고 주변지역의 지속가능한 발전을 도모하는 데 필요한 시책을 수립·추진하여야 한다.

② 국가 및 지방자치단체는 항만재개발사업의 활성화를 위하여 필요한 행정적·재정적 지원방안을 마련하여야 한다.

I. 조문의 의의

법은 항만재개발사업에 필요한 시책을 수립하고 추진할 의무와, 그 활성화를 위하여 필요한 행정·재정적 지원방안을 마련하여야 할 의무를 국가 또는 지방자치단체에게 부여하고 있다. 법 제3조는 종래 항만과 그 주변지역의 개발 및 이용에 관한 법률이나 구 항만법에서는 없었던 조문이었으나, 분법으로 인하여 신설된 조문이다.

II. 조문의 실무적 함의

다만, 이와 같은 형태의 조문이 실무적으로는 어떠한 실천적 의미가 있는 것인지는 의문의 소지가 있다. 예컨대, 가장 중요한 쟁점은 본 조문으로 인하여 국가나 지방자치단체가 재정을 투입할 직접적인 근거규정이 마련된 것으로 볼 수 있는지 여부에 있는데, 유사한 규정에 대하여 법제처는 "재정적 지원방안을 마련하여야 한다"는 선언적인 규정만으로는 지방재정법 제17조 제1항 제1호가 지방자치단체의 기부 또는 보조가 가능한 사유로 정하고 있는 "법률에 규정이 있는 경우"의 요건을 충족하지 못한다고 보고 있다. 따라서, 법 제3조 제2항의 규정만으로는 지방자치단체의 재원을 항만재개발사업에 직접적으로 보조하거나 투입할 근거가 되어줄 수 있다고 보기는 어렵다.

법제처 2019. 11. 19. 회신 19-0345 의견회신사례

우선, 「지방재정법」 제17조 제1항 제1호의 "법률에 규정이 있는 경우"에 해당하기 위해서는 개별적인 법률상 근거가 필요한데, 현재 미인가 대안교육기관의 개념, 운영·관리, 지원 등에 대하여 규율하고 있는 법령은 없어 미인가 대안교육기관의 지원에 대한 직접적인 법률상 근거는 없습니다. 또한, 미인가 대안교육기관에서 학습하고 있는 학생들과 관련해서는 「학교 밖 청소년 지원에 관한 법률」 제3조 및 제9조 등에서 「초·중등교육법」 제2조의 초등학교·중학교·고등학교 또는 이와 동일한 과정을 교육하는 학교에 진학 등을 하지 않은 학교 밖 청소년에 대한 교육 등의 지원 주체를 국가와 지방자치단체로 명시하고 있으나, <u>이러한 규정으로는 원주시장이 미인가 대안교육기관에 대하여 교육프로그램의 개발에 필요한 보조금을 지원할 수 있는 직접적인 근거 규정으로 볼 수 없다고 할 것이므로, 「지방재정법」 제17조 제1항 제1호에 따른 "법률에 규정이 있는 경우"로 보기는 어려우며,</u> 해당 사무가 「지방자치법」 제9조 제2항 등에 따른 자치사무에 해당한다고 하더라도 「지방자치법」의 규정만으로는 "법률에 규정이 있는 경우"에 해당한다고 보기도 어렵습니다(대법원 2012. 5. 24. 선고 2011추117 판결 참조).

이상과 같은 논의를 종합하면, 법 제3조는 선언적인 의미를 지니는 정도로 이해함이 상당할 것으로 사료되고, 이를 토대로 직접직인 국가나 지방자치단체의 재정 투입 또는 지원에 이를 수 있기 위해서는 보다 구체적인 근거가 마련되어야 할 것으로 사료된다.

제4장 다른 법률과의 관계[제4조]

법 제4조(다른 법률과의 관계) 이 법 중 항만재개발사업에 적용되는 규제에 대한 특례는 다른 법률의 규정보다 우선하여 적용한다. 다만, 다른 법률에서 이 법에 따른 규제의 내용보다 완화된 규정이 있으면 그 법률에서 정하는 바에 따른다.

I. 항만재개발법[53]의 위치

1. 부동산공법 또는 건설법의 체계[54]

가. 토지를 중심으로 한 분류체계

우리법상 부동산과 관련된 개별법률들을 분류·정리하여, 건설 및 토지에 관한 일련의 공법적 규율의 체계를 규명하려는 일련의 연구들이 발전되어 왔는바, 관련하여 부동산과 관련된 일련의 공법적인 규율을 '토지'를 중심으로 구성하는 일련의 견해들이 발전되어왔다. 이러한 견해는 토지공법을 "국가나 지방자치단체가 공공복리를 위하여 토지의 소유·이용·개발·보전·거래·관리 등에 관하여 적극적으로 규제·지도·부담·강제·관리하는 법규의 총체"라고 정의한 뒤[55], 토지공법

---

53) 편의상 본 장에서만 '법'을 '항만재개발법'이라 부르기로 한다.

54) 이 목차의 논의는 본서의 저자인 김태건·전진원, 제주특별법상 개발사업시행승인 제도에 관한 소고, 토지공법연구, 2019. 5., 164 내지 165면을 발췌한 것이다.

55) 성소미, 부동산 법제의 새로운 체계구성과 최근의 입법동향, 토지공법연구, 2007, 5면에서 직접인용. 김남욱, 토지공법체계에 관한 소고, 부동산법학, 2003, 197면 이하 ;

을 ① 토지소유제한, ② 토지이용, ③ 토지개발, ④ 토지거래규제, ⑤ 개발이익환수, ⑥ 공적토지취득, ⑦ 토지정보 및 시장관리 등의 영역으로 구분하였다.[56] 이러한 구분은 부동산과 관련한 일련의 공법적인 규율을 비교적 '빠짐 없이' 포괄할 수 있다는 측면에서 실익을 지닌다. 예컨대 주택거래신고제나, 재건축, 임대주택건설 등의 제도들이 새로이 등장한다고 하더라도 위와 같은 체계에 모두 포섭될 수 있다는 장점이 존재하는 것이다. 현재 다수의 학자들이 이러한 정의 및 분류체계를 따르고 있는 것으로 보인다.[57]

나. 건축행정법 · 건설법적 관점에서의 분류 체계

이와 같은 분류와 달리, 부동산 관련 법률들을 '건축행정법' 혹은 '건설법'이라는 체계 하에서 조명하는 일군의 연구가 정립되어 왔다.[58] 이러한 시각에서는, 건설법을 "택지의 조성, 아파트 · 영업시설 · 단독주택 등의 건축, 재건축 · 재개발, 공원 · 도로 등 도시의 기반시설설치 등 도시의 물리적 공간형성에 간여하는 공법규정의 총체"[59]라 정의한 뒤, 이를 건축경찰법, 국토계획법, 개발사업법의 3원적인 체계로 분류하였다. 이 때 ① 건축경찰법이란 건축물의 위험방지를 목적으로 안전에 관한 각종 요건을 규정한 경찰법적인 성격을 지닌 법 영역을 의미하는바,

---

김해룡, 토지법의 기초이론, 토지공법연구, 2003.12. 2면 이하 : 류해웅, 토지법제론, 부연사, 2005, 12면 이하 또한 이와 유사한 입장을 취하고 있는 것으로 보인다. 관련한 논의는 성소미, 위의 논문, 5면 이하에 잘 정리되어 있다.

56) 성소미, 부동산 법제의 새로운 체계구성과 최근의 입법동향, 토지공법연구, 2007, 6면
57) 이상 방동희, 부동산공법의 개념 · 원리 · 체계 탐색과 그 정립에 관한 시론적 고찰, 행정법연구, 141-142면 참조.
58) 방동희, 부동산공법의 개념 · 원리 · 체계 탐색과 그 정립에 관한 시론적 고찰, 행정법연구, 142면 참조.
59) 김종보, 건설법의 이해, 제6판, 피데스, 2018, 4면에서 직접 인용.

건축법이 이에 해당한다. ② 국토계획법은 토지의 합리적 이용을 목적으로 건축물과 토지의 이용권을 통제하는 법을 말한다. ③ 개발사업법은 도시 내 토지의 합리적 이용을 추구한다는 측면에서는 국토계획법과 목적을 공유하나, 국토계획법과 달리 도시의 질서에 '적극적'으로 개입하는 법 영역을 일컫는 것으로, 대표적으로 도시개발법, 도시정비법, 주택법 등이 이에 해당한다.[60]

이러한 분류는 개별적인 사업의 종류와는 관련이 없이, 각 법률의 목적 및 역할에 주목한 분류방법이다. 즉, 건축물을 지으려고 할 때, 건축물의 물리적인 속성 – 곧 안전이나 위험방지의 측면에서 이를 조명하는 것이 건축경찰법의 역할인 반면, 건축물의 위치적인 속성 – 곧 도시계획의 측면에서 해당 건축물이 딛고 있는 대지에 '그러한 규모'와 '용도'의 건축물의 등장이 '허용'되는 것인지를 규율하는 것이 국토계획법의 역할인 것이다. 정리컨대 건축경찰법은 건축물의 위해방지 또는 안전, 국토계획법은 도시계획적 판단의 영역에 속하여 있다. 다만 국토계획법은 도시계획이라는 소극적인 수단을 통하여 건축행위의 '외적 한계'를 설정하는 방식으로 개입할 뿐, 건축물을 적극적으로 형성하는 역할을 담당하지는 않는다. 반면, 개발사업법은 법률 자체에서 적극적인 도시의 형성 기능 – 곧 그 자체로 도시계획적 판단과 아울러 해당 건축물의 물리적 등장에 관여하는 기능을 동시에 수행한다는 측면에서 국토계획법과 구분된다.[61]

다. 소결론

위와 같은 정의 및 분류체계를 서로 대립적 · 대조적인 것으로 조명

---

60) 김종보, 건설법의 이해, 제6판, 피데스, 2018, 8 내지 11면에서 인용.

61) 이상, 김종보, 건설법의 이해, 제6판, 피데스, 2018, 12-15면 참조.

하고 있는 분석도 존재하나, 굳이 그와 같은 태도를 취할 실익이 존재하는지는 의문이 있다. 토지공법의 관점에서 상정하는 '토지이용', '토지개발'이라는 하위 분류와, 건축행정법의 관점에서 상정하는 '국토계획법', '개발사업법'이라는 분류를 달리 볼 이유가 분명하지 않기 때문이다. 즉, 토지의 '합리적 이용'을 목적으로 건축물과 토지의 이용을 통제한다는 '국토계획법'의 정의와, '토지 이용'의 항목으로 분류되는 법률들의 역할 및 기능을 상이한 것으로 분류할 뚜렷한 근거가 존재하지 아니할 뿐만 아니라, 개발사업법과 '토지개발' 항목의 법률들 또한 도리어 유사한 외연을 지니고 있는 것으로 판단된다.

종합하면, 토지공법이나 건설법의 양자 모두의 관점에서, '건축행위' 그 자체와 관련된 법률들은 ① '토지'의 '이용'이라는 측면에 초점을 맞추어 그에 관한 도시계획적 요소들의 판단 및 결정을 관장하는 도시계획법적 영역과, ② 이를 넘어 토지를 '적극적'으로 '개발'하는 영역을 관장하는 개발사업법적 영역으로 구분할 수 있는 것이다. ③ 건축행위를 경찰법적 시각에서 주로 규율하는 건축법의 취급이 다소 불분명한 측면이 존재하나, 이를 '건축경찰법'이라는 별도의 영역으로 상정하거나, 개발사업법 또는 '토지개발'의 범주에 속하는 것으로 분류하는 방식으로 구분하는 것도 가능하다.

이와 같은 논의들 하에서 '토지개발' 혹은 '개발사업법'에 속하는 것[62]으로 분류되는 법률들을 보면, 우리법은 여태까지 개발사업을 '종류'별로 구분한 뒤, 그에 따라 개별적으로 법률을 입법하는 태도를 취해 왔던 것으로 보인다. 예컨대 '도시개발사업'을 관장하는 법률로 '도시개

---

62) 이하에서는 편의상 양자를 모두 '개발사업법'이라는 명칭으로 통일하여 지칭하기로 한다.

발법'이, '정비사업'을 관장하는 법률로 '도시정비법'이 입법된 것과 같은 맥락이다. 이러한 입법 형식에서 개발사업은 단지 '내용적'으로만 구분될 뿐 '공간적', '지리적'으로는 구분되지 아니하였다. 즉, 전국 어느 곳에서나 개별사업에 대한 규율은 그 근거가 되는 개별 개발사업법에 의하여 이루어졌던 것이다. 법률의 위임에 의하여 일부 지방자치단체의 조례의 내용별로 약간의 차이가 존재하였기는 하나, 개발사업법이 지리적·공간적인 차이와 관계없이 해당 사업의 공통적인 법적 근거가 된다는 측면에서는 전혀 변함이 없었다.

2. 항만재개발법의 분류와 위치

가. 개발사업법으로서의 항만재개발법

이상과 같은 부동산 공법 혹은 건설법의 체계에 따르면, 항만재개발법은 그 자체로 '개발사업법'의 범주에 속한다고 볼 수 있다. 동법은 항만재개발사업을 관장하는 법률로서 기능하는 것이면서, 그 중에서도 특별히 항만법에 의하여 규율되는 항만구역 및 그 주변의 일부를 공간적 범위로 특정하여 사업시행자가 적극적으로 공간을 형성하고 개발하는 기능을 하기 위하여 제정된 법률이라고 할 수 있는 것이다. 따라서, 항만재개발법은 그 자체로 사업시행자에게 토지수용권을 부여하여 적극적인 개발의 수단을 사용할 수 있는 근거를 마련해주고 있다.

나. 전통적인 개발사업법과의 차이점 - 권한의 연원

다만, 항만재개발법이 가지는 특수성은, 사업시행에 관련된 일련의 인허가에 관한 권한이 해양수산부장관에게 부여되어 있다는 점에 있다. 종래의 개발사업법들은 모두 국토교통부, 그 이전에는 건설부 혹은 건설교통부를 소관부처로 할 뿐만 아니라, 국토교통부장관이 보유하고 있던 계획고권으로부터 개발사업의 시행을 관장하는 권한이 분화되어 왔다. 예컨대, 현재의 국토계획법과 도시개발법 등이 연원으로 하는 일제강점기 시절의 조선시가지계획령의 경우에도 조선총독에게 관련된 권한을 모두 집중하였고, 그 이후 1962년 도시계획법의 제정으로 그 권한이 국토건설청장에게 집중되었다가, 건설부장관, 건설교통부장관, 국토교통부장관으로 행정주체의 명칭만 변경되었을 뿐 그 권한이 그대로 이어져왔다. 한편, 그와 같은 과정에서 도시개발법과 같은 개별 개발사업법들이 도시계획법으로부터 분리되어 입법되는 과정을 거쳐왔다. 다만, 이후 도시계획법이 전부개정되고, 국토계획법 시대가 도래하면서 그와 같이 중앙에 집중되어 있었던 권한이 지방자치단체장에게로 분권화되기 시작하였으나, 현행 국토계획법은 여전히 국토교통부장관에게 도시관리계획을 직접 입안하고 결정할 수 있는 권한을 부여하여(국토계획법 제29조 제2항), 여전히 계획고권의 정점에 국토교통부장관의 권한이 존재함을 분명히 하고 있다.

반면, 항만재개발법의 경우 해양수산부장관에게 개발사업에 관한 각종 고권을 부여하고 있다는 점에서 위와 같은 전통적인 개발사업법과는 구분되는 측면이 있다. 즉, 전통적인 개발사업법은 국토교통부장관에게 권한을 부여하거나, 분권화 추세에 따라 그 권한을 지방자치단체장에게 분배하는 형식으로 입법되어 왔는데, 항만재개발법은 그와 같은 편제와는 또 다른 법률에 해당하는 것이어서 결과적으로는 각 행정주체 간의 권한의 정리가 필요하게 되는 것이다. 참고로, 국토교통부장관(건설부장관 혹은 건설교통부장관)에게 모든 도시계획에 관한 권한이 집중되었던 시절과 비교하여, 분권화가 이루어진 현재 지방자치단체장이 결정한 도시관리계획과 국토교통부장관이 직접 결정한 도시관리계획 간의 관계, 나아가 개별 개발사업법상 수립되는 각종의 개발계획들과 도시관리계획 간의 관계에 대하여도 법률상 명확한 교통정리가 되어 있지 않은 상황이므로[63], 해양수산부장관이 수립하게 되는 각종 계획과 국토교통부장관 혹은 각급 지방자치단체장이 수립·결정하여놓은 도시관리계획 간의 효력과 영향 문제에 대하여도 추가적인 논의와 입법적 개선이 필요할 것으로 보인다.

앞서 설명한 바와 같이, 이와 같은 권한의 연원에 있어서의 차이점을 고려한 것인지, 현재 항만재개발법은 타 개발사업법들과 달리 사업구역 지정행위나 항만재개발사업계획의 수립 등에 대하여 도시관리계획 또는 지구단위계획으로 의제하는 내용의 조문은 두고 있지 아니하고, 다만 본격적인 사업 또는 공사를 시행하게 되는 항만재개발사업실시계획의 승인 단계에 이르러 비로소 국토계획법상 도시관리계획의 결정을 의제하는 조문을 두고 있다(법 제19조 제1항 제6호). 표면적으로만 본다면 이와 같이 도시관리계획으로 의제하는 단계를 뒤로 늦춰 둔 것은 기존의 계획고권과의 충돌을 방지하고자 하는 효과가 있을지 모르겠으나, 결과적으로는 사업계획이나 사업구역을 확정하는 단계에서부터 각 행정주체의 역할이나 기능이 조율되거나 정리되지 못하는 결과를 초래할 수도 있을 것으로 사료된다.

이상의 논의를 종합하면, 전통적인 개발사업법과 달리 해양수산부장관에게 독자적인 권한을 부여하고 있는 것이 항만재개발법의 특징이기는 하나, 장기적으로 당해 사업의 효율적인 시행을 도모하기 위해서는 다른 행정주체나 그들이 지닌 계획고권과의 관계를 법령으로 명확히

---

63) 이에 관한 논의에 대하여는 공동저자인 전진원, 도시계획 상호간의 효력과 도시계획의 병합, 건설법연구, 2019, 90-112면을 참조.

정리해 나가는 것이 필요할 것으로 사료된다.

3. 항만재개발을 둘러싼 실정법의 구조

항만재개발법 또한 개발사업법으로 분류될 수 있는 것인 이상, 도시계획적 수단을 사용한다는 측면에 있어서는 국토계획법을 가장 기본적인 규범[64]으로 하는 것으로 보아야 한다.

그 외 2007년 최초로 제정된 항만과 그 주변지역의 개발 및 이용에 관한 법률의 제정 당시, 항만재개발사업이라는 형태의 사업을 시행할 다른 법률상의 수단을 비교함에 있어 논의되었던 도시개발법이나 도시정비법 또한 항만재개발사업법의 인접 법률이라 할 수 있다. 특히, 주변지역의 경우에는 국토계획법상의 용도지역상으로는 도시지역으로 분류되는 것이고, 그 곳에서 노후불량건축물을 정비하는 것은 도시정비법이 담당하는 역할 중의 하나이므로, 항만재개발사업법과 사업의 공간적범위가 중첩되는 측면이 있다고 볼 수 있겠다.

관련하여, 현재의 실정법들의 내용과 각 법률 간의 관계에 대하여 한국토지주택공사 토지주택연구원의 자료에서 잘 정리해둔 표와 그림이 있는바, 다음과 같이 소개한다. 다만, 아래의 각 내용은 분법 이전의 항만법을 인용하고 있는 것이므로, 아래의 '항만법'에 속한 내용들은 항만재개발법으로 변환하여 보아야 할 것이다.

---

64) 참고로 '항만' 또한 국토계획법이 정하는 '기반시설'에 해당한다는 점에 있어서도, 기본적으로 항만재개발사업의 대상구역 중 '육지'에 해당하는 부분에는 국토계획법이 기본 규범으로 적용된다고 보아야 할 것이다.

[표] 항만재개발과 관련한 인접 법률의 현황(조필규 · 최원철 외, 토지주택연구원, 항만재개발사업의
주변지역 연계를 통한 생활권계획 추진방안 연구, 한국토지주택공사, 2018, 29면에서 발췌)

구분	법령	목적
최상위법	국토의 계획 및 이용에 관한 법률	국토의 이용·개발과 보전을 위한 계획의 수립 및 집행 등에 필요한 사항을 정하여 공공복리를 증진시키고 국민의 삶의 질 향상
항만 관련법	항만법	항만의 지정·개발·관리·사용 및 재개발에 관한 사항을 정함으로써 항만과 그 주변 지역 개발을 촉진하고 효율적으로 관리·운영하여 국민경제 발전에 이바지함.
연안관련법	연안관린법	연안(沿岸)의 효율적인 보전·이용 및 개발에 필요한 상항을 규정함으로써 연안환경을 보전하고 연안의 지속가능한 개발을 도모하여 연안을 쾌적하고 풍요로운 삶의 터전으로 조성
도시개발 관련법	도시개발법	도시개발에 필요한 사항을 규정하여 계획적이고 체계적인 도시개발을 도모하고 쾌적한 도시환경의 조성과 공공복리의 증진에 이바지함.
	도시재생활성화 및 지원에 관한 특별법	도시의 경제적·사회적·문화적 활력 회복을 위하여 공공의 역할과 지원을 강화함으로써 도시의 자생적 성장기반을 확충하고 도시의 경쟁력을 제고하며 지역 공동체를 회복하는 등 국민의 삶의 질 향상에 이바지함.
	도시 및 주거환경 정비법	도시기능의 회복이 필요하거나 주거환경이 불량한 지역을 계획적으로 정비하고 노후·불량건축물을 효율적으로 개량하기 위하여 필요한 사항을 규정함으로써 도시환경을 개선하고 주거생활의 질 향상
경관 개선 관련법	경관법	국토의 경관을 체계적으로 관리하기 위하여 경관의 보전·관리 및 형성에 필요한 사항을 정함으로써 아름답고 쾌적하며 지역특성이 나타나는 국토환경과 지역환경을 조성하는 데 이바지함.

[그림] 항만공간을 둘러싼 각 법률의 작용범위(조필규·최원철 외, 토지주택연구원, 항만재개발사업의 주변지역 연계를 통한 생활권계획 추진방안 연구, 한국토지주택공사, 2018, 31면에서 발췌)

- - - 항만재개발 사업범위   ━━━ 법령 적용범위   ─ ─ ─ 일부 구역 또는 일정 조건에서만 적용

| 구분 | 바다 | 항만구역[1] | | 배후도시 | |
		수상구역	육상구역	항만 주변지역[2]	기존 도심
국토의 계획 및 이용에 관한 법률		항만은 국계법상 기반시설 중 교통시설에 해당			
항만법				주변지역 : 항만구역 면적의 50/100범위	
연안관리법	연안해역 : 바닷가와 만조수위선으로부터 영해의 외측한계까지 바다			연안육역 : 연안해역 으로부터 0.5~1km범위	
도시개발 관련법			항만재개발시 적용		
경관법		항만재개발 및 마리나항 개발시 적용			

1) 항만법 제2조 제4호 : 항만구역이란 항만의 수상구역과 육상구역을 말함.
2) 항만주변지역 : (항만법 제56조 제2항) 주변지역은 항만재개발사업에 포함되는 항만구역 면적의 50/100을 초과할 수 없고 사업구역 면적이 20만m² 미만일 경우 100/100까지 가능

II. 항만재개발법 제4조의 해설

법 제4조는 항만재개발사업에 관한 한 본 법의 우열관계에 대하여 정하고 있는데, 동조는 오로지 "항만재개발사업에 적용되는 규제"에 관하여만 동법을 우선하여 적용토록 하되, 만일 그에 대하여 다른 법령상 더 완화된 규정이 있다면 그 경우에는 타 법령을 적용하도록 정하고 있다.

1. 입법의 형식

다른 법률과의 관계를 정하는 조문들은 대체로 "다른 법률에 특별한 규정이 있는 경우를 제외하고는 이 법에서 정하는 바에 따른다"라는 형태를 지니고 있는 경우가 많은데, 이 경우 해당 조문이 도입되어 있는

법률이 기본법적 성격이나 일반법적 성격을 가지고 있어 특별법에서 규정하고 있는 사항을 우선 적용하고 특별법에서 정하고 있지 않는 사항에 대해 일반적으로 그 법령을 적용하려는 때에 이와 같은 조문들을 두게 된다.[65] 오히려 법 제4조와 같은 형식은 일정 사항을 특정하여 그에 관한 한 해당 법령이 우선 적용되고, 그 외에는 일반적으로 적용되는 다른 법률을 적용토록 하는 경우에 사용되는 형식인데, 항만재개발법이 개발사업법의 범주에 속하여 국토계획법이 정하고 있는 체계와 유기적으로 관련되어 있는 것이기는 하나, 그 자체로 사업을 추진할 수 있는 완결적인 구조를 취하고 있는 이상 후자보다는 전자의 입법형식을 따른 것이 적절하지 않았을까 하는 의문이 있다. 그럼에도 불구하고, 입법자가 후자와 같은 형식을 취한 것은 동법이 항만재개발사업에 관한 규제를 완화하려는 취지에서 입법된 것이라는 점을 분명히 하여 두기 위한 동기에 근거하고 있기 때문인 것으로 사료된다. 즉, 항만재개발사업을 장려하고 규제를 완화하겠다는 전체적인 입법의 취지가 반영된 조문으로 파악하는 것이 적절할 것으로 사료된다.

2. 본 조문의 실무적 함의

항만재개발사업의 추진과정을 비추어보면, 결국 항만재개발사업에 대하여 적용되는 대부분의 법령상의 규제라 할만한 것은 도시계획에 관련된 것이라 할 수 있다. 즉, 항만재개발사업을 시행함에 있어 건폐율, 용적률, 토지이용관계, 기반시설설치의무 등에 관한 요건이 주로 문제되는 것이고, 항만재개발법은 그중 일부 요건에 대하여 일정한 특례들을 정하여 두고 있는 것이다. 그런데, 항만재개발법이라는 수단을 활

---

65) 이상 법제처, 법령입안심사기준, 제2편 법령 입안 · 심사의 세부 기준, 제1장 총칙 규정, 8. 다른 법령과의 관계에 관한 규정 항목에서 직접 인용.

용하여 사업을 시행하는 것인 이상 다른 개발사업법들의 적용이 직접적으로 문제가 되는 경우는 거의 없을 것으로 사료되고, 따라서 결국 동법상의 각종 특례들은 국토계획법이나 그 위임을 받은 조례들에 대하여 특례를 마련하고 있는 것이라 할 수 있다. 그렇다면, 사실상 개발사업법이 국토계획법에 대하여 특별법 혹은 신법으로서의 관계에 놓여있다는 점을 고려한다면, 사실상 법 제4조 전문의 경우에는 특별한 의미를 지닌다고 보기는 어려울 것으로 사료된다.

다만, 동법은 구체적으로 특정하지는 않았으나 타 법령에서 건축허가요건 등에 대하여 보다 완화하는 규정을 두고 있다면 그 규정에 따르도록 하고 있는바, 이 또한 주로 국토계획법과의 관계를 염두에 둔 규율인 것으로 사료된다. 따라서 추후 국토계획법이 개정되는 등으로 각종 건축허가요건이나 도시계획에 관한 규제들이 완화된다면, 항만재개발사업법이 별도로 개정되지 않더라도 그에 따르도록 한 것이다. 그런데, 어차피 항만재개발법이 대체로 상당수의 용어들에 대하여 국토계획법을 준용하거나 인용하는 관계에 놓여있고 따라서 국토계획법의 개정에 의하여 곧바로 영향을 받을 가능성이 높다는 측면을 고려하면, 실질적으로 법 제4조 후문이 직접적으로 적용되거나 문제되는 경우는 많지 않을 것으로 사료된다.

종합적으로, 법 제4조의 경우에도 항만재개발법의 체계나 위치를 고려한다면, 특별한 의미를 지닌다고 보기는 어렵고, 다만 항만재개발법이 항만재개발사업이라는 형태의 사업을 관장하는 법률임을 명시한다는 측면에서 의미를 지니는 것으로 해석하면 될 것으로 사료된다.

제 2 편

항만재개발기본계획

항만재개발기본계획의 수립 [제5조]

제1절 **기본계획의 의의**

I. 기본계획의 의의

> 법 제5조(항만재개발기본계획의 수립) ① 해양수산부장관은 노후하거나 유휴
> 상태에 있는 항만과 그 주변지역의 체계적인 개발과 지속가능한 발전을 위하
> 여 10년마다 항만재개발기본계획(이하 "기본계획"이라 한다)을 수립하여야
> 한다.

  항만재개발기본계획(이하 '기본계획')은 항만재개발사업에 관한 한 해양수산부장관이 정하는 가장 포괄적이고 지도적인 내용을 담고 있는 근간이 되는 계획이다. 기본계획을 수립하는 과정에서 해양수산부는 각 급 지방자치단체나 항만청 혹은 그 이외의 유관기관들의 수요나 현황을 파악하게 되고, 이를 토대로 하여 항만의 현황과 미래, 이를 통한 항만재개발사업의 추진방향에 대한 정책적 목표를 수립하게 된다. 따라서 어떠한 항만이 어떠한 방향으로 재개발될 것인지는 기본적으로는 기본계획의 내용을 통하여 파악할 수 있는 것이다.

II. 각 계획의 체계

[그림] 항만재개발사업을 둘러싼 각 계획의 단계 또는 체계(해양수산부, 2019 항만재개발 정책설명
  회 자료집, 2019. 5. 16., 9면에서 발췌)

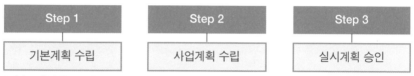

Step 1	Step 2	Step 3
기본계획 수립	사업계획 수립	실시계획 승인

* 제안 → 제3자 공모 → 평가 → 우선 협상대상자 선정 → 협상 · 실시협약 → 사업시행자 지정 → 사업계획 수립

Step 1	기본계획 수립

10년마다 국가적 차원에서 항만재개발 기본계획 수립(법 제51조)	5년마다 타당성 검토를 통한 변경요인 반영(수정계획)(법 제53조)
• 제2차 항만재개발 기본계획 고시 (2016. 10. 31. 19개소)	• 원칙 : 5년마다 타당성 검토(제1항) → "항만재개발기본계획 수정계획" 수립 ※ 지자체 요청 시 변경 가능(제2항)

　법은 항만재개발사업을 다단계 행정계획(도시계획)의 절차를 통하여 시행토록 하고 있는바, 기본계획, 사업계획, 실시계획이 각각의 단계에 해당한다. 이는 통상적인 개발사업법들이 취하고 있는 구조와 거의 동일한 것으로, ① 기본계획 단계에서는 행정청이 관할 구역 내의 모든 당해 종류 사업에 대한 포괄적이고 지도적인 계획을 수립하게 되고, ② 사업계획에 이르러서는 당해 사업구역에 대한 보다 구체화된 계획을 수립하게 되며, ③ 실시계획에 이르러서는 당장 착공하여 사업을 시행할 수 있을 정도로 구체적이고 상세한 계획을 수립하게 된다.

　법은 기본계획의 경우에는 해양수산부장관이 직접 수립하도록 하고, 사업계획의 경우에는 ⓐ 해양수산부장관이 직접 입안하거나 ⓑ 공모를 받거나 ⓒ 혹은 사업시행자가 되려는 자가 제안하는 방식 등으로 수립

방식을 다변화하고 있다. 실시계획의 경우에는 사업시행자가 수립하여 해양수산부장관의 승인을 받는 식으로 처리하게 된다.

III. 기본계획의 구속력

기본계획은 전체 항만재개발사업에 대한 포괄적이고 추상적이면서 기초적인 계획에 해당하므로, 사업계획이나 실시계획에 대하여 그 구속력을 어느 정도로 인정할 수 있을 것인지가 문제된다. 즉, 실무적으로 기본계획에 반하는 내용의 사업계획이나 실시계획을 수립할 수 있는지 — 그와 같은 계획이 효력이 있는지 여부가 하나의 쟁점이 되는 것이다.

기본적으로, 통상 기본계획과 이를 구체화한 상세한 계획의 다단계 구조를 지니고 있는 계획에서, 기본계획의 대외적인 구속력이 인정되는 경우는 발견되기 어렵다. 기본계획 자체가 추상적인 정책목표를 제시하는 것인 경우가 많기 때문에, 그 내용을 위반하는 것 자체가 오히려 쉽지 않기 때문이기도 하다. 대표적으로 국토계획법상 도시기본계획과 도시관리계획의 관계를 예로 들 수 있는데, 대법원은 '도시기본계획'의 경우에는 구속력이 없다고 본 반면(대법원 2002. 10. 11. 선고 2000두8226 판결), '도시관리계획'에 대하여는 구속력을 인정하고 있다.

대법원 2002. 10. 11. 선고 2000두8226 판결

구 도시계획법(1999. 2. 8. 법률 제5898호로 개정되기 전의 것) 제10조의2, 제16조의2, 같은 법 시행령(1999. 6. 16. 대통령령 제16403호로 개정되기 전의 것) 제7조, 제14조의2의 각 규정을 종합하면, 도시기본계획은 도시의 기본적인 공간구조와 장기발전방향을 제시하는 종합계획으로서 그 계획에는 토지이용계획, 환경계획, 공원녹지계획 등 장래의 도시개발의 일반적인 방향이 제시되지만, 그 계획은 도시계획입안의 지침이 되는 것에 불과하여 일반 국민에 대한 직접적인 구속력은 없는 것이므로, 도시기본계획을 입안함에 있어 토지이용계획에는 세부적인 내용을 기재하지 아니하고 다소 포괄적으로 기재하였다 하더라도 기본구상도상에 분명하게 그 내용을 표시한 이상 도시기본계획으로서 입안된 것이라고 봄이 상당하고, 또 공청회 등 절차에서 다른 자료에 의하여 그 내용이 제시된 다음 관계 법령이 정하는 절차에 따라 건설교통부장관의 승인을 받아 공람공고까지 되었다면 도시기본계획으로서 적법한 효력이 있는 것이다.

　　다만, 이러한 '대외적인 구속력'이라 함은 위 판결이 설시하고 있는 바와 같이 '일반 국민'에 대한 구속력을 의미하는 것인바, 그 외 행정청 내부적으로는 스스로 수립한 상위계획을 전적으로 무시할 수는 없는 것이기도 하다. 다만, 전술한 바와 같이 기본계획들의 경우 추상적인 정책 목표를 위주로 작성된 경우가 많으므로, 이를 명시적으로 위반한 것이라 판단될 수 있는 경우가 현실적으로는 많지 않을 것이다.

　　참고로 대법원 2007. 4. 12. 선고 2005두1893 판결은 "도시계획이 도시기본계획에 부합되어야 한다고 규정하고 있으나, 도시기본계획은 도시의 장기적 개발방향과 미래상을 제시하는 도시계획입안의 지침이 되는 장기적·종합적인 개발계획으로서 행정청에 대한 직접적인 구속력은 없다(이 사건 추모공원의 조성계획이 서울특별시 도시기본계획에 포함되어 있지 아니하다는 이유만으로는 이 사건 도시계획시설결정이 위법하다 할 수는 없다)"고 판시하였고, 나아가 위 판결의 모태가 된 대법원 2002. 10. 11. 선고 2000두8226 판결 또한 "도시기본계획은 도시의 기본적인 공간구조와 장기발전방향을 제시하는 종합계획으로서 …(중략)… 그 계획은 도시계획입안의 지침이 되는 것에 불과하여 일반 국민에 대한 직접적인 구속력은 없는 것이므로 (후략)"라고 판시하여 국토의 계획 및 이용에 관한 법률 상의 도시기본계획에 대하여 국민에 대한 구속력 뿐만 아니라 행정청에 대한 구속력도 부정한 바 있다. 이를 참조하면, 행정청 내부적으로도 상위계획의 구속력을 인정하기 어려울 것으로 보이기는 한다.

IV. 기본계획에 위배되는 하위계획의 효력

법 또한 기본계획에 적합한 범위에서 항만재개발사업계획을 수립할 수 있다고 정하고 있기는 하나(법 제9조 제1항), 실시계획의 경우에는 기본계획이나 사업계획의 범위 하에서 그와 같은 계획을 수립하여야 한다는 명시적인 규정을 두고 있지 아니하다.

기본계획과 사업계획의 관계에 있어서도 '적합한 범위에서'라는 문언의 의미가 매우 모호한데, 사업계획이 기본계획의 내용에 다소간 위배되는 경우가 있다고 하더라도 전체적으로는 기본계획의 내용을 구현한 것이라 평가할 수 있다면 이를 '적합한 범위에서' 수립된 것으로 볼 수 있는지 여부가 문제된다. 예컨대, 현재 수립되어 있는 제1차 혹은 제2차 항만재개발 기본계획의 경우에는 각 사업별로 토지이용계획을 수립하여 각 지구별 면적 비율을 특정하고 있는바, 사업계획이 면적 비율을 약간의 범위에서 변경하는 경우에도 '적합한 범위'로 인정될 수 있는지가 문제될 수 있는 것이다.

아울러, 가사 '적합한 범위에서'라는 요건을 위배하였다고 하더라도, 그와 같은 사업계획이 곧바로 위법하게 되거나 무효로 되는 것인지도 의문의 소지가 있다.

통상적으로 국토계획법이나 개발사업법에서 기본계획과 같은 지위의 행정계획이 매우 구속력이 약한 지위에 놓여있다는 점과, 사업계획 또한 기본적으로 해양수산부장관에 의하여 수립되는 것이고 실시계획 또한 궁극적으로는 해양수산부장관의 승인을 받아야 하는 점을 고려하면, 가사 기본계획에 배치되는 내용이 사업계획 또는 실시계획에 포함되었다고 하더라도 그것만으로 곧바로 사업계획이나 실시계획 자체가 위법하여 취소되어야 한다거나 무효로 된다고 보기는 어려울 것으로 사료된다.

참고로, 국토계획법상 도시기본계획이 정하고 있는 예정면적보다 도시계획시설결정[66]상의 대상면적이 증가하게 된 경우, 도시계획시설결정이 위법하지 않다고 판단한 대법원 판결례가 있는바 이를 참조할 수 있을 것이다.

대법원 1998. 11. 27. 선고 96누13927 판결

도시계획법 제11조 제1항에는, 시장 또는 군수는 그 관할 도시계획구역 안에서 시행할 도시계획을 도시기본계획의 내용에 적합하도록 입안하여야 한다고 규정하고 있으나, 도시기본계획이라는 것은 도시의 장기적 개발방향과 미래상을 제시하는 도시계획 입안의 지침이 되는 장기적·종합적인 개발계획으로서 직접적인 구속력은 없는 것이므로, 도시계획시설결정 대상면적이 도시기본계획에서 예정했던 것보다 증가하였다 하여 그것이 도시기본계획의 범위를 벗어나 위법한 것은 아니다.

---

66) 이 또한 도시관리계획으로서의 지위를 지니는 것인바, 도시기본계획에 부합하는 범위 내에서 수립되어야 하는 것이다(국토계획법 제25조).

법 제5조(항만재개발기본계획의 수립) ② 기본계획에는 다음 각 호의 사항이 포함되어야 한다.
1. 항만의 재개발 여건 및 전망에 관한 사항
2. 항만재개발 정책의 기본목표 및 기본방향에 관한 사항
3. 항만재개발사업 예정 구역의 선정기준 등 선정에 관한 사항
4. 항만기능의 재편 또는 정비, 주변지역과의 기능적·공간적 연계에 관한 사항
5. 항만과 주변지역의 토지이용계획, 교통계획 및 환경계획 등에 관한 사항
6. 항만의 재개발을 위한 재원조달 및 행정적·재정적 지원에 관한 사항
7. 그 밖에 항만의 재개발 및 주변지역의 발전을 위하여 필요한 사항으로서 대통령령으로 정하는 사항

I. 항만의 재개발 여건 및 전망에 관한 사항

법은 항만재개발사업의 대상이 될 항만의 현황과 전망에 대한 내용을 기본계획에 포함시킬 것을 요구하고 있다. 제1차 기본계획에서는 항만재개발사업의 대상지로 선정된 각 항만에 대하여 개별적으로 현황과 전망을 진단·분석하는 내용이 수록되어 있다.

II. 항만재개발 정책의 기본목표 및 기본방향에 관한 사항

법은 기본계획의 내용으로 항만재개발 정책의 기본적인 목표나 방향에 관한 사항을 포함할 것을 요구하고 있다. 기본계획은 그 자체로 노후되거나 유휴상태의 항만 및 그 주변공간에 대한 장기적 개발방향과 미래상을 제시하는 계획이자, 그 하위계획의 입안을 위한 지침이 되는 장기적·종합적인 개발계획이므로, 기본계획의 내용에 항만공간의 개발방향에 관한 정책적인 목표나 청사진을 제시할 필요가 있다. 다만, 전술

한 바와 같이 이와 같은 목표나 방향은 추상적인 내용으로 되어 있는 것이어서, 그 자체로 구속력을 지니기는 어렵고, 따라서 그에 위반한 것으로 평가될 수 있는 하위계획이 수립된다고 하더라도 그것을 곧바로 위법하다고 판단하기는 어려울 것이다.

제1차 기본계획의 수정계획의 경우에는 항만재개발사업의 목표로 '항만과 도심이 조화를 이루는 다기능 성장 거점으로 육성하여 2020년까지 12개 항만 16개소의 재개발사업을 추진'한다는 것을 내세우면서, ① '기존의 항만기능 수행현황을 고려하여 재개발 대상지 추가 선정' ② '항만재개발사업의 촉진을 위해 토지이용의 융통성 부여' ③ '지역별 특성을 감안, 항만-도심간 융화발전을 극대화 할 수 있는 재개발 방향 수립' 등을 기본방향으로 제시하고 있다.[67]

제2차 기본계획의 경우, '노후·유휴 항만공간을 활용한 미래 신성장동력 창출 및 국민행복 공간 조성'을 기치로 '2020년까지 13개항만 18개소 재개발을 추진(부산항 북항 1단계 등)'한다는 것을 목표로 하면서, 그 추진전략으로 ① 입지특성에 부합하는 지역별 재개발 특화방안 마련, ② 광역교통 거점도시와 연계된 새로운 성장축 구축 및 지역행복 생활권 추진, ③ 민간사업자의 창의적 사업계획 구상이 가능하도록 포괄적 개념의 토지이용계획 수립, ④ 항만과 인접 배후도심을 연계한 유기적인 개발방식을 통해 상생발전 도모, ⑤ 지역협의체 활성화 및 지자체 등과 협력체계 구축 등을 내세우고 있다.[68]

이상의 목표들을 보면, 대체로 기본계획의 방향은 (1) 기존 도심공간과의 조화로운 개발과 더불어 (2) 토지이용계획의 유연화를 꾀하고 있

---

67) 국토해양부, 제1차 항만재개발 기본계획 수정계획(2011~2020), 2012. 4., 17면 참조.
68) 해양수산부, 제2차 항만재개발 기본계획수립, 2016. 10. 31., 7면 참조.

는 것으로 분석된다. 전자의 경우에는 기존의 도시계획체계와 항만재개발사업의 추진이 충돌할 수 있는 여지를 최소화하겠다는 취지에서 비롯된 것으로 보인다. 후자의 경우에는 종래 관 주도로 개발되고 조성되어 온 항만공간에 대하여 민간의 활발한 투자를 유치하고 이를 통해 사업성을 개선하기 위해 규제를 완화해 나가겠다는 취지에서 비롯된 것으로 사료된다.

III. 항만재개발사업 예정 구역의 선정기준 등 선정에 관한 사항

1. 대상항만 선정과 기본계획의 의의

항만재개발사업의 경우 대상이 되는 항만구역의 범위가 법령에 의하여 특정되어 있다보니, 그 자체로 사업의 예정구역이 될 수 있는 공간적 범위가 한정되어 있다. 즉, 최소한 항만법 시행령 별표 1에 열거되어 있는 항만에 해당하여야만 기본적으로 항만재개발사업의 대상이 될 수 있을 뿐만 아니라, 사업구역의 최소면적 또한 기본계획에서 달리 정하고 있지 아니하는 한 최소 1만㎡를 넘어야 한다(법 제12조 제5항). 따라서, 현행법의 체계하에서는 항만재개발사업의 대상이 될 수 있는 모(母)집단이 제한되어 있는 것이고, 그 제한된 모집단 중에서도 해양수산부장관이 항만재개발사업을 추진하고자 하는 항만을 일정한 기준에 따라 선정하여 기본계획에 수록하게 되는 것이다.

따라서, 비록 기본계획 자체가 일반적이고 추상적인 정책 목표를 제시하는 계획이어서 그 자체로 구속력이 인정되기 어렵다고 하더라도, 어떠한 항만을 항만재개발사업의 대상으로 삼을 것인지의 점에 있어서는 일견 중요한 의미를 지닌다고 볼 수밖에 없다. 원칙적으로, 항만구역의 특성이나 현행법의 체계 하에서는 기본계획에 대상으로 선정되지 아니한 항만이 항만재개발사업의 대상이 된다고 보기는 어려우며, 나아가 기본계획에 수록되지 아니한 항만을 기본계획의 변경 없이 사업계획의 수립 및 사업구역의 지정행위만으로 항만재개발사업의 대상으로 삼는 것은 상정하기가 어려울 것으로 사료된다.

다만, 만일의 경우 기본계획과 사업계획 수립권한을 모두 갖고 있는 해양수산부장관이 기본계획이 수립되어 있지 아니한 곳에서 사업계획을 수립을 강행하게 되는 경우, 후자가 그 자체로 위법하다거나 효력이 없다고 볼 것인지는 또 다른 차원의 문제이다. 이는 기본계획의 법적 구속력의 문제인 바, 도시기본계획에 위배되는 도시관리계획의 위법 여부에 관한 대법원 판결의 입장을 고려하면(대법원 1998. 11. 27. 선고 96누13927 판결), 이 경우에도 사업계획이나 사업구역 지정행위 자체가 위법하다고 단정하기는 어려울 것으로 보인다.

2. 사업제한과 기본계획의 관계

참고로, 구 항만법 제55조 제1항은 "항만재개발기본계획에 적합한 범위에서 또는 항만재개발기본계획이 수립되지 아니한 항만 및 그 주변지역에 대하여 제54조 제4항 각 호의 사항이 포함된 재개발사업계획을 작성하여 해양수산부장관에게 제안할 수 있다"라고 하여 기본계획으로서 대상항만으로 선정되지 아니한 곳에 대하여도 사업제안 자체는 가능할 수 있도록 정하고 있으나, 그와 같은 사업제안이 받아들여진다고 하여 곧바로 그 '제안을 수용'하는 행위에 기본계획의 변경 등의 의제효과가 부여된다는 등의 조문은 발견되지 않는다.

특히, 법과 구 항만법은 기본계획의 변경의 경우에도 기본계획 수립에 관한 절차를 준용하도록 정하고 있고(법 제7조 제2항), 경미한 변경 사항으로 '사업제안을 수용한 경우'에 관한 사항을 열거하고 있지 아니하므로(시행령(안) 제4조), 이를 통해 보더라도 기본계획이 수립되지 아니한 곳에서의 사업제안을 허용하고 있는 구 항만법 제55조 제1항의 조항은 그 자체로 사업제안 및 그에 대한 해양수산부장관의 수용의 의사표시만으로 기본계획에 영향을 미칠 수 있는 효력이 인정되지 아니함을 알 수 있다.

3. 제1차 · 제2차 기본계획의 내용

가. 제1차 기본계획

제1차 기본계획은 항만시설의 노후 · 유휴정도, 대체항만 유무, 개발시기, 도시계획적 잠재력, 정책과의 연관성 및 파급효과 측면 등을 선정의 지표이자 기준으로 하였다. 그 구체적인 내용은 다음과 같다.

[표] 제1차 기본계획에 따른 선정기준(국토해양부, 제1차 항만재개발 기본계획 수정계획(2011~2020), 2012. 4., 23면에서 발췌)

선정지표	선정기준
노후화/유휴화	• 항만시설 대비 하역능력 평가 등 항만시설의 노후화 정도를 분석하고, 항만시설이 없는 준설토 매립지의 경우에는 항만시설 이용여부 등 유휴화 정도를 검토
대체항만	• 항만재개발 예정구역의 항만시설을 대체할 수 있는 대체 부두 확보 가능여부를 검토
개발시기	• 항만재개발의 시행시기를 단계별로 설정하여 언제 시행할 수 있는지에 따라 선정여부를 검토
도시계획적 잠재력	• 자연환경, 토지이용, 접근성, 경관 등의 입지여건을 분석하여 주변지역과의 연계 개발 등 도시계획적 측면에서의 개발 필요성 검토
정책과의 연관성	• 관련 계획 및 정책방향과의 연관성을 검토하고, 공공기관의 사업의지도 고려
파급효과	• 항만재개발이 주변지역에 미치게 될 영향과 지역경제 활성화에 미치는 효과를 분석

나. 제2차 기본계획

제2차 기본계획에 들어서 해양수산부는 종래의 기준을 단계화하고 세분화하여 1·2·3 단계에 걸쳐 대상항만 선정기준을 구체화 하였다. 개략적으로 분류하면 제2차 기본계획은 1·2단계의 선정기준을 통하여는 당해 항만이 항만재개발사업으로 추진하기에 적합한지(적합성 평가)를 판단한 뒤, 3단계의 선정기준을 통하여는 사업의 타당성을 분석하는 방법으로 나뉘어질 수 있다.[69] 이하는 제2차 기본계획에 수록되어 있는 선정기준을 발췌한 것이다.[70]

(1) 1단계 선정기준

구 분	선정기준
검토 대상 항만에서 제외되는 항만	• 정부 정책에 의해 최근 10년 이내에 개발이 완료되었거나 건설 예정인 항만(신항만 포함) 및 항만재개발 목표 연도인 2020년까지 건설 중인 항만에 대하여 항만재개발 필요 여부 평가
기능적 노후화	• 선박의 대형화, 취급화물 및 하역체계의 변화 등으로 각 항만에서 처리할 물동량이 시설능력에 크게 미치지 못하여 재개발의 필요성이 대두되고 있는 실정이므로 이 시설물의 활용빈도에 대한 평가
잠재수요 및 자가 경쟁력	• 항만재개발시 개발 잠재 수요를 고려하여 지역내 확장 수요(배후지 인구), 잠재 수요와 경제적 요인인 지가수준에 대한 검토 – 해당지자체 인구 증가율(최근 5년)과 전국 항만소재지 인구 증가율 평균치를 비교 – 항만 인접지 공시지가와 재개발시 부두용지 공시지가 비교

---

69) 해양수산부, 제2차 항만재개발 기본계획수립, 2016. 10. 31., 16면 참조
70) 이하의 표들은 해양수산부, 제2차 항만재개발 기본계획수립, 2016. 10. 31., 17 내지 19면의 표를 발췌한 것이다.

구 분	선정기준
항만시설부지의 유휴화(준설토 투기장)	• 각종 항만공사로 인하여 새롭게 조성된 준설토 투기장을 효율적으로 개발하여 지역경제 활성화의 거점으로 활용 • 활용 계획이 불확실한 투기장은 활용방안에 대한 평가 수행
잠재적 기능 노후화	• 선박 대형화에 따른 항만시설의 대형화 및 거점화에 대응하기 위한 항만의 효율적 운영 또는 기능 강화(신항 개발 등)로 발생하는 기존 항만(구항 및 중소규모 항만) 기능 및 부두 배후부지에 대한 기능전환을 통한 활용성 평가
지자체/지방청 재개발 의지	• 수요조사 시 지자체/지방청 등에서 항만재개발 추진 의사를 표명한 항만은 재개발 대상항만으로 선정
기 수립된 항만재개발 대상항만	• "제1차 항만재개발 기본계획 수정계획"상 항만재개발 구역으로 선정된 항만 중 현재 재개발이 진행되고 있는 항만에 대한 평가

(2) 2단계 선정기준

구 분		선정기준
재개발 지역 가능성	각 항만별 (부두별) 기능분석	• 각 항만별, 부두별로 취급화물에 대한 하역능력 대비 처리 물동량을 상세 분석하여 과거/현재 기능적 유휴화 여부를 평가하여 부두 활용성 판단
	개발시기	• 대상항만 재개발 가능 시기가 계획의 목표 연도 내에 불가능할 경우 계획수립 자체가 무의미하므로 이에 대한 평가(목표연도 2020년 이전 사업착수 가능) • 재개발 가능 시기는 타 계획과의 연계성 및 주변여건, 이용현황 등을 종합적으로 판단하여 결정
	대체 항만시설 확보 가능성	• 항만재개발 예정구역의 항만시설을 대체할 수 있는 신항만 건설 및 기존 시설의 기능을 강화하여 재개발 대상 구역의 항만시설 대체 가능 여부 검토

구 분		선정기준
재개발 지역 적합성	기타 개발여지 및 잠재력	• 각 항만별로 다른 기능으로의 개발여지나 개발 잠재력, 부두의 활용성 등을 판단
	지자체/ 지방청 추진의지 평가	• 추진의지 여부 평가는 지자체 등의 추진의지가 없음에도 재개발 대상지역으로 선정되는 경우를 배제할 필요가 있음. • 항만재개발 사업에 대하여 공공기관(주무관청. 지자체 및 항만공사 등)의 추진의지를 판단

(3) 3단계 선정기준

구 분	선정기준
경제적 분석	• 비용 · 편익 분석법을 이용하고, 편익/비용(B/C), 순현재가치(NPV), 내부수익률(IRR), 민감도 분석 등의 지표를 제시하여 항만재개발 여부 판단
재무성 분석	• 사업성이 높아 민간이 스스로 참여할 가능성이 있는 사업 등을 판단하기 위하여 재무적 타당성 평가 수행 • B/C 비율이 1 미만인 사업에 대해서도 기반시설 지원에 따른 재무성 분석을 수행하여 항만재개발 여부판단 검토
정책성 분석	• 경제성 분석 내용에는 포함되지 않으나 해당사업의 추진과 관련하여 제기될 수 있는 모든 정책적인 쟁점들이 사업 시행 대안과 사업 미시행 대안 가운데 어느 대안을 지지하게 되는지 평가 수행 • 지역균형 발전, 정책의 일관성 및 추진의지(관련 계획 및 정책방향과의 일치성, 사업추진 의지 및 선호도, 사업의 준비 정도), 사업 추진상의 위험요인 등에 대한 내용을 분석하여 대상항만의 재개발 가능여부 판단 • 지역낙후도 • 지역경제 활성화
종합평가[다기준 (AHD 분석)]	• 분석적 계층화법(Analytic Hierarchy Process)을 활용하여 종합적으로 분석 - 사업의 추진 타당성 유무

구 분	선정기준
종합평가[다기준 (AHD 분석)]	- 투자우선순위 - 재원조달 및 분담방안 - 투자시기 및 사업기간 - 기타정책 제언

IV. 항만기능의 재편 또는 정비, 주변지역과의 기능적·공간적 연계에 관한 사항

법은 항만재개발사업을 시행함에 있어 항만기능의 재편이나 정비, 그와 더불어 항만구역과 주변지역 간의 기능적·공간적인 교류나 연계에 관한 계획을 기본계획의 내용으로 수록할 것을 정하고 있다. 항만재개발사업은 항만이라는 특수한 공간을 개발, 정비하는 사업이면서도 항만이 속한 주변의 도시지역의 일부까지를 사업의 대상으로 포함하는 내용의 사업이다. 따라서 그 자체로 기존 항만을 어떠한 방향으로 구성할 것인지를 고민함과 동시에, 항만 배후에 연결되어 있는 도시지역과 어떻게 연계하여 항만을 개발할 것인지를 함께 고민할 수밖에 없다. 이는 항만이 항만으로서 고립되거나 단절된 공간으로 방치되는 것을 방지하기 위한 것이고, 아울러 기반시설로서 그 자체로 도시의 기능에 유기적으로 일조할 수 있는 항만을 계획하기 위한 것이다.

참고로, 항만이 기존 도심과 단절된 채 독자적으로 발전하여 왔고, 그 결과 항만 스스로도 화물의 상하역이나 수산업 등과 같이 기능이 제한될 수밖에 없었다는 비판이 대두되고 있는바[71], 항만재개발사업이 극복하여야 할 하나의 과제가 바로 '주변지역과의 기능적·공간적 연계'에

---

[71] 한국토지주택공사 토지주택연구원, 항만재개발사업의 주변지역 연계를 통한 생활권 계획 추진방안 연구, 2018, 40면 참조.

있다고 할 수 있다.

V. 항만과 주변지역의 토지이용계획, 교통계획 및 환경계획 등에 관한 사항

항만재개발사업은 기본적으로 개발사업의 범주에 속하고, 법 또한 개발사업법의 범주에 속하는 것이므로, 그 자체로 도시지역의 적극적인 개발과 형성에 관여하는 것이다. 따라서, 기본계획의 내용으로는 당연히 토지의 이용관계에 대한 기본적인 방향이 제시되어야 할 수밖에 없고, 이를 토대로 보다 구체화된 하위계획을 수립할 수 있게 되는 것이다.

제1·2차 기본계획의 내용을 살펴보면, 기본계획은 항만재개발사업의 대상이 되는 개별항만별로 '지구' 개념을 이용하여 큰 틀에서 각 지구를 구획하고 있음을 알 수 있다. 다만, 제2차 기본계획은 상당수 지구들에 대하여 여러 추상적인 용도를 병기하여 놓거나, 아예 특정한 용도로 한정 짓지 아니하는 태도를 보임으로써, 기본계획을 토대로 사업계획을 제안하게 될 민간 사업시행자에 대하여 자율을 보장하고 있는 것으로 사료된다. 더욱이, 분법 이후 '복합시설용지' 개념이 도입됨으로써 민간 사업시행자에게 부여될 공간계획에 대한 자율권은 확대될 것으로 판단된다.

VI. 항만의 재개발을 위한 재원조달 및 행정적·재정적 지원에 관한 사항

법 제5조 제2항 제6호는 구법에는 없었다가 분법되면서 신설된 조문이다. 앞서 설명한 바와 같이 법은 제3조 제2항을 신설하여, 항만재개발사업에 대한 국가와 지방자치단체의 행정적·재정적 지원의무를 명시하였는데, 그에 따라 기본계획의 내용으로도 그 구체적인 계획을 수록하도록 정하게 된 것이다.

1. 재정적 지원에 관한 사항의 경우

다만, 전술한 바와 같이 법 제3조 제2항 자체가 어떠한 법적, 실무적 의미를 지니는 것인지에 대한 의문의 소지가 있으므로, 과연 기본계획에 행정적·재정적 지원에 관한 내용이 담긴다고 하여 그에 대해 어느 정도의 구체적인 효력이나 구속력을 인정할 수 있을지는 의문이 있다. 특히 재정적인 측면의 경우 국가재정법 혹은 지방재정법과 같이 국가와 지방자치단체의 재정지출을 위한 각종의 규범들을 충족하여야 하는 문제가 잔존하므로, 기본계획에 재정지원에 관한 사항이 명시되었다고 하여 이를 통해 곧바로 개별적인 지원의무나 권리가 발생한다고 보기도 어려울 것으로 사료된다.

2. 행정적 지원에 관한 사항의 경우

한편, 행정적 지원에 관한 계획의 경우에는 조금 다를 수 있는데, 만일 법상 각종 인허가 권한을 지닌 해양수산부가 스스로 행정처분의 절차나 요건 판단 등에 대하여 완화된 기준을 적용할 것임을 공표하여 기본계획의 내용으로 수록하게 된다면, 이는 행정청 스스로 행정절차에 관한 기준을 공표한 것이라거나 그와 같은 종류의 행정처분에 관한 공식적인 입장을 밝힌 것이라 할 수 있으므로, 이를 토대로 처분상대방에게 일정한 신뢰가 형성되었다고 보여질 소지가 있을 것이다.

현재 제3차 기본계획이 수립되지 아니한 상태이므로, 구체적으로 어떠한 재정적·행정적 지원 계획이 담기게 될 것인지는 예측하기 어려우나, 그 내용의 구체화 정도에 따라 기본계획의 실무적 의미가 달라질 것으로 사료된다.

VII. 그 밖에 항만의 재개발 및 주변지역의 발전을 위하여 필요한 사항으로서 대통령령으로 정하는 사항

법 제5조 제2항 제7호의 위임을 받은 시행령(안) 제2조에서는 '추정 사업비 및 단계별 투자계획'을 기본계획에 포함되어야 할 사항으로 정하고 있다. 다만, 그 문언에서 확인되는 바와 같이 이는 '추정'치에 불과하므로, 기본계획에 수록된 비용의 규모만으로 사업의 규모나 국가의 투자계획 등을 확정할 수는 없다.

기본계획과 타 계획의 관계

> 법 제5조(항만재개발기본계획의 수립) ③ 기본계획은 「항만법」 제5조 및 같은
> 법 제44조에 따른 항만기본계획 및 항만배후단지개발 종합계획, 「마리나항만
> 의 조성 및 관리 등에 관한 법률」 제4조 제1항에 따른 마리나항만에 관한 기본
> 계획 등 관련 계획과 조화를 이루도록 수립되어야 한다.

　법은 기본계획을 수립함에 있어 해양수산부장관이 수립하는 다른 종류의 계획들과 조화를 이루도록 할 것을 정하고 있다. 해양수산부장관은 항만법에 의하여 항만기본계획 및 항만배후단지개발 종합계획, 마리나항만의 조성 및 관리 등에 관한 법률에 의하여 마리나항만에 대한 기본계획 등을 수립할 권한을 가지고 있는데, 해양수산부장관 스스로 수립하는 해당 계획들과 배치되지 않는 선에서 조화롭게 기본계획을 수립토록 함으로써 항만이라는 공간 전체에 대한 유기적이고 조화로운 개발을 목적으로 하고 있다.

　동항은 타 행정기관이 수립하는 계획에 대하여는 이와 같은 규정을 두지 아니하고 있고, 다만 기본계획의 수립 시 다른 행정기관의 장과 '협의'를 거칠 것을 정하고 있는 바 이에 대하여는 후술하기로 한다.

기본계획의 수립 절차

[그림] 항만재개발사업 기본계획의 수립 절차(해양수산부, 제2차 항만재개발 기본계획수립, 2016. 10. 31., 5면에서 발췌)

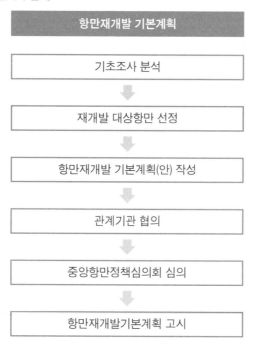

항만재개발 기본계획

기초조사 분석

⬇

재개발 대상항만 선정

⬇

항만재개발 기본계획(안) 작성

⬇

관계기관 협의

⬇

중앙항만정책심의회 심의

⬇

항만재개발기본계획 고시

기본계획은 기초조사, 대상항만 선정, 기본계획안 작성, 관계기관 협의, 중앙항만정책심의회 심의 등의 절차를 통하여 수립되고, 수립된 기본계획은 해양수산부장관이 고시하도록 정해져 있다. 이하에서는 각 절차에 대한 법령상의 규정의 내용을 개별적으로 살펴보도록 한다.

기본계획 수립을 위한 기초조사[제8조]

> 법 제8조(기초조사) ① 해양수산부장관은 제5조 및 제7조에 따라 기본계획을 수립하거나 변경하려는 경우에는 미리 항만과 그 주변지역의 인문·사회 및 자연 환경 등에 대한 기초조사를 실시하여야 한다.
> ② 제1항에 따른 기초조사의 내용과 방법 등에 관하여 필요한 사항은 대통령령으로 정한다.
> ③ 해양수산부장관은 효율적인 조사를 위하여 필요한 경우 제1항에 따른 기초조사를 전문기관에 의뢰할 수 있다.

I. 기초조사의 의의

기본계획의 수립은 기초조사에서부터 시작된다. 항만재개발사업을 위해서는 사업의 방향이나 목표를 설정하고, 그에 따른 적절한 사업대상을 선별하는 작업이 필요한데, 그 과정에서 판단의 기초가 되는 제반 여건에 대한 자료의 확보가 필수적으로 요구될 수밖에 없다. 때문에, 법령은 기본계획의 수립이나 변경 전에 기초조사를 수행하도록 정하면서, 기초조사를 위하여 필요한 권한을 해양수산부장관에게 부여하고 있다.

II. 기초조사의 주체 – 전문기관의 범위

해양수산부장관이 기초조사의 주체가 되나, 반드시 해양수산부장관이 직접 이를 수행할 필요는 없고, 전문기관에게 이를 의뢰하여 수행할 수 있다. 법과 그 하위법령상으로 기초조사 업무를 의뢰받을 수 있는 전문기관의 의미나 범주에 대하여는 달리 규정을 두고 있지 않으므로, 해양수산부장관의 판단에 따라 전문기관이라 인정될만한 기관이면 당해 업무를 의뢰받아 수행할 수 있다고 보면 될 것이다. 즉, 현행법의 내용상으로는 반드시 전문기관이 공공기관이어야 하는 것은 아닌 것으로 사료되고, 상법상 혹은 민법상 법인으로서 기초조사를 위한 적절한 전문성을 갖춘 곳으로 인정될 수 있는 곳이라면 기초조사를 수행할 전문기관으로 선정될 수 있을 것으로 사료된다.[72] 현재 제3차 기본계획의 수립과 관련하여서는 ㈜세일종합기술공사 외 2개사가 용역에 참여하고 있고, 총 사업비는 18억 원 정도 규모이다.

　법상 전문기관의 의뢰 절차에 대하여도 별다른 규정이 없으므로, 의뢰하고자 하는 전문기관이 행정청에 해당하지 아니하고 국가와 별개의 법인격을 갖춘 곳이라면, 통상적인 용역의 발주방법 – 곧, 국가를 당사자로 하는 계약에 관한 법률이 정하는 절차에 따라 선정절차를 진행하면 될 것으로 보인다. 참고로, 기초조사에 관한 것은 아니나 항만재개발사업 사업제안에 대한 검토 업무를 수행하는 용역의 발주와 관련하여 국가를 당사자로 하는 계약에 관한 법률 시행령 제43조에 따른 제한경쟁입찰(협상에 의한 계약)의 방법으로 용역이 발주되었다.

III. 기초조사의 내용

> 시행령(안) 제5조(기초조사의 내용·방법 등) ① 법 제8조 제1항에 따른 기초조사에는 항만과 그 주변지역에 대한 다음 각 호의 사항이 포함되어야 한다.
> 　1. 기후·지형·자원·생태 등 자연 현황
> 　2. 태풍·수해·지진, 그 밖의 재해의 발생 현황 및 추이
> 　3. 인구·교통·관광 등 도시 현황

---

72) 반면, 사업제안에 대한 검토 용역을 수행할 자를 선정함에 있어 해양수산부는 입찰의 자격을 정부출연연구기관 등의 설립·운영 및 육성에 관한 법률의 적용을 받는 연구기관으로 제한하고 있는데, 이는 사업제안 검토용역의 경우에는 위탁받을 수 있는 기관이 구 항만법 제58조 제3항(시행령(안) 제11조 제3항)이 명시적으로 그와 같은 제한을 두고 있기 때문이다.

4. 기반시설·토지이용 등의 현황
5. 항만계획, 도시·군계획 등 다른 계획 또는 개발사업의 현황
6. 문화재의 분포 현황
7. 공원 및 녹지의 분포 현황
8. 해안초소 등 국방·군사시설의 현황
9. 그 밖에 해양수산부장관이 항만과 그 주변지역의 조화로운 정비를 위하여 필요하다고 인정하는 사항

기초조사에는 항만과 그 주변지역의 인문·사회 및 자연 환경 등에 관한 사항이 포함되어야 하는바, 관련하여 구체적인 내용은 시행령(안) 제5조 제1항에서 상세하게 정하고 있다. 위와 같은 기초조사의 내용은 국토계획법 시행령 제11조 제1항, 도시개발법 시행령 제10조 제1항 등 계획의 수립을 위한 기초조사 사항에 대하여 정하고 있는 타 법령상의 내용과 대동소이하다.

IV. 기초조사에 관한 해양수산부장관의 자료제출 요청권

시행령(안) 제5조(기초조사의 내용·방법 등) ② 해양수산부장관은 제1항에 따른 기초조사 사항에 대하여 이미 다른 법령에 따라 조사된 내용이 있는 경우에는 이를 활용할 수 있다.
③ 해양수산부장관은 관계 중앙행정기관, 지방자치단체, 「공공기관의 운영에 관한 법률」 제4조에 따른 공공기관, 「정부출연연구기관 등의 설립·운영 및 육성에 관한 법률」 제2조에 따른 정부출연기관, 그 밖의 관계기관의 장에게 제1항에 따른 기초조사에 필요한 자료의 제출을 요청할 수 있다. 이 경우 해당 기관의 장은 특별한 사유가 없으면 그 요청에 따라야 한다.

1. 자료제출 요청권의 의의

시행령(안)은 기초조사와 관련하여 필요한 자료가 있는 경우에는 해양수산부장관이 해당 자료를 보유하고 있는 관계기관의 장에게 자료제

출을 요청할 수 있는 권한을 부여하고 있다. 해양수산부장관의 요청을 받은 관계기관의 장은 특별한 사유가 없는 이상 그에 응하여야 한다.

다만, 이와 같은 자료제출 요청권의 실효성에 대하여는 의문의 소지가 있다. 먼저, 관계기관의 장이 자료제출 요청을 거부할 경우, 그에 대하여 제재를 가할 수 있는 별도의 근거가 존재하지 아니하는 바 부처별, 기관별로 이해관계를 달리하는 상황이 발생할 경우에는 본 요청권을 행사할 실익이 크지 않을 것이다. 참고로 대표적으로 국회에서의 증언·감정 등에 관한 법률의 경우에는 자료제출을 거부할 경우에 대한 제재조문을 마련하고 있으나, 본법의 경우에는 그와 같은 조문이 부재하다.

다음으로, '특별한 사유'가 있는 경우에는 관계기관의 장은 자료제출을 거부할 수 있는 것이나, 법령상 특별한 사유가 무엇인지에 대한 명확한 설명이 마련되어 있지 아니하므로 '특별한 사유'의 존재가 폭넓게 주장되고 인정될 가능성을 배제하기 어렵다.

2. 요청의 상대방의 범위

시행령(안)은 자료제출 요청의 상대방에 관하여 중앙행정기관, 지방자치단체, 공공기관, 정부출연기관 등을 열거한 후, "그 밖의 관계기관의 장"이라는 포괄적인 조문을 덧붙이고 있으므로, 그 해석이 문제될 수 있다. 단적으로 동항을 이용하여 일반적인 민법·상법상 법인에 대하여도 자료제출을 요청할 수 있는지 여부가 문제될 수 있다.

그러나, 통상 위와 같은 조문을 법학에서는 '포괄주의 조문'이라 설명하는데, 통상 위와 같은 조문은 그 앞에 열거되어 있는 항목들과 최소한의 유사성이 인정되는 한도 내에서 그 의미를 해석하는 것이 적절하고, 해당 조문을 통하여 요청 상대방의 범위를 무한정 확장하는 해석은 지양

하는 것이 타당하다. 따라서, '그 밖의 관계기관의 장'이라는 문언은 최소한 국가나 지방자치단체, 공공기관에 의하여 설립되거나 그와 유사한 성격을 지닌 공적 기관에 한정된 것으로 봄이 타당할 것으로 사료된다.

법 제5조(항만재개발기본계획의 수립) ④ 해양수산부장관은 기본계획을 수립하
는 경우 특별시장·광역시장·도지사·특별자치도지사(이하 "시·도지사"라
한다)의 의견을 듣고, 관계 중앙행정기관의 장과 협의한 후 「항만법」 제4조에
따른 중앙항만정책심의회(이하 "중앙심의회"라 한다)의 심의를 거쳐야 한다.

I. 본 항의 의의

항만재개발사업은 항만구역뿐만 아니라 주변지역까지도 사업의 대
상으로 삼고 있으므로, 기존에 형성되어 있는 도시지역과 그에 대하여
수립되어 있는 도시계획과 상호 긴밀한 영향을 주고받을 수밖에 없다.
따라서, 기본계획을 수립함에 있어서도 관계기관의 의견을 청취·협의
하는 것이 타당하므로, 법은 그에 관한 절차를 명시적으로 요구하고 있
는 것이다.

참고로, 제1차 항만재개발 기본계획을 기준으로 할 때, 환경부, 국토
해양부(현 국토교통부), 국방부, 각급 항만청, 지방자치단체, 광양만권
경제자유구역청 등이 협의기관으로서 의견을 제출하였다.

II. 관계기관이 협의에 응하지 않을 경우

본 항은 기본계획 수립과 관련하여 해양수산부장관의 협의 의무를
부과하고 있는바, 만일 관계기관의 장이 협의를 거부하거나 협의에 응
하지 아니하는 경우에도 해양수산부장관이 기본계획의 수립을 강행할
수 있는 것인지에 대한 검토가 필요하다.

여러 법률에서 각급 행정기관 간의 '협의'라는 용어를 흔히 사용하고

있는데, 종래에는 '협의'가 ① 단순히 협의절차를 시도한 것만으로 충족된 것으로 볼 수 있는지, 아니면 ② '동의'에 이를 정도의 의사합치가 있어야만 하는 것인지에 대하여 대법원 판결이 정립되지 아니하였다.

행정법상 협의제도의 의미에 대하여는 이를 '비구속적 협의'와 '구속적 협의'[73], 혹은 '행정유도적 협의'와 '행정형성적 협의'로 구분한 뒤[74], 대체로 전자에 대하여는 의견수렴의 절차만 거쳤다면 반드시 그 협의 의견의 내용에 구속될 필요는 없다고 보는 반면, 후자에 대하여는 협의 의견의 내용 자체에 실질적인 구속력이나 효력을 인정하는 견해를 취하고 있는 문헌들이 있다. 즉, 전자에 해당하는 협의에 해당한다면 반드시 협의기관의 의견에 구속될 것은 아니고, 단순히 의견을 듣는 절차만 형식적으로나마 갖추었다면 수립된 기본계획의 효력에는 달리 영향을 미치지 아니하게 되는 것이다.

대법원 또한 '협의'가 규정된 맥락에 따라서 상반된 견해를 취하고 있는데, ① 건설부장관이 택지개발예정지구를 지정함에 있어 관계 중앙행정기관의 장과 협의를 할 것을 정한 구 택지개발촉진법과 관련하여 "같은 법 제3조에서 건설부장관이 택지개발예정지구를 지정함에 있어 미리 관계중앙행정기관의 장과 협의를 하라고 규정한 의미는 그의 자문을 구하라는 것이지 그 의견을 따라 처분을 하라는 의미는 아니라 할 것이므로 이러한 협의를 거치지 아니하였다고 하더라도 이는 위 지정처분을 취소할 수 있는 원인이 되는 하자 정도에 불과하고 위 지정처분이 당연무효가 되는 하자에 해당하는 것은 아니다"라고 설시한 반면(대법원 2000. 10. 13. 선고 99두653 판결), ② 군사시설보호구역 안에서 가옥 기

---

73) 조성제, 행정법상 협의제도에 관한 고찰, 강원법학, 2011, 350 내지 354면 참조.
74) 이상천, 행정과정상 協議의 法的 地位에 관한 小考, 법학연구, 2015, 7 내지 13면 참조.

타 축조물의 신축 또는 증축, 입목의 벌채 등을 허가하고자 할 때에는 미리 관할 부대장과 협의를 하도록 규정하고 있는 구 군사시설보호법과 관련하여 "여기서 협의는 동의를 뜻한다 할 것"이라는 입장을 취함으로써 단순히 형식적·절차적 협의를 거칠 것이 아니라 '동의'와 같이 '의사합치'에 이르러야 한다고 본 사례가 있다(대법원 1995. 3. 10. 선고 94누12739 판결).

요컨대, 대법원 판결 중에서도 본 항에서 정하고 있는 '협의'는 대법원 2000. 10. 13. 선고 99두653 판결 사안과 유사한 점, 기본계획의 수립만으로 다른 행정청에 대하여 특별한 구속력이나 효력이 발생하는 것은 아니어서 가사 '동의'에 이르지 아니한 채 기본계획을 수립하였더라도 그것만으로 기본계획 전체를 위법하다거나 무효로 판단한다는 것은 과도한 점, 본 항 스스로도 관계 중앙행정기관의 범위를 특정하고 있지 아니하고 있어 협의에 대하여 어떠한 구체적인 구속력을 부여하기가 실무적으로도 쉽지 아니한 점 등을 고려하면, 본 항의 경우에도 '협의'는 비구속적이면서 행정유도적인 협의를 의미하는 것이라 보아 단순히 형식적·절차적으로만 이행하기만 하면 되는 것으로 봄이 타당할 것으로 사료된다.

중앙항만정책심의회 심의

법은 지방자치단체장과 중앙행정기관의 장의 협의를 거친 다음 중앙
항만정책심의회의 심의를 거칠 것을 요구하고 있다(제5조 제4항 후단).

I. 중앙항만정책심의회의 기능

> 항만법 제4조(중앙항만정책심의회 등) ① 다음 각 호의 사항을 심의하기 위하여
> 해양수산부장관 소속으로 중앙항만정책심의회(이하 "중앙심의회"라 한다)를
> 둔다.
> 1. 제3조에 따른 항만의 구분 및 그 위치 등에 관한 사항
> 2. 제5조 및 제7조에 따른 항만기본계획의 수립 및 변경에 관한 사항
> 3. 제36조에 따른 항만시설 기술기준의 구축·운영에 관한 사항
> 4. 제37조에 따른 항만시설 관련 신기술의 적용 장려 및 시험시공 지원에 관한
>   사항
> 5. 제44조에 따른 항만배후단지개발 종합계획의 수립 및 변경에 관한 사항
> 6. 제45조 및 제46조에 따른 항만배후단지의 지정 및 변경에 관한 사항
> 7. 제49조에 따른 항만배후단지의 지정해제에 관한 사항
> 8. 다른 법률에서 중앙심의회의 심의사항으로 정하고 있는 사항
> 9. 그 밖에 항만의 개발·정비 및 관리·운영에 관하여 해양수산부장관이 심
>   의에 부치는 사항

중앙항만정책심의회는 항만법에 의하여 구성되는 해양수산부장관 산
하 직속 심의기관이다. 그 권한 범위에 대하여는 항만법 제4조 제1항이
상세하게 규정하고 있는데, 그 내용을 보면 항만의 구분 및 위치부터 항
만의 구축, 운영, 개발 등에 관한 매우 광범위한 권한을 행사하도록 되
어 있다. 예컨대 새로운 항만을 지정하거나, 항만의 이름을 결정하는 것
등도 모두 중앙항만정책심의회의 심의를 거쳐서 사실상 결정되는 사항

이므로, 항만법을 체계로 하는 항만에 관한 규율에서 중요한 역할을 수행하는 기관이라 할 수 있겠다. 대표적으로 중앙항만정책심의회의 의결이 문제되었던 사안 중에 하나가 부산신항의 명칭을 둘러싼 헌법재판소 결정사례이다.

헌법재판소 2006. 8. 31. 선고 2006헌마266 전원재판부

중앙항만정책심의회는 항만기본계획의 수립 및 변경, 항만의 지정 및 폐지, 항만구역의 지정 및 조정, 항만배후단지의 지정 및 그 개발에 관한 종합계획의 수립, 기타 항만의 개발 및 관리·운영에 관하여 해양수산부장관이 심의에 부치는 사항에 관하여 심의하기 위하여 해양수산부장관 소속하에 설치된 기구로서 단지 심의권한만을 가지고 있을 뿐만 아니라 항만법상 지정항만의 명칭은 대통령령으로 정하도록 되어 있어 비록 위 위원회가 항만의 명칭에 대하여 의결하여 결정한다 하더라도 이로써 항만의 명칭이 확정적으로 정해진다고 볼 수 없다. 따라서 중앙항만정책심의회의 결정은 정책방향을 결정하는 국가기관 내부의 의사결정에 불과하여 그 자체로 대외적인 효력이 발생할 수 없고 국민의 권리와 의무에 대하여 변동을 주지 않으므로 헌법소원심판의 대상이 되는 공권력 작용으로 볼 수 없다.

이상의 헌법재판소 판례의 설시내용과 같이, 중앙항만정책심의회는 심의기관에 불과하므로, 그 심의 또는 의결 내용이 곧바로 어떠한 사항에 대하여 대내외적인 구속력이 있는 확정력이 발생한다고 볼 수는 없다.

II. 중앙항만정책심의회의 구성

1. 위원의 구성

중앙항만정책심의회 위원의 구성에 대하여는 해양수산부훈령으로 제정된 중앙항만정책심의회 운영규정(이하 '운영규정')이 상세한 규정을 두고 있는데, 위원은 위원장을 포함하여 총 40명 이내로 구성되도록 정하여져 있다(운영규정 제2조 제1항).

중앙항만정책심의회의 위원장은 해양수산부차관이 되고, 위원은 ①

기획재정부, 행정자치부, 문화체육관광부, 미래창조과학부, 산업통상자원부, 환경부, 국토교통부, 해양수산부, 관세청의 3급 공무원 또는 고위공무원단에 속하는 공무원 중에서 해당 기관의 장이 지명하는 공무원 각 1명 – 합계 총 9명 ② 해양수산부장관이 심의 안건과 관련하여 필요하다고 인정하는 특별시·광역시·도 또는 특별자치도(대구광역시, 광주광역시, 대전광역시, 충청북도는 제외)의 국장급 공무원 중에서 특별시장·광역시장·도지사 또는 특별자치도지사가 지명하는 공무원 각 1명 – 합계 총 12명을 각 위촉하고, ③ 나머지 18명의 범위 내에서 항만개발, 항만운영, 도시계획, 건축, 환경, 해양레저에 관한 학식과 경험이 풍부한 사람과 항만이용자를 대표하는 사람으로서 교육기관, 연구기관, 관련 단체 등에 소속되어 있는 사람 중에서 해양수산부장관이 위촉하도록 정해져 있다(운영규정 제2조 제2항).

2. 항만재개발분과심의회

가. 분과심의회의 구성

중앙항만정책심의회는 심의대상이 되는 각 안건의 종류별로 항만분과심의회, 항만재개발분과심의회, 마리나분과심의회 등 총 3개의 분과위원회를 구성하여 운영하고 있는데(항만법 시행령 제4조), 항만재개발사업과 관련한 대부분의 사안을 항만재개발분과심의회가 심의를 담당한다. 운영규정은 ① 항만재개발기본계획의 수립 및 변경에 관한 사항, ② 항만재개발사업계획의 수립 및 변경에 관한 사항, ③ 항만재개발사업구역의 지정 및 해제에 관한 사항, ④ 그 밖에 항만의 재개발 및 관리·운영에 관하여 해양수산부장관이 심의에 부치는 사항 등에 관하여 항만재개발분과심의회가 심의하도록 정하고 있다(제4조 제2항).

운영규정은 전술한 중앙항만정책심의회 위원들 중에서도 ① 기획재정부, 행정자치부, 환경부, 국토교통부, 해양수산부 소속 위원, ② 심의 안건과 관련한 특별시·광역시·도 또는 특별자치도 소속 위원, ③ 그 외 해양레저 분야 위원을 제외하고 해양수산부장관이 운영규정 제2조 제2항 제3호에 따라 위촉한 전문가 위원 등이 포함되도록 정하고 있다. 항만재개발사업이 영향을 미치게 될 각 부처의 고위공무원들과 당해 광역지방자치단체 소속 국장급 공무원 등 실질적으로 정책적인 결정권한에 영향을 미칠 수 있는 위원들을 배치함으로써 항만재개발사업의 구상과 시행 단계에서부터 의견의 조율이 가능할 수 있도록 하기 위함인 것으로 사료된다.

나. 분과심의회 심의의 효력

운영규정은 이와 같은 분과심의회의 심의 결과는 그 자체로 중앙항만정책심의회의 심의로 간주하도록 정하고 있다(운영규정 제10조 제3항). 즉, 분과심의회의 심의를 거친 후 중앙항만정책심의회의 심의를 별도로 거쳐야 할 필요가 있는 것이 아니라, 각 사안을 담당하는 분과심의회의 심의를 통하여 최종적으로 심의회 전체의 의사결정을 갈음하도록 한 것이다.

III. 심의의 절차 및 방법

중앙항만정책심의회의 심의 방법과 절차에 관하여는 운영규정 제9조 내지 제12조에서 정하고 있는바, 특별히 언급할만한 절차의 특징들을 정리하면 다음과 같다.

첫째, 공무원인 위원의 대리출석이 금지되어 있지 않다. 운영규정 제10조는 심의회 위원들에 대하여 특별한 사정이 없는 한 출석할 것을 요구하고 있기는 하나, 공무원인 위원이 업무상 형편으로 심의회에 참석하지 못하여 관련 분야의 하위직에 있는 자를 대리참석하게 하는 경우는 허용하고 있다(운영규정 제10조 제1항 후문).

둘째, 서면심의가 허용된다. 운영규정은 해양수산부장관 또는 위원장의 결정으로 심의안건의 내용이 경미하거나 기타 부득이한 경우에는 서면으로 심의할 수 있도록 정하고 있다(제10조의2 제1항). 이 때, 서면심의는 재적위원 과반수의 서면심의서 회신과 서면심의서 과반수의 찬성으로 심의·의결한다. 다만, 운영규정은 서면심의의 내실화를 위해 일정한 절차를 정하고 있는데, '7일 이상의 기간'을 정하여 각 위원에게 미리 심의안건을 송부하여야 하고, 이와 같이 정해진 기간 내에 위원들은 서면심의서를 작성하여 위원장에게 송부하여야 한다.

셋째, 관계기관·단체나 전문가, 참고인 등을 출석시켜 의견을 듣거나 자료를 제출하게 하는 등의 조사절차를 허용하고 있다(운영규정 제12조).

기본계획의 고시 등의 절차[제6조]

법 제6조(기본계획의 고시 등) ① 해양수산부장관은 기본계획을 수립한 경우에는 대통령령으로 정하는 바에 따라 고시하고, 관계 중앙행정기관의 장 및 시·도지사에게 통보하여야 하며, 국회 소관 상임위원회에 제출하여야 한다.
② 제1항에 따라 통보를 받은 시·도지사는 지체 없이 해당 시장·군수·구청장(자치구의 구청장을 말한다. 이하 같다)에게 통보하고, 통보받은 시장·군수·구청장은 14일 이상 일반인이 열람할 수 있게 하여야 한다. 다만, 특별자치도지사는 직접 관할 구역에 대한 기본계획을 14일 이상 일반인이 열람할 수 있게 하여야 한다.

I. 고시 및 통보 등의 절차의 의의

법은 해양수산부장관이 기초조사 → 기본계획 작성 → 관계기관 협의 → 중앙항만정책심의회 심의 등을 거쳐 기본계획을 수립한 경우, ① 이를 고시하고, ② 관계기관에게는 개별적으로 통보하며, ③ 국회 소관 상임위원회에 제출할 것을 정하고 있다. 기본계획 자체만으로 특별한 국민의 권리·의무에 관한 직접적인 구속력이 가해진다고 보기는 어려우므로 논의의 실익은 적으나, 고시 이외에 관계기관에 대한 통보나 국회에 대한 제출 절차에 어떠한 하자가 있다고 하더라도 그것만으로 기본계획을 수립한 해양수산부장관의 행위 자체가 위법하게 된다거나 효력이 없다고 보기는 어려울 것으로 사료된다. 즉, 통상의 행정계획의 예와 같이 대외적으로 그 내용을 공표하는 '고시' 절차만을 당해 계획의 효력발생요건으로 봄이 타당하고, 그 외의 통보 및 제출 등의 절차는 기 수립되어 발효된 기본계획의 내용을 사후적으로 '전달'하는 정도의 의미를 지닌다고 봄이 타당할 것으로 보인다. 이와 같은 견해는 본서의 사견이고, 현재 관련한 명확한 판단 사례는 발견되지 않는 것으로 보인다.

수립된 기본계획을 통보 받은 광역지방자치단체장은 이를 소속 기초지방자치단체장에게 통보하여야 하고, 최종적으로 기초지방자치단체장이 이를 일반 주민들에게 열람하도록 한다.

해양수산부장관이 관계기관에게 통보하여야 하는 자료의 범위 및 내용은 다음과 같다.

시행령(안) 제3조(항만재개발기본계획의 고시 등) ② 해양수산부장관은 기본계획을 수립한 경우에는 법 제6조 제1항에 따라 관계 중앙행정기관의 장 및 시·도지사에게 다음 각 호의 구분에 따른 내용을 통보하여야 한다.
1. 관계 중앙행정기관의 장: 기본계획 및 관련 자료
2. 시·도지사: 기본계획 중 관할구역에 해당하는 사항 및 관련 자료

II. 고시의 내용

기본계획의 고시문에는 모든 정보를 담을 수는 없으므로, 시행령(안)은 다음과 같은 내용만을 수록할 것을 정하고 있다.

시행령(안) 제3조(항만재개발기본계획의 고시 등) ① 해양수산부장관은 법 제5조에 따른 항만재개발기본계획(이하 "기본계획"이라 한다)을 수립하거나 변경한 경우에는 법 제6조 제1항에 따라 다음 각 호의 사항을 관보에 고시하여야 한다.
1. 항만재개발의 기본방향
2. 항만재개발사업 예정 구역의 선정기준
3. 항만재개발 사업으로 개발할 지역 및 그 선정 사유
4. 토지이용계획의 기본 구상
5. 관련 자료의 열람방법

기본계획의 변경[제7조]

제**3**장

> 법 제7조(기본계획의 변경) ① 해양수산부장관은 기본계획이 수립된 날부터 5
> 년마다 그 타당성을 검토하여야 하고, 필요한 경우 기본계획을 변경할 수 있다.
> ② 제1항에도 불구하고 해양수산부장관은 기본계획을 변경할 필요가 있다고
> 인정하거나 관계 중앙행정기관의 장, 시·도지사 또는 시장·군수·구청장이
> 기본계획의 변경을 요청하는 경우에는 이를 변경할 수 있다.
> ③ 제1항 및 제2항에 따른 기본계획의 변경에 관하여는 제5조 제3항·제4항
> 및 제6조를 준용한다. 다만, 대통령령으로 정하는 경미한 사항을 변경하는 경
> 우에는 그러하지 아니하다.

I. 기본계획 변경의 사유

법은 기본계획을 변경할 수 있는 경우를 두 가지로 구분하고 있다. ①
첫째, 기본계획은 본래 10년을 주기로 수립되는 것이지만(법 제5조 제1
항), 5년마다 수립된 내용의 타당성을 검토하여 이 경우 필요하다면 기
본계획을 수정할 수 있도록 정하고 있다(법 제7조 제1항). ② 둘째, 위와
같은 5년 주기의 타당성 검토와 상관없이, 해양수산부장관 스스로 변경
의 필요성을 인정하거나 관계기관의 장의 변경요청이 있는 경우에도
기본계획을 변경할 수 있다(동조 제2항).

II. 경미한 변경

기본계획의 변경 시에는 원칙적으로 기본계획의 수립에 관한 절차 중 기초조사를 제외한 절차를 모두 거쳐야 한다. 즉, 변경되는 계획 또한 해양수산부장관이 수립하는 항만에 관한 다른 기본계획들과 조화를 이루어야 하고, 작성된 변경계획에 대하여는 관계기관 의견 청취·협의 및 중앙항만정책심의회의 심의를 거쳐야 한다.

그러나, 시행령으로 정하는 일정한 '경미한 사항'의 변경의 경우에는 위와 같은 절차를 거칠 필요 없이 해양수산부장관이 위와 같은 절차(관계기관 협의 및 중앙항만정책심의회 심의)를 거치지 아니하고 변경이 가능한바, 시행령(안) 제4조가 정하고 있는 사유들은 다음과 같다.

1. 항만재개발사업으로 개발할 지역 면적의 축소
2. 항만재개발사업으로 개발할 지역 면적의 10퍼센트 이내의 확대
3. 추정사업비의 변경
4. 토지이용계획·교통계획 또는 공원녹지계획과 관련한 기본 구상의 변경(법 제9조와 제11조에 따른 항만재개발사업계획의 수립에 따라 변경된 경우로 한정한다)

참고로, 경미한 변경에 관하여 법을 포함한 유사 법률 조문들은 본문을 통하여는 "변경에 관하여는 ~를 준용한다" 혹은 "변경하려는 경우에도 같다"라고 하여 최초의 계획을 수립하는 절차를 거칠 것을 요구하면서도, 단서를 통하여 "다만, 대통령령/○○부령으로 정하는 경미한 사항의 경우 그러하지 아니하다"라고 정하는 경우가 많은데, "그러하지 아니하다"라는 문언의 의미의 해석에 대하여 논란이 되는 경우가 있다. 이러한 경우에는 문언의 내용상 본문에서 정하고 있는 행정적인 절차를 거치지 아니하고 변경하려는 자 스스로에 의한 변경이 가능한 것으

로 봄이 타당한 것으로 생각되나, 다만 그와 같은 변경 내용을 대외적으로 표시하는 절차인 고시 절차 등은 이행될 필요가 있을 것으로 판단된다.[75)

---

75) 관련하여 김종보, 건설법의 이해, 피데스, 2018, 283면의 논의 참조.

제 3 편

항만재개발사업계획과
사업구역의 지정

제 1 장
항만재개발사업계획의 수립 [제9조]

제 1 절 **사업계획의 의의**

항만재개발사업은 기본계획 수립 → 사업계획 수립 → 사업구역 지정 → 사업시행자 지정 → 실시계획 승인 등의 절차를 거쳐서 시행된다. 단계적으로 본다면 기본계획은 전국에 소재한 항만들에 대한 대강의 사업의 목표와 방향 등을 구상한 것이라면, 이를 한단계 더 구체화하여 사업의 대상으로 삼는 구역의 범위나, 그 내부에서의 토지이용계획, 사업의 시행방식 및 시행기간 등에 대한 계획을 개별 항만재개발사업구역 별로 수립하는 것이 바로 사업계획에 해당한다.

즉, 기본계획이 항만재개발사업의 대상으로 삼을 항만을 선정한 후 그에 대한 현황 분석 및 정책적인 목표와 방향을 제시하는 것이라면, 사업계획은 그와 같은 목표와 방향 하에서 개별 항만에 대한 보다 구체적인 차원의 계획을 수립하는 것을 의미한다. 따라서, 사업계획에 이르러 항만재개발사업의 구체적인 청사진이 등장하기 시작하는 것으로 볼 수 있게 되는 것이다.

사업계획은 도시개발법에서의 개발계획, 도시정비법에서의 정비계획과 유사한 지위를 지니는 것이라 할 수 있다. 두 법 모두 개발계획이나 정비계획을 수립한 다음 혹은 그 내용으로서 구체적인 사업구역에 대한 지정행위에 나아가고, 이를 토대로 사업시행자를 정하여 실시계획(혹은 사업시행계획)의 작성 및 승인에 나아가는 형태를 띠고 있다. 다만, 법은 사업계획에 대한 규율을 정함에 있어 국토교통부 소관 법률인 도시개발법과 도시정비법과 세부적인 측면에서 차이점을 보이고 있는바, 그에 대하여는 후술하도록 한다.

법 제9조(항만재개발사업계획의 수립) ③ 사업계획에는 다음 각 호의 사항이 포함되어야 한다.
1. 항만재개발사업의 명칭
2. 항만재개발사업의 대상 지역 및 면적
3. 제12조 제3항에 따라 둘 이상의 항만구역과 그 주변지역을 결합하여 하나의 사업구역으로 지정하려는 경우에는 그 결합에 관한 사항
4. 항만재개발사업의 시행기간
5. 항만기능의 재편 또는 정비계획
6. 항만재개발사업의 시행방식
7. 기반시설의 설치계획
8. 공공시설의 설치계획
9. 도시경관 및 재난방지 등에 관한 계획
10. 토지이용계획, 교통계획 및 환경계획
11. 복합시설용지에 관한 사항(복합시설용지가 있는 경우만 해당한다)
12. 제28조에 따라 원형지로 공급될 대상 토지 및 개발방향(원형지로 공급될 대상 토지가 있는 경우만 해당한다)
13. 기업유치 및 투자촉진에 관한 사항
14. 고용 및 정주환경의 개선에 관한 사항
15. 재원조달계획
16. 그 밖에 항만재개발사업의 시행에 필요한 사항으로서 대통령령으로 정하는 사항

사업계획에 포함되어야 할 내용에 대하여는 법 제9조 제2항과 그 위임을 받은 시행령(안) 제7조 등에서 상세하게 정하고 있다.

I. 항만재개발사업의 명칭, 대상지역 및 면적

사업계획에는 당해 항만재개발사업의 명칭, 대상지역과 면적에 관한

사항이 수록되어야 하는바, 이는 당해 사업계획이 목적으로 하는 사업의 범위를 명확하게 특정하기 위함이다.

법은 사업계획으로도 당해 사업구역의 면적 등에 대한 사항을 수록하도록 하면서도, 사업구역의 지정행위는 사업계획과 별도의 절차로 행하도록 하고 있다(법 제12조 제1항). 그러나, 법은 사업계획에서 정한 내용대로 사업구역을 지정하도록 하고 있으므로, 양자를 군이 절차적으로 구별할 실익은 크지 않다. 따라서, 기본적으로 항만재개발사업구역은 사업계획에 의하여 비로소 구체적으로 지정되는 것이라 보아야 한다.

참고로, 사업구역의 지정에 관하여는 개별 개발사업법들마다 서로 다른 태도를 보이고 있는데, 예컨대 도시정비법의 경우에는 "정비계획을 결정하여 정비구역을 지정할 수 있다"라고 하여(제8조 제1항) 정비계획의 결정 행위와 정비구역의 지정행위를 동일한 것으로 취급하고 있다.

II. 결합개발에 관한 사항

항만법으로부터 분법되면서 법은 항만재개발사업의 대상이 되는 항만구역과 그 주변지역과 관련하여, 주변지역이 반드시 항만구역과 공간적으로 연속선상에 있을 것을 요구하지 않게 되었다. 법이 새로이 도입한 방식 – 곧, 항만구역과 주변지역이 불연속적으로 분포하게 되는 경우를 '결합개발'이라고 명명하게 되었는데, 법은 결합개발 방식을 채택하기 위해서는 그에 관한 사항을 사업계획에 포함토록 정하였다. 결합개발이란 곧 '사업구역의 획정 방식'에 해당한다는 점과, 사업구역의 지정은 사업계획에 의하여 비로소 구체적으로 지정되는 것이라는 점을 고려하면, '사업계획'에 결합개발에 관한 사항을 수록토록 하는 것이 타당하다고 사료된다.

III. 사업의 시행에 관련한 사항

1. 사업시행방식

가. 조문의 연혁

사업계획에 포함되어야 할 사항을 정한 구 항만법 제54조 제4항의 경우에는 '사업시행방식'에 관한 사항은 사업계획의 내용으로 요구하지 아니하였다. 2014. 3. 24. 개정 항만법에서는 환지방식에 관한 근거조문을 새로이 마련함으로써(법 제25조) 항만재개발사업의 시행방식으로 선택할 수 있는 선택지가 여럿이 되었는데, 그럼에도 불구하고 구 항만법은 사업계획의 수립 단계에서 사업의 시행방식을 수용방식 혹은 환지방식으로 할 것인지에 대하여 별다른 규율을 하지 아니하였다. 이는 사업계획과 유사한 지위에 있는 도시개발법상 개발계획의 내용에 관하여 도시개발법이 '도시개발사업의 시행방식'을 포함토록 하고 있는 것과 비교할 때 입법상의 누락 또는 미비라고 할 수 있겠다.

그러나, 분법과 함께 법은 사업계획의 내용으로 시행방식에 관한 사항을 명시하도록 정하도록 함으로써, 비로소 사업계획의 수립 단계에서부터 수용방식과 환지방식 중 사업시행방식을 택하도록 정하였다.

나. 개발사업의 시행방식 일반론 – 수용방식과 환지방식의 구분[76]

개발사업의 시행에 있어 핵심은 해당 사업구역 내 권리를 어떻게 취득·이용하여 처분·분배할 것인지에 있다. 이를 분류하여 보면, 사업시행자가 사업구역 내 토지를 모두 매수·수용하여 개발한 뒤, ① 이를 일반에 처분하거나('취득처분방식'), ② 사업구역 내 종전(개발 전) 토

---

[76] 본 항의 논의는 본서의 공동저자인 전진원, 정비사업상 대토의 법적 성격과 효력, 원광법학, 2019. 12., 58 내지 59면의 논의를 발췌, 보완한 것이다.

지 등의 소유자에게 분배하는 방식('취득배분방식')으로 구분할 수 있다.[77] ③ 경우에 따라 사업시행자가 사업구역 내 토지를 매수·수용하기만 하고, 이를 처분·배분하지 아니하고 그대로 보유하는 경우를 생각해볼 수도 있는데, 대표적으로 공원, 도로와 같은 도시계획시설을 건설하는 경우가 이와 같은 경우이다('취득사용방식'). ④ 이 밖에 사업시행자가 토지를 취득하지 아니한 채 이를 이용하여 개발한 뒤, 사업구역 내 토지등 소유자들의 '종전(개발 전) 권리'와 '종후(개발 후) 권리'를 일정 시점에 이르러 변환·교환하여 주는 방식이 있을 수 있다('공용환권방식'[78]).[79] 이상의 4가지의 방식이 학설상으로 이해되고 있는 개발사업 시행방식의 분류이다.

정리하면, 개발사업의 시행방식은 크게는 (1) 사업시행자가 사업구역 내 토지들을 직접적으로 취득하느냐, 아니면 (2) 취득하지 아니한 채 사용하기만 하여 사업을 시행하느냐로 먼저 구분될 수 있다. 이 때 사업구역 내 토지들을 직접적으로 취득하면 이를 '취득방식' 혹은 '수용방식'이라고 부르게 되는 것인데, 통상 사업시행자가 공익사업의 성격을 지니는 개발사업의 시행과 관련하여 토지를 강제적으로 취득할 수 있는 수단으로 토지수용권이 부여되기 때문에, 실무상으로는 '취득방식'을 곧 '수용방식'이라고 부르고 있는 것이다. 그리고, 그와 같이 수용하여 개발한 토지를 어떠한 방식으로 처분하느냐에 따라서 '취득처분방

---

77) 즉, 취득처분방식과 취득배분방식의 차이는 취득한 권리의 분배방식이 취득과 견련(관련)되어 있는지 여부에 있다. 전자는 누구로부터 종전 권리를 취득하였는지와 상관없이 이를 일반적으로 공급하는 것이고, 후자는 종전 권리자에 대하여 우선적으로 공급하는 것이다. 관련하여 김종보, 건설법의 이해, 피데스, 2018, 610면의 논의 참조.
78) 혹은 '비취득변환방식'이나 '권리변환방식'으로 명명하기도 한다.
79) 이상 개발사업의 사업시행방식에 관하여는 강신은, 관리처분계획방식 정비사업에 관한 법적 연구, 중앙대 박사학위논문, 2012. 8, 72 내지 75면 참조.

식', '취득배분방식', '취득사용방식'과 같은 세부적인 구분이 뒤따르게 된다.

반면, 토지를 사용하기만 하는 경우는 구역 내 소유권은 종전의 토지 등 소유권자들이 그대로 보유한 채, 사업시행자는 공사를 시행하여 그 결과 조성된 부지 또는 건축물의 소유권을 종전의 소유권과 '교환' 또는 '변환'하여 주는 방식이 '공용환권방식'이라 하는데, 그 중에서도 종전 소유권과 사업의 시행 결과 조성된 결과물이 모두 '토지'인 경우에는 이를 '환지(換地; 문자 그대로 "땅을 바꾸어 준다"는 뜻임)'라 하여 '환지 방식'이라고 칭하게 된다.

다. 환지방식 사업시행방식의 도입

환지방식 사업시행방식의 도입 이전까지, 엄밀하게 말하면 항만재개 발사업은 '수용방식'을 근간으로 하여 시행되어왔다고 볼 수 있다. 다만, 다른 개발사업법령상 수용방식 사업들과 차이를 보이는 것 중 하나는, 항만재개발사업의 경우에는 일정 단계까지 구역 내 토지소유권을 전부 취득할 것을 요구하는 등의 명문의 규정이 없다는 점이기는 하나, 큰 틀에서 본다면 당연히 소유권의 취득을 전제로 사업이 시행되는 것이라 볼 수 있겠다.

구 항만법은 2014. 3. 24. 개정 당시 '환지방식'을 새로이 도입하면서 그 취지를 "환지 방식에 의한 개발을 할 수 있도록 함으로써 사업이 보다 효율적으로 추진될 수 있도록" 하는 것에 있다고 하면서 "원칙적으로 기존 토지 소유자에 대한 권리를 인정하기 때문에 토지소유자와 사업시행자 간 토지 매수·매도에 따른 갈등과 분쟁을 줄일 수 있고, 특히 사업시행자의 경우 토지 매입의 필요가 없으므로 사업 시행 시의 비용이 감소하는 장점이 있"다고 설명하고 있다.[80]

표면적으로 볼 때 환지방식이 수용방식에 비하여 토지소유자들의 반발이 덜하다거나 따라서 사업의 시행이 보다 효율적일 수 있다고 보여질 수는 있다. 왜냐하면, 수용방식의 경우에는 강제적인 토지소유권의 박탈이 전제되어 있는 것이므로, 수용과 보상을 둘러싼 원주민들과의 갈등이 표면화될 수 있다는 이유에서이다. 그러나, 이는 어디까지나 관념적인 구분에 불과한 것으로, 환지방식이 반드시 수용방식과 비교하여 갈등의 여지가 적다거나 혹은 사업의 시행이 보다 효율적일 수 있다고 단정하기는 어렵다. 이와 같은 사업을 둘러싼 갈등관계는 법 제도에서 기인하는 측면 보다는 사실적이고 현실적인 측면에서 기인하는 측면이 더 크다고 사료된다.

현재, 환지방식으로 진행된 항만재개발사업의 사례가 발견되지 아니하므로, 구체적인 사업의 시행방식이나 절차 등에 대하여는 환지방식 사업의 대표격이라 할 수 있는 도시개발사업의 사례를 참조할 수밖에 없을 것으로 보인다.

라. 항만재개발사업의 특수한 경우 - 준설토 투기장

위와 같은 전통적인 개발사업의 시행방식의 분류와 별개로, 항만재개발사업과 관련하여서는 준설토 투기장을 사업구역으로 하는 경우의 특이한 사례가 발견된다. 준설토 투기장의 경우 국유재산으로 해양수산부가 국유재산관리청으로 되어 있는데, 이를 사업구역으로 하여 국가 이외의 자를 사업시행자로 하여 항만재개발사업을 시행하는 경우에는 소유권 자체는 국가로 유보하여둔 채, 사업시행자가 준설토 투기장 부지의 사용에 관한 계약만을 체결하여 항만재개발사업의 시행하는 사례가

---

80) 이상 국회 농림수산식품해양위원회, 항만법 일부개정법률안 심사보고서, 2014. 2., 51 내지 52면에서 직접인용.

있다.[81]

다만, 이 경우에도 기본적으로는 취득처분방식 – 곧 수용방식을 전제로 한 것으로 이해되기는 한다. 단지 ① 준설토 투기장 부지 전부가 국유재산으로서 소유관계가 일원화되어 있다는 특성을 고려하여 사용권만 취득한 상태에서 사업의 시행을 가능토록 한 것이고, ② 이와 더불어 타 법령과 달리 법이 항만재개발사업에 대한 사업시행자지정이나 실시계획 승인 시까지 토지소유권의 전부 또는 대다수를 확보할 것을 요건으로 명시하고 있지 않다는 점이 복합적으로 작용하여, 준설토 투기장과 같은 실무적 사례가 허용될 수 있었던 것으로 보인다.

마. 총사업비 정산 방식

그 외에도 실무상 항만재개발사업이 사실상 민간투자사업과 유사하게 진행됨을 근거로 하여 이른바 '총사업비 정산 방식'이라는 사업시행 방식이 언급되고 있다.[82] 항만법은 항만개발과 관련하여 종래부터 이른바 '비관리청 방식'이라는 사업 형태를 규정하여 왔는데(구 항만법 제9조 제2항), 이는 민간사업자가 주무관청의 허가를 받아 항만시설을 건설한 다음, 총사업비에 상응하는 금원에 해당하는 만큼 일정기간 동안 항만시설을 사용하는 방식으로 민간사업자가 지출한 총사업비를 충당·정산하는 방식을 말한다. 부산 북항 2단계 항만재개발사업의 경우 공모지침서상으로 이와 같은 '총사업비 정산' 방식을 사업신청자가 제안할

---

81) 대표적으로 광양항 3단계 투기장 항만재개발사업의 경우가 그와 같은 사례인데, 해당 사업의 사업계획 공모지침서를 보면, 사업시행자는 "공사착공일 이전 사업시행자의 명의로 이전등기 또는 사용·수익에 관한 계약을 사업시행자 부담으로 체결"하도록 하여, 반드시 사업시행자가 사업부지의 소유권을 취득할 것을 요구하지는 않고 있다.

82) 옥동석·정영서·신재광, 항만공사체제하의 민간자본 활용방식, 한국항만경제학회지, 2007. 3., 22면 이하의 논의 참조.

수 있는 시행방안의 하나로 열거하고 있다.[83]

다만, 항만재개발사업의 경우 항만공사와 달리 항만시설과 그 이외의 시설이 복합적으로 포함되어 있는 것이어서 애당초 소유권이 처분·분배될 것을 예정하고 있는 주변지역의 경우에는 이와 같은 '총사업비 정산' 방식이 실효성이 있는 것인지는 의문의 소지가 있다. 때문에, 대체로 개별 사업들의 공모지침서 내용을 보면, 이른바 '매각부분'과 '임대부분'을 구분하여 전자는 수용방식 혹은 환지방식으로 사업의 결과물을 처분·분배하는 것을 전제하고 있고, 후자는 사업시행자가 사업시행 후 임대하여 그 비용을 정산하는 방식으로 전제하고 있는 것으로 보인다. 따라서, 사업에 따라 수용·환지방식에 일부 시설·용지 등에 대한 총사업비 정산방식이 보조적으로 활용될 것을 예정하고 있는 것으로 풀이된다.

2. 사업기간

법은 사업계획에 해당 항만재개발사업의 사업기간에 대한 사항을 수록하도록 정하고 있다. 사업기간에 관한 사항은 이후 사업시행자에 의한 실시계획의 작성 단계에서도 요구되는 것이다(법 제17조 제2항 제4호).

장기간 시행되는 대규모 개발사업의 특성상 사업계획이나 실시계획 등에 명시된 사업기간을 도과하여 이를 연장하는 등으로 변경하여야 할 경우가 빈번하게 발생하는데, 이 경우 실시계획 변경승인을 통하여 사업기간을 변경하는 것과 별개로 사업계획상의 사업기간도 변경할 필요가 있는 것인지가 쟁점이 될 수 있다. 그러나, 통상 사업기간이 법적 의미를 갖는 이유는 그것과 수용권의 행사 가능 기한이 연동되어 있는

---

83) 해양수산부, 부산항 북항 2단계 항만재개발 사업시행자 재공모 지침서, 2020. 2., 제4조 제3항 제1호 참조.

경우가 많기 때문인데, 통상 수용권의 부여는 실시계획의 승인처분과 의제관계에 놓여있으므로, 그와 별도로 상위계획상의 사업기간을 수정·변경하여야 할 필요가 있는지는 의문이 있다. 더욱이, 법은 실시계획과 사업계획의 관계에 대하여도 명시하고 있지 않으므로, 이와 같은 측면에서도 반드시 사업기간을 변경하는 내용의 실시계획 변경승인을 하면서 사업계획도 변경하여야 하는 것인지 의문의 소지가 크다.

3. 사업시행자

시행령(안) 제7조 제6호는 '사업시행자의 구성계획'에 관한 사항을 사업계획의 내용으로 포함할 것을 정하고 있다. 다만, 사업시행자는 사업계획의 수립 및 사업구역의 지정을 거친 다음에야 비로소 선정되는 것이므로, 사업계획을 작성하는 단계에서부터 구체적인 사업시행자를 특정하기는 어렵다. 때문에 시행령(안)은 사업시행자의 구성에 관한 개략적인 계획을 사업계획에 포함시키도록 함으로써 그 대강을 미리 구상할 것을 정하고 있는 것이다.

법령상으로는 명시적인 근거가 없으나, 사업시행자가 지정된 이후에 재차 사업계획을 변경하는 경우나, 혹은 사업시행자가 되고자 하는 자가 사업계획을 제안하는 방식으로 사업계획을 수립하게 되는 경우에는 사업계획에 사업시행자의 명칭까지를 특정하여 수록하는 경우가 있다.[84] 다만, 시행령(안)이 요구하고 있는 사업시행자에 관련된 내용은 '구성계획'에 해당하는 것일 뿐만 아니라, 사업시행자를 지정하는 처분 자체는 사업계획과 별개의 절차를 통하여 이루어지는 것이므로(법 제15조 제4항 참조), 가사 사업계획에 사업시행자를 특정하여 수록하여 놓았

---

84) 예컨대, 인천항 영종도 준설토 투기장 항만재개발사업의 사례. 해양수산부고시 제2017-178호 참조.

다고 하더라도 그 자체만으로 사업시행자를 지정하는 효력이 있다거나, 그 자체만으로 사업시행자로 특정된 자에게 어떠한 법률상의 지위가 보장·부여된 것이라 보기는 어려울 것으로 사료된다.

IV. 토지이용계획과 기반시설·공공시설의 설치계획

법은 사업계획에 당해 사업구역 내에서의 토지이용관계에 대한 일련의 계획을 수립하도록 정하고 있다. 전술한 바와 같이 기본계획 단계에서는 당해 사업구역 내의 토지이용관계에 관하여 여러 용도를 병렬하여 열거하는 식으로 포괄적이고 추상적으로 정하여 놓고 있었던 반면, 사업계획 단계에서는 개별 지구를 특정하여 그 면적 및 보다 구체화된 용도 또는 명칭을 정하게 된다.

아울러, 이와 같은 토지이용계획에 더하여 기반시설이나 공공시설에 대한 설치계획 또한 사업계획의 내용으로 수록토록 한다.

V. 복합시설용지에 관한 사항

전술한 바와 같이 분법된 법에서는 산업입지법 등을 참조하여 항만시설과 그 이외의 시설을 복합하여 개발할 수 있는 복합시설용지 제도를 새로이 도입하였다. 복합시설용지 또한 토지이용계획에 관련된 것이므로 사업계획의 내용으로 수록하게 한 것이다.

VI. 원형지 공급에 관한 사항

본래 사업시행자가 항만재개발사업구역 내 용지를 조성한 뒤, 조성된 토지를 타에 공급하여야 하는 것이나, 법은 '원형지' - 곧, 조성이 되기 이전의 토지를 미리 공급할 수 있도록 허용하고 있다. 이는 사업시행자가 전체 사업이 준공되기 이전에 미개발 상태의 토지를 수요자에게 저렴한 가격으로 공급할 수 있도록 함으로써, '민간의 투자수요를 유발하고 보다 특성화된 항만재개발사업이 이루어질 수 있도록 하려는 취지'에서 허용된 것이다.

법은 원형지를 공급하려고 하는 경우에는 사업계획의 단계에서부터 그에 관한 사항을 수록하도록 정하고 있다.

VII. 재원조달계획

법은 사업계획의 내용으로 재원조달계획을 포함하도록 정하고 있다. 민간투자자가 사업시행자가 되는 경우를 예로 들면, 재원조달계획에서는 (1) 총민간투자비, (2) 재정지원 항목으로 구분하고, 전자의 경우에는 자기자본, 타인자본, 분양대금의 항목들로 구성된다.

VIII. 그 밖의 사항

시행령(안) 제7조는 법 제9조 제3항이 정한 사항 이외에도 사업계획에 포함되어야 할 사항들에 대하여 정하고 있는바, 도면과 더불어 그 외 사업의 시행에 관하여 필요한 사항들을 열거하고 있다. 대표적으로 시행령(안)은 ① 항만재개발사업의 대상지역의 경계와 그 획정 사유를 표시한 축적 5,000분의 1의 지형도, ② 해당 항만재개발사업의 경제적 타당성 분석서, ③ 대상지역 안의 토지 · 물건 및 권리의 매수 · 보상계획 및 주민의 이주대책에 관한 자료, ④ 사업시행자의 구성계획, ⑤ 단계별 항만재개발사업 시행계획 등을 열거하고 있다.

제 3 절 사업계획의 수립 절차

I. 사업계획 수립 절차의 개관

[표] 사업계획의 수립 절차 개관

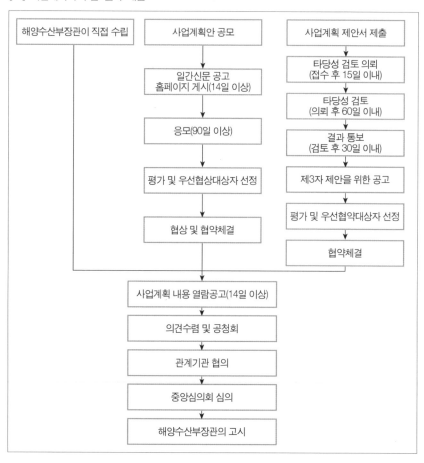

법 및 시행령(안)에 의하면 사업계획은 크게 ① 사업계획의 작성 단계, ② 의견수렴 단계, ③ 협의 단계, ④ 중앙항만정책심의회 심의 단계 등 4단계의 절차를 거쳐서 결정된다.

참고로 법은 사업계획의 수립 시 의견청취와 관계기관 협의 및 중앙항만정책심의회 심의를 거칠 것을 요구하면서도(법 제9조 제4항 내지 제5항), 양자 간의 순서에 대하여는 달리 정하고 있지 아니한데, 사업계획은 최종적으로 중앙항만정책심의회의 심의를 거쳐야 하는 것이고, 원칙적으로 그 변경 또한 마찬가지이기 때문에 의견청취 절차를 통하여 반영할 것이 있으면 중앙항만정책심의회를 거치기 이전에 수정·반영하여 심의를 받는 것이 절차적으로 보면 타당한 것으로 사료된다. 따라서, 양자는 병렬적으로 진행되는 절차라기보다는 의견수렴 절차를 먼저 거친 후 관계기관 협의 및 중앙항만정책심의회 심의를 거치도록 하는 편이 적절한 것으로 판단된다.

국토계획법의 경우에도 주민의견 청취(제28조 제1항), 지방의회 의견청취(제28조 제5항), 관계기관 협의(제30조 제1항), 도시계획심의위원회 심의(제30조 제3항) 등 법과 유사한 절차들을 규정하고 있으면서도 상호간의 순서에 대하여는 명확한 규정을 두고 있지 아니하나, 실무상으로는 대체로 의견청취절차를 먼저 진행하고 최종적으로 그 내용까지를 검토, 반영하여 관계기관 협의 및 도시계획심의위원회의 심의를 거치는 순서로 이루어지고 있다.[85]

이하에서는 각 단계들에 대하여 상세히 살펴보도록 한다.

---

85) 국토교통부, 국토의 계획 및 이용에 관한 법률 해설집, 2018, 18면 참조.

II. 사업계획의 작성

1. 개관

법은 사업계획을 작성하는 방법을 크게 3가지로 구분하고 있다. 가장 단순한 방법은 해양수산부장관이 직접 사업계획을 작성하여 그에 대한 후속절차를 거치는 것이나, 법이 개정되어옴에 따라 민간의 사업참여를 장려하는 방향으로 개정이 이루어져왔기 때문에 민간이 사업계획 자체를 제안하거나 혹은 해양수산부장관이 직접 공모를 받아 사업계획을 수립하는 등의 방안이 마련되어왔다.

2. 해양수산부장관이 직접 작성하는 경우

해양수산부장관의 경우 사업계획의 입안권과 결정권을 모두 지니고 있는 행정주체이므로, 스스로 사업계획을 작성하고 결정할 수 있는 권한을 보유하고 있다. 참고로, 국토계획법의 경우에는 도시관리계획의 입안권과 결정권을 각각 기초지방자치단체장과 광역지방자치단체장에게 이원화하여 놓고 있는데, 이는 곧 도시관리계획의 초안은 기초지방자치단체장이 작성하되, 최종적은 결정은 광역자치단체장이 하게 된다는 것이다. 그에 반하여, 항만재개발사업의 경우에는 사업계획의 입안·결정권 모두를 해양수산부장관이 가지도록 일원화하고 있다.

법은 "해양수산부장관은 기본계획에 적합한 범위에서 항만재개발사업계획을 수립할 수 있다"라고 하여 기본계획에 부합하는 한도 내에서 사업계획을 수립하여야 한다는 제한을 두고 있을 뿐, 해양수산부장관이 직접 사업계획안을 작성함에 있어서 내부적으로 거쳐야 할 구체적인 방법이나 절차에 대하여는 달리 규정하고 있지 않다. 즉, 이미 해양수산부장관은 기본계획 수립 과정에서 충분한 기초조사자료 등을 확보하고

있는 상태이므로, 이를 전제로 하여 사업계획을 작성하토록 하되 사업
계획 작성을 위한 별도의 기초조사 등의 사전절차는 정하여두지 않은
것으로 사료된다.

3. 해양수산부장관이 사업계획 공모를 하는 경우

해양수산부장관은 직접 사업계획안을 작성하지 아니하고, 공모를 통
하여 사업계획을 선정할 수도 있다(법 제9조 제2항). 이 경우 해양수산부
장관은 항만재개발사업의 개요, 사업계획의 평가계획, 공모참가자격 및
일정, 항만재개발사업의 시행자 지정 절차, 항만재개발사업계획서 작성
지침 등의 내용을 포함하여 관보 및 둘 이상의 일간신문에 공고하고, 해
양수산부 인터넷홈페이지에 14일 이상 게시하여야 한다.

이 경우 90일 이상 응모를 받은 후 평가에 나아가야 한다. 평가의 구
체적인 절차에 대하여는 해양수산부 항만재개발사업 업무처리규정 및
개별 항만재개발사업의 공모지침서 등에 상세히 규정되어 있는바, 이에
대하여는 별도의 장을 통하여 살펴보도록 한다.

4. 사업시행자가 되고자 하는 자 직접 사업계획안을 제안하는 경우

법 제11조(사업계획의 제안) ① 지방자치단체 또는 제15조 제1항 제2호부터 제
6호까지의 규정의 어느 하나에 해당하는 자는 해양수산부장관에게 사업계획
의 수립 또는 변경 수립을 제안할 수 있다.
② 해양수산부장관은 제1항에 따라 사업계획의 수립 또는 변경 수립의 제안을
받은 경우 그 처리 결과를 제안자에게 알려야 한다.
③ 제1항 및 제2항에 따른 제안 및 제안서의 처리 등에 필요한 사항은 대통령
령으로 정한다.

가. 제안의 주체

위와 같은 공모절차를 거치지 아니하더라도, 법 제15조 제1항에 따라 사업시행자가 될 수 있는 자격을 지닌 자는 누구든지 사업계획의 수립이나, 혹은 이미 수립되어 있는 사업계획의 변경을 제안할 수 있다. 이는 민간투자자에게 사업계획을 제안하거나 수정을 제안할 수 있는 직접적인 기회를 제공함으로써 투자유치 및 항만재개발사업의 추진을 원활히 하기 위함이다.

본래 2007년 법은 사업계획을 제안하기 위하여는 민간투자의 경우 시·도지사를 거친 후 해양수산부장관의 승인을 받도록 정하고 있었으나, 2009년 항만법 통합과 함께 개정을 거쳐 민간투자자의 경우에도 해양수산부장관에게 곧바로 사업계획을 제안할 수 있도록 개정이 이루어졌다.

나. 제안의 대상

분법 이전의 구 항만법은 사업계획을 제안할 수 있는 대상과 관련하여 "항만재개발기본계획에 적합한 범위에서 또는 항만재개발기본계획이 수립되지 아니한 항만 및 그 주변지역에 대하여"라는 문언을 사용하여, 기본계획이 항만재개발사업의 대상으로 삼고 있지 아니한 항만에 대하여도 사업계획의 제안을 할 수 있도록 명시하고 있었다.

그런데, 분법 이후 법은 위와 같은 문언을 삭제하였는바, 그와 같은 삭제가 기본계획에서 정하지 아니한 곳에 대하여는 사업계획의 제안을 허용하지 않겠다는 취지인지, 아니면 해당 문구가 없다고 하더라도 사업계획의 제안이 얼마든지 가능함을 전제로 단순한 자구 정리과정에서 해당 문언을 삭제한 것에 불과한지를 두고 해석상 논란의 소지가 있다.

그러나, 국회 입법자료에 의하면 법 제11조는 "구 항만법 제55조를 이관, 단순 자구수정"한 것임을 밝히고 있어[86], 이와 같은 문언의 삭제는 기본계획이 수립되어 있지 아니한 항만에서의 사업계획 제안을 금지하기 위한 취지에서 비롯된 것이 아님을 알 수 있다.

더욱이, 구 항만법에 의하더라도 기본계획이 수립되지 아니한 곳에서 사업시행자가 되고자 하는 자가 사업계획을 제안한 경우, 해양수산부장관이 그 제안을 수용한다고 하더라도 곧바로 그것만으로 기본계획의 변경이 의제된다는 등의 조문을 두고 있지 아니하였으므로, 사업계획의 수용에 따라 기본계획의 변경절차가 '선행'될 필요가 있고, 그에 따라 사업계획의 수립에 관한 절차가 후속될 필요가 있다. 즉, 사업계획 제안의 수용만으로 곧바로 기본계획에 관한 어떠한 법률상의 효과가 발생하는 것은 아니기 때문에, 특별히 법 제11조 제1항에 기본계획이 수립되어 있지 아니한 곳에서도 제안이 가능하다는 취지의 문언을 기재하여둘 필요성이 매우 낮은 것이라 할 수 있다.

요컨대, 법률 문구의 변화에도 불구하고, 여전히 기본계획에 수립되어 있지 아니한 항만에서도 사업계획의 제안이 가능하고 허용되는 것이라 해석함이 타당하다.

다. 제안의 절차

사업계획을 제안하는 경우, 그에 대하여는 크게 ① 제출된 제안서의 평가과정, ② 제안내용에 대한 제3자의 참여기회 보장, ③ 우선협상대상자 선정 및 협상 등의 3단계 절차를 거쳐서 최종적으로 수용여부를 결정하게 된다.

먼저, 사업계획의 제안이 있으면 해양수산부장관은 제출된 제안서에

---

86) 국회 농림축산식품해양수산위원회, 항만 재개발 및 주변지역의 발전에 관한 법률안 검토보고서, 2019. 3., 11면.

법 제9조 제3항이 정하고 있는 사업계획에 포함되어야 할 내용들 중 빠진 사항이 있거나, 포함되어 있음에도 그 내용이 분명하지 아니할 때에는 일정한 기간을 정하여 제안자에게 보완을 요구할 수 있다. 다만, 사업계획 제안의 내용이 ① 법령 및 항만재개발사업 목적에 들어맞지 아니하는 경우나, ② 해양수산부장관이 법 제9조에 따라 해당 지역에 대하여 사업계획을 수립 중인 경우에 해당한다면 제안서 자체를 반려할 수 있다(시행령(안) 제11조 제2항).

둘째, 제출된 제안서가 항만재개발사업 목적에 들어맞는다고 판단되는 경우, 해양수산부장관은 해당 제안서의 타당성을 판단하기 위하여 제안서를 접수한 날부터 15일 이내에 정부출연연구기관 등에게 그 평가업무를 의뢰하게 된다(시행령(안) 제11조 제3항). 이 때 평가업무를 수행하는 '정부출연연구기관'이란 정부출연연구기관 등의 설립·운영 및 육성에 관한 법률 제2조에 따라 설립된 것을 의미하는 바, 그에는 다음과 같은 기관들이 포함된다.

[표] 제안서 평가를 의뢰받을 수 있는 정부출연연구기관(정부출연연구기관 등의 설립·운영 및 육성에 관한 법률 별표)

기관명	
1. 한국개발연구원	11. 한국보건사회연구원
2. 한국조세재정연구원	12. 한국노동연구원
3. 대외경제정책연구원	13. 한국직업능력개발원
4. 통일연구원	14. 한국해양수산개발원
5. 한국형사정책연구원	15. 한국법제연구원
6. 한국행정연구원	16. 한국여성정책연구원
7. 한국교육과정평가원	17. 한국청소년정책연구원
8. 산업연구원	18. 한국교통연구원
9. 에너지경제연구원	19. 한국환경정책·평가연구원
10. 정보통신정책연구원	20. 한국교육개발원

기관명	
21. 한국농촌경제연구원 22. 국토연구원	23. 과학기술정책연구원

현재 해양수산부의 실무에 의하면, 사업제안서에 대한 평가를 의뢰할 정부출연연구기관은 제한경쟁입찰의 방식에 의하여 선정하고 있는 것으로 보인다. 다만 최근의 사례를 보면 위 입찰과정에서 평가점수 총 100점 중에 최근 5년간 유사용역 수행 실적이 20점을 차지하고 있고, 책임연구원의 경력 중 최근 3년간 항만분야 연구용역 참여 실적이 5점을 차지하고 있어[87], 점차 사업제안서 평가 용역을 수행하는 기관이 몇 개 연구기관으로 좁혀져 갈 것으로 예측된다.

셋째, 평가를 의뢰받은 연구기관은 60일 이내에 해당 제안서에 대한 의견을 해양수산부장관에게 제출하여야 한다. 평가를 맡은 연구기관은 적정사업비, 수익률 등 사업 추진을 위한 모든 조건에 대하여 사업계획을 제안한 자와 다른 의견을 제시할 수 있다. 연구기관이 제안서의 타당성을 판단하기 위하여 자료의 보완을 요구하는 경우에는 그 검토기한을 연장하는 것이 가능하고, 시행령(안)은 연장할 수 있는 기간의 상한이나 횟수 등에 대하여는 달리 정하고 있지 않다(이상 시행령(안) 제11조 제4항).

넷째, 연구기관의 평가 결과를 받은 해양수산부장관은 원칙적으로 검토의견이 접수된 날부터 30일 이내에 제안의 수용 여부를 사업시행자에게 통보하여야 한다.

다섯째, 사업제안을 수용한다고 하더라도, 법을 포함한 통상의 민간투자사업들의 경우 제3자에게도 그에 대한 제안 기회를 부여함으로써

---

87) 이상 해양수산부, 항만재개발 사업제안 위탁용역 제안요청서, 2020. 1., 17 내지 18면 참조.

단순히 최초로 사업계획을 제안하였다는 것만으로 특별히 확정적인 지위를 부여하지 않고 있는 것이다. 때문에 해양수산부장관으로서는 제안받은 사업계획안의 내용에도 구애받을 필요가 없는데, 시행령(안)은 제3자 제안을 공고하면서도 최초 제안내용과 다른 내용을 포함하여 공고할 수 있도록 정하고 있다(제11조 제8항).

다만, 시행령(안)은 최초 제안자에 대하여 일정한 범위 내에서 가산점을 줄 수 있도록 정하고 있는바, ① 최초 제안자가 변경제안서를 제출하지 아니하고, 최초에 제안한 내용 그대로 제안을 유지하는 경우에는 총평가점수의 10퍼센트 이내에서 가산점을 부여할 수 있고, ② 해양수산부장관이 최초 제안자의 제안내용과 다른 내용을 포함하여 공고하였는데, 그에 따라 최초 제안자가 변경제안서를 제출하는 경우에는 총평가점수의 5퍼센트 이내에서 가산점을 부여할 수 있도록 정하고 있다(시행령(안) 제11조 제9항).

마지막으로, 평가 결과에 따라 우선협상대상자를 선정한 후 협상과정을 거쳐 협약을 체결하게 된다. 참고로 시행령(안)은 협약을 체결한 경우에는 그 협상대상자를 사업시행자로 지정한 것으로 의제하도록 정하고 있다(제11조 제11항).

라. 평가 및 협상 절차에 관한 규정

이상과 같이 사업계획 제안 및 그에 대한 평가, 협상 등의 절차에 관하여 시행령(안)이 정하고 있지 아니한 사항에 대하여는 해양수산부장관 고시로 상세히 정하도록 하고 있다(시행령(안) 제11조 제12항). 다만, 현행 해양수산부 항만재개발사업 업무처리규정은 해양수산부장관이 공모를 통하여 사업제안을 받는 경우에 관하여 규율하고 있는 것이어서(동 규정 제3조 참조), 이것이 공모에 의하지 아니하는 법 제11조에 의한 제안 절차에 대하여도 그대로 적용되는 것인지에 대하여는 의문의 소지가 있다. 다만, 현행 제도상으로는 공모에 의한 경우와 제안에 의한 경우 모두 제안서를 받은 이후의 구체적인 평가나 협상 절차에 있어서는 특별히 구분할만한 차이점이 보이지 않는 것으로 사료되는바, 동 규정에 의한 절차를 성질에 반하지 않는 한 대부분 준용할 수 있을 것으로 판단된다.

III. 의견 청취 및 공청회 개최

사업계획이 작성된 다음에는 그에 대한 주민 및 관계전문가들의 의견청취 절차를 거치도록 법이 정하고 있다(법 제9조 제5항). 도시계획의 경우에 통상 그 내용에 의하여 다수의 이해관계가 연관되어 있는 경우가 많으므로, 국토계획법은 반드시 주민들의 참여절차를 보장하도록 정하고 있다. 이와 같은 주민참가절차는 국민의 사전적 권리구제로서의 의의를 지니는 것일 뿐만 아니라, 행정청의 입장에서도 계획의 수립에 필요한 정보를 수집하는 것으로서의 의미를 지니는 것이기도 하다.[88]

법 및 시행령(안)은 사업계획의 내용을 일간신문 및 해양수산부 홈페이지 등을 통하여 14일 이상 일반인이 열람할 수 있도록 게시·공고토록 하고 있고, 그와 같은 열람절차와 별개로 공청회를 필요적으로 개최하도록 하여 의견을 수렴하도록 정하고 있다(시행령(안) 제8조 제1항 내지 제2항).

참고로, 법이 제9조 제5항과 같은 규정을 두지 아니하더라도, 항만재개발사업 또한 토지이용규제 기본법의 적용을 받는 것인바(동법 별표 제220호), 어차피 토지이용규제 기본법 제8조 제1항에 의하여 주민의견 청취 절차를 거쳐야 하는 것이기는 하다.

---

88) 이상 김종보, 건설법의 이해, 제6판, 피데스, 2018, 273면 참조.

IV. 관계기관 협의

법은 사업계획의 수립 시 관계 중앙행정기관 및 지방자치단체와 협의를 거치도록 하고 있다. 이와 같은 협의는 형식적이고 절차적인 것으로서, 반드시 그 내용에 해양수산부장관이 구속되어야 한다고 보기는 어려울 것으로 사료된다.

'협의'의 법적 의미에 대하여 문헌들은 이를 '비구속적 협의'와 '구속적 협의'[89], 혹은 '행정유도적 협의'와 '행정형성적 협의'로 구분한 뒤[90], 대체로 전자에 대하여는 의견수렴의 절차만 거쳤다면 반드시 그 협의 의견의 내용에 구속될 필요는 없다고 보는 반면, 후자에 대하여는 협의 의견의 내용 자체에 실질적인 구속력이나 효력을 인정하는 견해를 취하고 있는바, 대법원의 경우에도 상반된 입장을 표하고 있다.

대법원은 건설부장관이 택지개발예정지구를 지정함에 있어 관계 중앙행정기관의 장과 협의를 할 것을 정한 구 택지개발촉진법과 관련하여 "같은 법 제3조에서 건설부장관이 택지개발예정지구를 지정함에 있어 미리 관계중앙행정기관의 장과 협의를 하라고 규정한 의미는 그의 자문을 구하라는 것이지 그 의견을 따라 처분을 하라는 의미는 아니라 할 것이므로 이러한 협의를 거치지 아니하였다고 하더라도 이는 위 지정처분을 취소할 수 있는 원인이 되는 하자 정도에 불과하고 위 지정처분이 당연무효가 되는 하자에 해당하는 것은 아니다"라고 설시한 바 있으므로(대법원 2000. 10. 13. 선고 99두653 판결), 이를 참조하면 사업계획 수립 절차에 있어서의 협의 또한 그와 같은 절차를 형식적으로 거침으로써 관계기관의 자문을 구하면 될 일이고, 반드시 그 내용에 구속되어 특정

---

89) 조성제, 행정법상 협의제도에 관한 고찰. 강원법학, 2011, 350 내지 354면 참조.
90) 이상천, 행정과정상 協議의 法的 地位에 관한 小考. 법학연구, 2015, 7 내지 13면 참조.

행정기관이 반대할 경우 해양수산부장관이 사업계획을 수립할 수 없다고 보는 것은 부당한 것으로 사료된다.

V. 중앙항만정책위원회 심의

항만법은 해양수산부장관이 항만에 관하여 수립하는 정책에 대한 최고 심의기관으로 중앙항만정책위원회를 두도록 하고 있고, 그중에서도 항만재개발에 관한 사항은 항만재개발분과심의회에서 심의를 담당하도록 정하고 있다. 사업계획의 경우에도 동 분과심의회의 심의를 거치게 되며, 이 경우 기획재정부, 행정자치부, 환경부, 국토교통부, 해양수산부 소속 고위공직자, 심의안건과 관련한 특별시·광역시·도 또는 특별자치도 소속 국장급 공무원 등이 심의위원으로 참여하게 된다(운영규정 제4조 제1항 참조).

VI. 해양수산부장관의 고시

> 법 제9조(항만재개발사업계획의 수립) ⑦ 해양수산부장관은 사업계획을 수립하거나 변경한 경우에는 대통령령으로 정하는 바에 따라 이를 고시하고, 관계 서류의 사본을 관할 시·도지사 및 시장·군수·구청장에게 보내야 한다. 이 경우 관계 서류의 사본을 받은 특별자치도지사 또는 시장·군수·구청장은 이를 14일 이상 일반인이 열람할 수 있게 하여야 한다.
> ⑧ 제7항에 따라 해양수산부장관이 사업계획을 수립하거나 변경하여 고시한 경우에는 그 범위에서 「공유수면 관리 및 매립에 관한 법률」 제22조 및 제27조에 따른 공유수면매립 기본계획을 수립하거나 변경하여 같은 법 제26조에 따라 고시한 것으로 보며, 「산업입지법」 제6조·제7조·제7조의2 및 제8조에 따른 산업단지를 지정하거나 변경하여 같은 법 제7조의4에 따라 고시한 것으로 본다.

1. 효력발생요건으로서의 고시

사업계획은 중앙항만정책심의회의 심의를 거쳐 최종적으로 고시됨으로써 효력을 갖게 된다. 즉, 해양수산부장관의 고시는 그 자체로 사업계획의 효력발생요건이라고 할 수 있다.

참고로, 토지이용규제 기본법의 경우, 동법의 적용을 받는 지역·지구 등의 지정행위 중 지형도면 또는 지적도 등에 지역·지구등을 명시한 도면을 고시하여야 하는 지역·지구등의 지정의 효력은 지형도면등의 고시를 함으로써 발생한다고 정하고 있다(동법 제8조 제3항). 물론 이는 '지역·지구 등의 지정'에 관련된 것이고, 법은 사업계획의 수립과 그 내용에 따른 사업구역 지정을 별개의 절차로 구분하고 있으므로 사업구역 지정행위가 아닌 사업계획 수립행위에 대하여도 위와 같은 조문이 적용되어 고시를 효력발생요건으로 보아야 하는 것인지에 대하여는 의문이 제기될 수도 있겠다.

그러나, 사업계획의 수립으로 인하여 다른 법령에 따른 구역(변경)지정 등이 의제되는 점, 법의 규정상으로는 사업계획과 사업구역 지정행위가 구분되어 있으나 어차피 사업계획대로 사업구역이 지정되어야 하는 것이어서 양자를 엄밀하게 구별할 실익이 크지 않은 점 등을 종합하면, 사업계획의 경우에도 고시를 효력발생요건으로 봄이 타당하다.

2. 다른 계획의 의제

법은 사업계획의 고시와 관련하여 ① 공유수면 관리 및 매립에 관한 법률에 따른 공유수면매립 기본계획의 수립, ② 산업입지법에 따른 산업단지의 지정 또는 변경 등의 고시를 의제하도록 정하고 있다.

가. 공유수면매립 기본계획의 수립

법은 항만재개발사업의 사업계획 수립 고시에 대하여 공유수면매립 기본계획을 의제하도록 정하고 있다. 항만재개발사업의 Waterfront 사업으로서의 특성 및 그에 따라 일정부분 공유수면에 대한 매립공사가 수반될 수밖에 없다는 점을 고려하면 이와 같은 인허가 의제는 필수불가결한 것으로 사료된다.

공유수면매립의 경우에는 기본계획의 수립(제22조)을 거쳐, 매립면허를 받은 후(제28조), 실시계획 승인을 받아(제38조) 매립공사를 시작하는 것으로 되어 있는데, 동법은 매립면허의 발급 시 "매립기본계획의 내용에 적합한 범위에서 매립면허를 하여야 한다"거나(제28조 제5항), "매립기본계획에 반영된 매립예정지를 분할하여 면허할 수 없다"고 하여(동조 제6항) 매립면허와의 관계에서 기본계획에 상당한 정도의 구속력을 부여하고 있다.

법은 항만재개발사업의 실시계획 승인과 관련하여 공유수면매립의 면허 등을 의제하고 있으므로(법 제19조 제1항 제4호), 그 전 단계 절차인 사업계획의 수립과 관련하여 공유수면매립 기본계획의 내용 또한 연동하여 수립하거나 변경될 수 있도록 정하고 있는 것으로 사료된다.

이와 같은 의제조항은 2007년 법에는 마련되지 않았고, 단지 구 항만법상 항만공사에 관한 항만기본계획의 수립과 관련하여 그와 같은 의제 규정을 두고 있었던 것이나(구 항만법 제12조 제2항), 2009년 항만법으로 통합되면서 조문을 재정비하는 과정에서 항만재개발사업의 사업계획에 대하여도 해당 의제조항의 적용을 받도록 하였던 것이다.[91]

---

91) 관련하여, 입법 자료상으로는 이와 같이 의제대상에 항만재개발사업계획을 추가하게 된 경위나 목적에 대하여는 특별히 발견되는 내용이 없다.

나. 산업단지의 지정 또는 변경

법은 사업계획의 수립에 산업단지의 지정을 의제토록 하고 있다. 항만의 경우 대부분 항만을 통하여 입출입하는 상품을 직접적으로 생산하는 산업단지와 인접하여 있는 경우가 대부분이고, 이와 같은 산업단지내에 입주하여 있는 시설들은 그 자체로 항만시설의 일종인 지원시설에 해당하거나 항만배후단지의 개념이 포섭되는 경우가 많다. 때문에 법은 사업계획에 산업단지 지정에 관한 사항을 의제토록 함으로써 항만재개발사업과 그에 포함된 산업단지의 개발을 유기적으로 시행할 수 있도록 한 것으로 사료된다.

참고로, 2009년 항만재개발사업에 관한 사항이 항만법으로 통합되기 이전까지는 산업입지법에 관련된 사항이 인허가 의제의 대상으로 열거되어있지 아니하였다. 그러나, 2009년 항만법 개정 당시 "항만공사 및 항만재개발사업의 시행기간 단축 및 사업비 절감 등을 위하여"[92] 산업단지와 관련된 일련의 인허가들을 의제대상에 추가하였고, 그 결과 사업계획의 수립에 대하여는 산업단지 지정을, 실시계획 승인에 대하여는 산업단지개발실시계획의 승인을 의제하게 된 것이다(구 항만법 제85조 제1항 제12호).

VII. 절차 위반의 경우

이상과 같은 절차를 위반한 경우, 이는 사업계획의 절차상 하자를 이루는 것이어서 사업계획 자체를 위법하게 만들게 된다. 따라서 만일 법이 정한 절차를 누락하는 경우 사업계획은 위법하여 취소될 수 있는 것이다. 관련하여, 구 도시계획법상 도시계획결정에 대하여 동법이 정한

---

92) 정부, 항만법 전부개정법률안, 2008. 11. 12., 3면에서 인용.

절차를 위반한 경우 도시계획결정 자체가 위법임을 면치 못한다고 본 대법원 판결을 참조할 수 있겠다.

대법원 1996. 3. 22. 선고 95누13920 판결

도시계획결정의 효력을 변경하는 내용으로 지적고시도면을 경정하거나 변경하기 위하여는 이에 선행하여 도시계획법 제12조에 의하여 건설부장관이 관계 지방의회 의 의견을 듣고 중앙도시계획위원회의 의결을 거쳐 도시계획결정을 변경한 다음 그 변경된 도시계획결정에 맞게 지적고시도면을 경정하거나 변경하여야 하고, 따 라서 이와 같은 절차를 밟지 아니한 채 실질적으로 도시계획결정의 변경을 가져오 는 내용으로 시장·군수 또는 구청장이 지적고시도면을 경정 또는 변경하는 조치 는 도시계획법 제12조에 위반되어 위법하고, 그 효력이 없다.

다만, 이상과 같은 절차를 형식적으로나마 거쳤으나, 그 내용상에 어 떠한 부실이 있는 경우에는, 그 정도만으로는 사업계획 자체가 위법하 다고 판단될 가능성은 그리 높지 않을 것이다. 의견청취 절차나 관계기 관 협의 절차는 의견을 듣는 절차에 불과할 뿐, 당해 절차를 통하여 제 기된 의견을 모두 사업계획의 내용으로 반영하여야 하는 것은 아니 다.[93] 따라서 형식적으로나마 법 및 시행령(안)이 정한 일련의 절차를 모두 거친 것이라면, 가사 그를 통해 제기된 의견을 전혀 반영하지 않고 원안대로 사업계획을 수립하였다고 하더라도 이를 위법하다고 보기는 어렵다. 왜냐하면, 의견청취절차에서 나온 의견을 반영하지 아니하였다 는 것은 그 자체로 사업계획의 실체적인 내용의 하자를 다투는 것인데, 사업계획과 같은 행정계획의 수립과 관련하여서는 행정청의 광범위한

---

[93] 하급심 판례이나 "도시관리계획안을 입안하면서 국토의 계획 및 이용에 관한 법률 제 28조 소정의 공고 및 의견청취절차를 적법하게 거친 뒤에 이 사건 도시계획시설결정 을 하였음을 인정할 수 있고, 피고가 공람공고에 대한 주민들의 의견을 이 사건 도시 계획시설 결정에 반드시 반영하여야 하는 것도 아니라고 할 것"이라고 설시한 인천지 방법원 2008. 10. 23. 선고 2006구합1160 판결 참조.

형성의 자유 - 곧, 광범위한 재량(계획재량)이 인정되는 것인바, 계획의 실체적인 내용의 하자의 위법을 인정하기가 쉽지 않기 때문이다.

다만, 매우 예외적인 경우에는 사업계획의 위법성을 구성할 수도 있는데, 대법원 판결은 "그 행정계획에 관련되는 자들의 이익을 공익과 사익 사이에서는 물론이고 공익 상호간과 사익 상호간에도 정당하게 비교교량하여야 한다는 제한이 있는 것이고, 따라서 행정주체가 행정계획을 입안·결정함에 있어서 이익형량을 전혀 행하지 아니하거나 이익형량의 고려 대상에 마땅히 포함시켜야 할 사항을 누락한 경우 또는 이익형량을 하였으나 정당성과 객관성이 결여된 경우에는 그 행정계획결정은 형량에 하자가 있어 위법하다"라고 하여 계획재량의 한계를 설명하고 있다(대법원 2006. 9. 8. 선고 2003두5426 판결 참조). 따라서, 사업계획의 수립 과정 중에 필요한 이익형량을 하지 아니하거나, 관련되는 이익을 누락하거나, 이익형량 자체를 잘못하는 등의 경우에는 그 자체로 사업계획의 위법성을 이루는 것이라 볼 수도 있는 것이다. 다만, 실무적으로 이와 같은 종류의 위법이 인정되는 경우가 많지 않다. 현실적으로 해양수산부장관이 이익형량을 그르쳤다고 볼만한 명시적인 증거자료가 없는 이상, 통상적인 절차를 거쳐 그에 대한 고려를 한 흔적만이라도 발견된다면 이와 같은 위법성은 인정되기 어려울 것이다.

I. 사업계획의 변경 절차

> 법 제9조(항만재개발사업계획의 수립) ⑥ 해양수산부장관이 수립된 사업계획을
> 변경하려는 경우에 관하여는 제4항 및 제5항을 준용한다. 다만, 대통령령으로
> 정하는 경미한 사항을 변경하는 경우에는 그러하지 아니하다.
> ⑦ 해양수산부장관은 사업계획을 수립하거나 변경한 경우에는 대통령령으로
> 정하는 바에 따라 이를 고시하고, 관계 서류의 사본을 관할 시·도지사 및 시
> 장·군수·구청장에게 보내야 한다. 이 경우 관계 서류의 사본을 받은 특별자
> 치도지사 또는 시장·군수·구청장은 이를 14일 이상 일반인이 열람할 수 있
> 게 하여야 한다.

  법은 사업계획을 변경하는 경우에 대하여도 최초의 사업계획을 수립
하는 경우와 동일한 절차를 거치도록 정하고 있다. 따라서, 사업계획의
변경 시에도, 주민 및 관계전문가의 의견을 청취하는 공청회, 관계기관
협의, 중앙항만정책심의회 심의절차 등을 모두 거쳐야 하고, 아울러 변
경된 내용에 대하여 고시 절차까지 완료하여야 한다.

II. 경미한 변경의 경우

1. 경미한 변경사항

시행령(안) 제9조(사업계획의 경미한 변경) ① 법 제9조 제6항 단서에서 "대통령령으로 정하는 경미한 사항을 변경하는 경우"란 다음 각 호의 어느 하나에 해당하는 경우를 말한다.
1. 해당 항만재개발사업 명칭의 변경
2. 대상지역 면적의 축소
3. 대상지역 면적의 10퍼센트 이내의 확대
4. 지형 또는 지질 사정으로 인한 항만, 도로 등 기반시설 위치 및 구조의 변경
5. 「국토의 계획 및 이용에 관한 법률」 제2조 제4호에 따른 도시 · 군관리계획에서 결정된 내용의 변경
6. 「환경영향평가법」 제29조 제1항에 따른 환경영향평가에 대한 협의내용 및 「도시교통정비 촉진법」 제22조에 따른 교통영향평가의 이행을 위한 사업계획의 변경
7. 1년 이내의 사업시행기간의 변경
8. 제1호부터 제6호까지에 따라 수반되는 총사업비 및 재원조달계획의 변경 또는 재원조달계획 중 총사업비 추정액의 10퍼센트 이내의 변경

다만, 법은 시행령(안)으로 정하는 일정한 사항들을 변경하는 경우에는 최초의 사업계획 수립 시에 대하여 요구되는 절차들을 요구하지 아니하고 있다. 이는 경미한 내용의 변경임에도 불구하고 사업계획의 수립에 요구되는 각종의 의견청취 및 협의 등의 절차를 거치는 비효율을 방지하기 위한 것으로, 변경내용 자체가 매우 경미한 것이어서 별다른 규제의 필요성이 별로 없기 때문이다.

가. 일정범위 이내에서 사업계획의 주요 사항을 변경하는 경우

시행령(안) 제9조는 이상과 같이 경미한 변경사항을 열거하고 있다. 구체적으로 살펴보면, 사업구역 면적이나 사업시행기간, 재원조달계획

등 사업계획의 주요 내용을 이루는 것에 대하여, 10% 이내 혹은 1년 이내 등과 같이 경미한 정도의 범위에서 변경하는 것에 그치는 경우를 주로 경미한 변경 사항으로 정하고 있다.

나. 다른 계획의 변경에 의하여 사업계획을 변경하는 경우

항만재개발사업의 경우 특이한 것은, 다른 법률에 의하여 수립되는 행정계획 및 도시계획 등이 변경되는 경우, 그 내용을 반영하여 사업계획을 수정하는 것은 경미한 변경으로 가능하도록 정하고 있다는 점이다. 후술할 바와 같이 경미한 변경사항은 사실상 아무런 절차를 거치지 않더라도 - 심지어는 고시절차를 거치지 아니하더라도 변경의 효력이 인정될 수 있는 것인바, 다른 행정청이 다른 법률에 의하여 행사한 계획수립권한이 곧바로 해양수산부장관이 수립하는 사업계획에 영향을 미치는 것이어서, 자칫하면 해양수산부장관의 사업계획에 관한 권한을 무력화하는 것도 가능할 수 있게 된다.

시행령(안)은 대표적으로 국토계획법상 도시관리계획에서 결정된 내용에 따라서 사업계획을 변경하는 경우를 포괄적으로 경미한 변경사항으로 정하고 있는데, 도시관리계획에 속하는 지구단위계획이나 도시계획시설계획 등은 그 자체로 사업계획의 주요 내용에 해당하는 토지이용계획이나 공간구성에 관련한 내용을 직접적으로 규율할 수 있는 수단에 해당한다. 그런데, 도시관리계획은 모두 지방자치단체장에게 입안 및 결정권한이 있는 것이므로, 지방자치단체장의 권한행사에 따라서 해양수산부장관이 수립한 사업계획을 전면적으로 수정하여야 하는 경우가 발생할 수 있다. 즉, 지방자치단체장의 도시계획고권과 해양수산부장관의 항만재개발사업을 둘러싼 계획고권의 충돌이 있을 경우, 자칫 전자가 후자에 우선할 수도 있는 결과를 초래할 수도 있는 것이다. 장기적으로 이는 지방자치단체장의 비협조적인 태도로 인하여 항만재개발 사업의 추진을 방해하는 요소로도 작용할 수 있는 것으로 사료된다.

다만, 사업계획의 변경은 전적으로 해양수산부장관의 권한이고, 후술한 바와 같이 법은 사업계획을 도시관리계획으로 의제하고 있지 아니하여 사업계획과 도시관리계획은 그 내용적 유사성에도 불구하고 별개의 법적 개념에 해당하므로, 도시관리계획이 사후적으로 변경되어 사업계획과 배치되는 경우가 발생하더라도, 해양수산부장관이 직접 사업계획을 변경하지 아니하는 한은 자동적으로 사업계획이 변경된다거나 도시관리계획에 의하여 개폐된다는 등의 극단적인 결과는 발생하지 아니할 것으로 사료된다.

다. 기반시설을 수정하는 경우

시행령(안)은 사업구역 내 지형 또는 지질 사정으로 인한 항만, 도로 등 기반시설 위치 및 구조의 변경을 경미한 변경 사유로 정하고 있다. 다만 이 경우 '지형 또는 지질의 사정'이 무엇을 의미하는 것이 다소 모호하므로, 그와 같은 사유의 존재에 관한 인정여부에 대하여는 해양수산부장관의 해석의 여지가 있을 것으로 사료된다. 즉, 기반시설의 위치 및 구조를 변경하는 경우라면, 지형 또는 지질과 관련성을 찾는 것은 어려운 일이 아닐 것으로 사료되는바, 당해 조문을 이용하여 경미한 변경의 방법으로 이를 얼마든지 손쉽게 변경하는 것이 가능할 것으로 보인다.

다만, 경미한 변경으로 처리할 수 있는 범위는 기반시설의 위치와 구조의 변경에 그치는 것이므로, 기반시설의 수량이나 면적 등을 변경하는 것은 경미한 변경이 아닌 정식의 변경 절차에 의하여야 할 것으로 사료된다.

2. 생략가능한 절차의 범위

법은 경미한 변경에 대하여 "그러하지 아니하다"라고만 정하고 있는 바, 그 의미는 법 제9조 제4항 제5항이 정하고 있는 절차를 생략할 수 있다는 것을 뜻한다. 즉, 일련의 의견청취 절차나 협의, 심의 절차를 모두 거칠 필요가 없다는 것이다.

다만, 경미한 변경의 경우에도 '고시' 절차가 생략될 수 있는 것인지 여부에 관하여는 해석의 여지가 있다. 판례 중에는 "전체 공원면적은 그대로 둔 채 그 위치만 일부 조정하는 것은 도시계획법 제12조 제1항 단서, 같은법 시행령 제7조의3 제2호, 제3호 (가)목 소정의 '경미한 사항'에 해당하므로 이를 관보에 고시하지 아니하였다고 하여 이를 무효라고 할 수는 없다"라고 하여 마치 경미한 변경의 경우 고시를 거치지 아니하더라도 변경의 효력이 발생할 수 있는 것처럼 판시한 사례가 있다(대법원 1995. 8. 25. 선고 94누12494 판결). 해당 판결에 적용된 구 도시계획법 규정은 다음과 같은바, 항만재개발사업계획에 관련한 법의 내용과 대동소이한 것이어서 이와 같은 판결의 견해가 사업계획에 대하여도 적용된다고 볼 가능성을 배제하기 어려울 것으로 사료된다.

구 도시계획법 제12조(도시계획의 결정) ① 도시계획은 건설부장관이 직권 또는 제11조의 규정에 의한 도시계획입안자의 신청에 의하여 대통령령이 정하는 사항에 관하여 관계지방의회의 의견을 듣고(申請人이 미리 해당 地方議會의 의견을 들어 申請한 경우를 제외한다) 중앙도시계획위원회의 의결을 거쳐 이를 결정한다. 결정된 도시계획을 변경할 때에도 또한 같다. 다만, 대통령령으로 정하는 경미한 사항의 변경에 있어서는 그러하지 아니하다.
④ 건설부장관은 제1항의 규정에 의하여 도시계획을 결정한 때에는 대통령령이 정하는 바에 의하여 지체없이 이를 고시하고 결정된 도시계획도면을 시장 또는 군수에게 송부하여 일반에게 공람시켜야 한다.

다만, 법은 구 도시계획법 제12조 제4항과 달리 "해양수산부장관은 사업계획을 수립하거나 변경한 경우에는 대통령령으로 정하는 바에 따라 이를 고시하고"라는 문언을 사용하여 사업계획의 변경 시 경미한 변경인지 여부를 구분하지 아니한 채 모두 고시를 요구하고 있는 점(법 제9조 제7항), 법 제9조 제6항 단서가 생략을 허용하고 있는 절차는 의견청취와 협의, 심의 등의 절차에 그치는 점 등을 고려하면, 가급적이면 경미한 변경의 경우에도 고시 절차를 거치는 것이 바람직할 것으로 판단된다.

제5절	사업계획의 효력

I. 사업계획의 구속력과 처분성

1. 사업계획의 효력과 처분성

법상 사업계획 그 자체의 고유한 효력이 무엇인지는 다소 불분명하다. 법은 사업계획을 통하여 당해 항만재개발사업의 구체적인 내용들을 대부분 수록토록 하고 있고, 사업계획이 시행될 당해 사업의 청사진이 되는 것은 분명하다. 그러나, 법은 사업계획과 사업구역의 지정 절차를 별개의 절차로 구분하고 있고, 아울러 사업시행자 지정 절차도 별개의 절차로 구분하고 있다. 법은 사업구역 지정 시에 비로소 당해 사업구역 내에서의 행위제한의 효력을 인정하고 있는바(법 제14조 제1항), 사업계획이 수립되어 있다는 사실 자체만으로는 당해 구역 내 토지소유자들에 대한 직접적인 구속력을 인정하기도 어렵다. 특히, 후술할 바와 같이 사업계획의 경우에는 국토계획법상 도시관리계획으로서 의제하는 조문을 따로 두고 있지 아니한 바, 사업계획의 존재 자체만으로 당해 사업구역 내의 도시계획에 영향을 미치는 직접적인 효력이 인정되기도 어렵다. 이상의 점을 종합하면, 과연 법이 사업계획을 '구속적 행정계획'으로 예정하고 있는 것인지 매우 의문의 소지가 있다. 사업의 내용이 구체화된 사업계획 수립 단계에서마저도 그 내용에 구속력을 인정할만한 법적 근거가 묘연하다는 것은 장기적으로 법이 풀어나가야 할 과제와 같은 것이라 사료된다.

이와 같은 대외적인 효력 또는 구속력은, 사업계획의 취소나 무효를 구할 행정소송이나 심판을 제기할 수 있는지 여부 - 곧, '처분성'의 인정 여부 문제와도 직접적으로 연관된다. '처분'은 '행정청이 행하는 구체적 사실에 관한 법집행으로서의 공권력의 행사 또는 그 거부와 그 밖에 이에 준하는 행정작용'으로 정의되는 것인데(행정소송법 제2조 제1항 제1호), 대법원은 "행정청의 공법상 행위로서 특정 사항에 대하여 법규에 의한 권리의 설정 또는 의무 부담을 명하거나 기타 법률상의 효과를 직접 발생하게 하는 행위"를 말한다고 하여(대법원 1993. 4. 22. 선고 93두2 결정 등 참조) 기본적으로 어떠한 실체적인 법률상 효력을 발생시키는 것인지 여부를 중요한 기준으로 삼고 있다.[94] 그런데, 사업계획의 수립만으로 대외적인 어떠한 효력을 인정하기 어렵다는 점은 사업계획의 수립행위 그 자체에 대하여 국민이 그 취소나 무효확인을 구할 행정쟁송을 제기할 수 있는지에 대하여도 다툼의 소지가 클 것으로 예상된다.

참고로, 유사입법례인 도시개발법상 개발계획에 대하여는 처분성을 인정한 대법원 판결이 확립되어 있으나(대법원 1982. 3. 9. 선고 80누105 판결; 대법원 1985. 7. 23. 선고 83누727 판결 등), 개발계획의 경우 그 자체로 도시관리계획으로서의 효력을 갖는 것이어서 당해 계획이 수립된 곳에서의 건축허가요건 등에 직접적인 영향을 미치게 되는 것이므로, 항만재개발사업의 사업계획에 대하여도 그와 같은 결론이 유지될 수 있을지는 추후 법원의 판단이 필요할 것으로 보인다.

2. 사업계획과 실시계획의 관계

법은 사업계획의 수립과 관련하여서는 기본계획에 적합한 범위에서 사업계획을 수립할 것을 명문으로 정하고 있으나(법 제9조 제1항), 실시계

---

94) 물론, 최근에는 국민의 불이익이나 불안감을 제거하여주기 위한 취지에서도 처분성의 인정 범위를 넓혀가고 있는 추세이기는 하나, 원칙적으로는 위와 같은 판례의 견해가 유지되고 있다고 봄이 타당하다. 관련하여 김동희, 행정법 I, 제16판, 박영사, 2010, 711 내지 712면 논의 참조.

획의 수립에 관하여는 사업계획의 내용을 준수하여야 한다거나 사업계획이 정한 범위 내에서 행할 것을 요구하고 있지 않다. 참고로, 도시개발법의 경우에는 실시계획의 작성과 관련하여 도시개발법 시행령 제38조 제1항이 "실시계획은 개발계획에 맞게 작성하여야 한다"라는 명문의 규정을 두고 있으나, 법 및 시행령(안)의 경우에는 그와 같은 규정을 두고 있지 아니한 것이다.

이는 실무적으로 보면 사업계획과 다른 내용의 실시계획을 수립하는 경우 (1) 실시계획이 위법한 것이라 볼 수 있는지, (2) 실시계획의 수립을 위해 사업계획의 변경을 선행할 필요가 있는지의 문제와 관련된 것이라 할 수 있다. 그런데, 현행법의 체계 하에서는 타 법령과 같이 사업계획의 실시계획에 대한 구속력을 인정하고 있는 명시적인 조문을 두고 있지 아니하고, 사업계획의 경우 도시관리계획으로서의 효력을 부여받고 있지도 아니하며, 판례 중에는 도시기본계획의 도시관리계획에 대한 구속력을 부정한 사례가 존재한다는 점[95] 등을 종합하면, 위와 같은 경우 (1) 실시계획이 위법하다거나 효력이 부정된다고 보기는 어려울 수도 있고, (2) 나아가 실시계획의 수립 이전에 사업계획의 변경이 필요하다고 보기도 어려울 수 있다.

본서의 의견으로는 타 법령의 사례를 고려하거나, 최소한 사업계획 단계에서부터는 항만재개발사업의 구체적인 내용이 가시화되는 것이므로 가급적이면 실시계획에 대한 사업계획의 구속력을 인정하는 것이

---

95) 대법원 2007. 4. 12 선고 2005두1893 판결은 "구 도시계획법(2002. 2. 4. 법률 제6655호 국토의 계획 및 이용에 관한 법률 부칙 제2조로 폐지) 제19조 제1항 및 도시계획시설 결정 당시의 지방자치단체의 도시계획조례에서는, 도시계획이 도시기본계획에 부합되어야 한다고 규정하고 있으나, 도시기본계획은 도시의 장기적 개발방향과 미래상을 제시하는 도시계획 입안의 지침이 되는 장기적·종합적인 개발계획으로서 행정청에 대한 직접적인 구속력은 없다."라고 설시한 바 있다.

타당한 것으로 보이기는 한다. 다만, 현재로서는 명확한 판례나 해양수산부의 해석례 등이 발견되지 아니하는 상황이므로, 가급적이면 사업계획과 실시계획의 내용을 큰 틀에서는 정합적으로 맞추어 두는 것이 안전할 것으로 사료된다.

II. 사업계획과 도시관리계획의 관계

법은 사업계획에 대하여 도시관리계획을 의제하는 조문을 따로 마련하고 있지 않다. 통상적으로 유사입법례에서 사업계획과 유사한 지위를 지니는 계획에 대하여는 도시관리계획이 의제되는 경우가 많다. 대표적으로 도시개발법상 개발계획이나 도시정비법상 정비계획은 그 자체로 도시관리계획의 지위를 부여받게 되므로(도시개발법 제9조 제2항; 도시정비법 제17조 제2항[96]) 개발계획이나 정비계획의 수립, 나아가 그에 기초한 개발구역이나 정비구역의 지정 등은 그 자체로 당해 구역에 대하여 수립되어 있던 도시관리계획을 개폐하는 효력이 인정될 수 있다.[97]

그러나, 사업계획 나아가 그에 기초한 사업구역의 지정행위에 대하여는 그와 같은 효력이 인정되기 어렵다. 따라서 사업계획이나 사업구역 지정만으로 이미 당해 구역에 대하여 종래부터 존재하여 오던 도시관리계획을 변경하거나 폐지하는 등의 구속력이 인정되기 어렵고, 나아가 사업계획이나 사업구역 지정이 존재한다는 사정만으로, 곧바로 그에 대한 관할 지방자치단체장의 도시관리계획의 수립이나 변경행위를 금지

---

96) 그 외 국토계획법 제2조 제4호 라목은 "도시개발사업이나 정비사업에 관한 계획"을 그 자체로 도시관리계획의 정의에 포섭시키고 있다.

97) 물론, 이와 같은 관계는 모든 개발사업법에 대하여 일반론적으로 단정될 수 있는 것은 아니다. 관련하여 본서의 공동저자인 전진원, 도시계획 상호간의 효력과 도시계획의 병합, 건설법연구, 2019. 10.의 논의 참조.

하거나 그 계획고권을 제약하는 등의 효력을 인정하기가 어렵다.

추측건대 이와 같은 법의 모호한 태도는 도시계획에 관한 법령이 대부분 국토교통부 소관이라는 점에서 기인한 것으로 생각된다. 즉, 국토교통부 소관 법령에 의하여 이미 종래부터 체계를 완비하여 온 도시계획의 입안·결정 체계에 대하여 해양수산부가 수립하는 사업계획으로서 개입하는 것에 대하여 부담이 있었을 것으로 보이고, 따라서 사업계획 제도를 항만재개발사업의 단계 중 하나로 설정하면서도 그에 대하여 구체적인 구속력을 부여하기가 어려웠던 것으로 사료된다.

복합시설용지에 관한 특례 [제10조]

제 2 장

제1절 복합시설용지의 개념 및 연원

I. 복합시설용지의 개념

복합시설용지란 항만법이 정하고 있는 항만시설과 그 외 항만시설에 속하지 아니하는 시설을 하나의 용지에 복합적으로 설치할 수 있도록 허용하는 용지이다. 즉, 복합시설용지는 용어 그대로 항만시설과 그 외 시설을 '복합'하여 설치할 수 있도록 하는 것을 뜻하고, 복합시설용지 내에서 항만시설을 건설하지 아니한 채 오로지 주거·교육·휴양·관광·문화·상업·체육 등과 관련된 시설만을 건설하는 것은 허용되지 않는 것으로 사료된다.

복합시설용지의 개념은 분법되어 새로이 시행되는 법에서 신설된 것인데, 이는 항만 및 주변지역의 효율적인 공간활용과 항만 재개발사업 활성화를 위하여 도입된 것이다.[98] 법이 복합시설용지 제도를 새로이 도입한 이유는 항만재개발사업의 효율성과 사업성을 증진하기 위한 것으로 풀이된다.

---

98) 국회 농림축산식품해양수산위원회, 항만재개발 및 주변지역 발전에 관한 법률안 검토 보고서, 2019. 3., 19면 인용.

II. 복합시설용지 제도의 연원

복합시설용지 제도는 산업입지법상의 '복합용지' 제도를 항만재개발 사업에 대하여 그대로 도입한 것이다. 산업단지를 개발하는 것과 항만 재개발사업의 내용은 여러모로 유사한 측면이 많으므로, 금번 분법을 계기로 유사법령상의 제도를 그대로 도입한 것으로 보인다.

산업입지법상 복합용지 제도는 2014. 1. 14.자 개정 법에서 처음 등장한 것인데, 종전의 산업입지법은 산업단지 내 용지를 공장·지식산업 등의 산업시설을 설치하는 '산업시설용지', 산업시설을 지원하는 생산 지원시설 및 공공지원시설을 설치할 수 있는 '지원시설 용지', 도로, 녹지 등을 설치하는 '공공시설용지'로 구분한 뒤, 각 용지별로 입주 가능시설을 제한하고 있었다. 그러나 이와 같은 산업입지법상의 경직적인 토지의 용도 제한은 그 자체로 사업의 효율성을 저해하는 요인이 되었고, 이에 하나의 용지에 생산시설, 지원시설, 공공시설 등을 복합적으로 설치할 수 있도록 허용하는 열린 용도의 용지를 마련함으로써 그와 같은 경직성을 탈피하려고 하였다. 입법자료상으로 대표적인 복합개발의 수요로 언급된 사례는 파주출판문화 국가산업단지 내에서 생산시설(출판사)과 판매시설(북카페)을 같이 설치할 수 있는 복합적 토지이용을 허용해달라고 한 사안이었다.[99]

---

99) 국회 국토교통위원회, 산업입지 및 개발에 관한 법률 일부개정법률안(이명수 의원 대표발의), 검토보고서, 2013. 11., 8면 참조.

복합시설용지에 대한 특례

I. 특례의 내용

> 법 제10조(복합시설용지에 관한 특례) 해양수산부장관은 복합시설용지에 관한
> 사항을 포함하여 사업계획을 수립한 경우에는 「국토의 계획 및 이용에 관한
> 법률」 제78조의 위임에 따라 규정한 조례에도 불구하고 같은 조 제1항 각 호
> 에 따른 용적률의 최대한도 이내에서 용적률을 적용할 수 있다.

1. 용적률의 규율 체계

법은 복합시설용지에 관하여 용적률의 특례를 부여하고 있다. 본래
용적률은 특별한 규정이 없는 한 당해 개별 필지가 속한 용도지역에 따
라 결정되는 것이다. 국토계획법은 용도지역별로 부여가능한 용적률의
상한을 정한 뒤, 그 이하의 범위에서 각 시·도 조례로 정하도록 하고
있으므로(국토계획법 제78조 제1항 참조), 실질적으로 부여되는 용적률의 상
한은 국토계획법이 정하고 있는 상한보다 낮은 경우가 대부분이다.

또한 도시지역을 예로 들면 주거지역, 상업지역, 공업지역, 녹지지역
등 4개 용도지역에 대하여만 용적률 상한을 정하고 있는 국토계획법과
달리, 동법 시행령은 이를 재차 세분화(예컨대 제1종 일반주거지역 등)
하여 시·도 조례에 위임할 용적률의 상한을 각 달리 정하고 있으므로,
실질적으로 국토계획법 제78조 제1항이 정하고 있는 각 용적률의 상한
은 사실상 큰 의미를 지니지 않게 되는 것이다.

2. 특례의 내용 및 해석상의 쟁점

법은 이와 같이 시·도 조례로 정한 용적률의 상한을 배제하고 국토
계획법 제78조 제1항이 정하는 법정 용적률의 상한 만큼을 복합시설용

지에 인정토록 허용하고 있다.

다만, 이 경우 인정되는 용적률과 관련하여, 국토계획법 제78조 제1항 각 호가 정하고 있는 용적률의 상한을 모두 인정할 것인지, 아니면 동항의 위임에 의하여 동법 시행령이 제1·2·3종 일반주거지역과 같은 식으로 세분화되어 있는 용도의 용적률의 상한을 적용할 것인지의 점에 대하여는 해석상의 대립의 소지가 있다. 주거지역을 예로 들면 ① 국토계획법 제78조 제1항 제1호 가목은 주거지역에 대하여 500%를 상한 용적률로 정하고 있는 반면, ② 동항의 위임을 받은 동법 시행령 제85조는 제1·2종 전용주거지역, 제1·2·3종 일반주거지역, 준주거지역 등으로 세분화한 뒤 각기 용적률 상한을 100%에서 500%까지 차등하여 허용하고 있다. 문제는 법 제10조가 "같은 조 제1항 각 호에 따른 용적률의 최대한도 이내에서 용적률을 적용할 수 있다"라고 하는 문언이 전자(①)의 용적률을 적용한다는 것인지 아니면 후자(②)의 용적률을 적용한다는 것인지 자체가 불분명하다는 점이다.

법 제10조의 문언상으로 본다면 국토계획법 제78조 제1항 중에서도 각 호의 용적률을 특정하고 있으므로, 그 의미는 후자(②)가 아닌 전자(①)의 용적률 – 곧, 세분화된 용도지역과 관계 없이 국토계획법 제78조 제1항 각 호가 정하고 있는 최대 용적률을 부여하겠다는 의미인 것으로 해석되기는 한다.

관련하여, 법 제10조의 유사입법례인 산업입지법 제23조 제2항의 복합용지에 대한 용적률 특례와 관련하여서도, 소관부처인 국토교통부는 "복합용지는 용도지역을 국토계획법에 따른 '준공업지역', '준주거지역'으로 설정할 수 있도록 하여, 다양한 용도의 건축과 용적률 상향이 가능"하다고 설명하고 있는바[100], '준공업지역'이나 '준주거지역'은 국토계획법 제78조 제1항이 공업지역과 주거지역에 대하여 허용하고 있는 최대용적률인 400%, 500%를 그대로 적용 받는 것에 해당하는 것이어서, 그 의미는 국토계획법 시행령이 세분화하여 차등을 두고 있는 용적률에 상관 없이, 국토계획법 제78조 제1항이 부여하는 최대용적률 – 곧, 전자(①)에 따른 용적률을 부여하겠다는 의도인 것으로 풀이된다.

II. 유사 입법례

2014. 1. 14. 개정된 산업입지법은 복합용지 제도를 도입함과 함께, 복합용지에 대하여 최대 용적률 적용 특례조항을 신설하였다. 시·도 조례에도 불구하고 용적률에 법정 상한을 적용토록 특례를 부여함으로써, 도시첨단산업단지와 재생사업지구의 특성상 도시지역의 높은 지가에 대응하고, 기업환경 및 생활의 편의성을 위한 상업, 업무시설 등을 복합적으로 수용할 수 있도록 하는 효과를 도모하기 위함이다.[101]

이와 같은 용적률 특례조항은 도시재정비 촉진을 위한 특별법 제19조, 도시재생활성화 및 지원에 관한 특별법 제32조 등에서 유사 입법사례를 찾아볼 수 있다.

---

100) 국토교통부 산업입지정책과, 산업단지에 도입되는 복합용지 Q&A, 2014. 12. 31.자 자료에서 인용.
101) 국회 국토교통위원회, 산업입지 및 개발에 관한 법률 일부개정법률안(이명수 의원 대표발의), 검토보고서, 2013. 11., 25면에서 직접 인용.

　법은 복합시설용지에 대한 사항을 사업계획의 내용으로 포함하도록
정하고 있는바(법 제9조 제2항 제11호), 원칙적으로는 사업계획에서 복합시
설용지를 설정할 계획이 있음을 정해놓아야만 후속절차를 통하여 실시
계획 등에 복합시설용지를 반영할 수 있는 것이라 볼 수 있다.

　다만, 앞서 논의한 바와 같이 법은 실시계획의 수립 시 사업계획이 정
한 범위 내에서만 실시계획을 수립할 것을 명문으로 요구하고 있지 아
니하고, 사업계획 자체에 대한 규율 또한 유사입법례에서의 유사 제도
와 비교할 때에도 완결적이지 않은 상황이므로, 현행법의 체계 하에서
는 사업계획에 반영되어 있지 아니한 복합시설용지에 관한 계획을 실
시계획에 반영하는 것이 반드시 위법하다고 단정하기는 어려운 상황이
다. 그러나, 법의 전체적인 구조를 고려한다면, 사후적으로 복합시설용
지를 포함토록 하기 위해서는 선행하여 사업계획을 변경하는 것이 타
당할 것으로 사료되기는 한다.

사업구역의 지정[제12조]

제3장

제1절 사업구역의 요건

> 법 제12조(사업구역의 지정) ② 사업구역은 항만구역의 전부 또는 일부와 다음
> 각 호의 요건을 모두 충족하는 주변지역을 대상으로 한다.
> 1. 사업구역에 포함되는 항만구역의 경계로부터 직선거리 1.5킬로미터 이내의
>   지역(항만구역과 지리적으로 연접하지 아니한 지역을 포함한다)일 것
> 2. 사업구역에 포함되는 항만구역 면적의 100분의 50 이내일 것. 다만, 사업구
>   역의 총면적이 20만제곱미터 미만일 경우에는 사업구역에 포함되는 항만구
>   역 면적의 100분의 100 이내로 할 수 있다.
> ⑤ 해양수산부장관이 제1항 또는 제3항에 따라 지정할 수 있는 사업구역의 면
> 적은 1만제곱미터 이상이어야 한다. 다만, 기본계획에서 정한 각 예정 구역 면
> 적이 1만제곱미터 미만인 경우에는 그러하지 아니하다.

I. 사업구역의 최소면적

항만재개발사업 또한 도시계획적 수단을 이용한 대규모 개발사업의 범주에 속하는 것인바, 법은 지나치게 소규모 면적에 대하여 항만재개발사업이라는 수단을 사용하지 않도록 하고, 일정 규모 이상의 사업에 대하여 항만재개발사업이라는 수단을 사용할 수 있도록 하기 위하여 최소면적 규정을 마련하고 있다. 국토계획법에 의할 때 도시지역 중 주거지역이나 상업지역 내에서는 1만㎡를 기준으로 하여 그 미만의 면적

을 개발하는 경우에는 개발행위허가(국토계획법 제56조 제1항)라는 개별적인 인허가를 통하여 개발토록 하고(국토계획법 시행령 제55조 제1항 참조), 그 이상의 면적의 경우에는 지구단위계획을 수립하는 등으로 도시계획적 수단을 이용한 개발을 유도하고 있는바, 1만㎡라는 기준은 그와 같이 개발행위허가라는 개별적인 인허가를 통하여 개발할 수 있는 최대한의 면적이 된다는 점에서 의미를 지니는 것이다.

참고로, 2007년 법을 항만법으로 통합하는 과정에서 항만법 전부개정 법률안 제56조는 1만㎡의 제한을 삭제함으로써, 그 이하의 면적에 대하여도 항만재개발사업구역을 지정하여 사업을 시행할 수 있도록 하려했던 것으로 보이나, 장기간의 논의 끝에 면적의 하한을 유지하는 방향으로 결론이 나게 되었고, 현행법까지 그 태도가 유지되고 있다.[102]

다만, 법 제12조 제5항 단서는 기본계획에서 정한 각 예정 구역 면적이 1만㎡ 미만인 경우에는, 그와 같은 면적대로 사업구역을 지정할 수 있도록 허용하고 있다.

II. 사업구역 내 항만구역과 주변지역의 비율

법은 항만재개발사업구역 내에 속하는 항만구역과 주변지역의 비율을 원칙적으로 2:1을 상한으로 하고 있다. 항만재개발사업은 입법 과정에서도 지적된 바와 같이, 도시개발법 등 유사입법을 통하여도 그와 비슷한 사업을 시행하는 것이 불가능하다고 보기는 어려운데, 항만재개발 사업구역에 항만구역 보다 그 이외의 지역들을 보다 많이 포함하게 될 경우에는 다른 법령에 근거한 사업들과의 차별화가 어렵게 된다. 즉, 항만재개발사업이 '항만구역'을 원칙적인 대상으로 한다는 정체성을 잃지

---

102) 국회 국토해양위원회, 항만법 전부개정법률안 심사보고서, 2009. 4., 18면 참조.

않도록 하기 위하여 법은 항만구역의 비율을 주변지역보다 높게 설정하는 방식으로 제한을 두고 있는 것이다.

다만 법은 20만㎡를 기준으로 하여, 항만재개발사업구역이 그보다 적은 면적을 대상으로 하는 경우에는 항만구역과 주변지역의 비율을 1:1까지 설정할 수 있도록 완화하고 있다.

III. 사업구역의 연속성

항만구역의 경우에는 이미 항만법 등에 의하여 획정되어 있는 공간이므로, 그 형상에 대하여 특별히 고려할만한 사항이 없다.

그러나, 문제는 항만재개발사업구역에 포함되는 '주변지역'의 형상인데, 종래 항만법의 경우 주변지역이 반드시 항만지역에 연접할 것을 명시적으로 요구하지는 않기는 하였으나(구 항만법 제56조 제2항), 실무상으로나 해석상으로는 양자는 연접하여 있을 것이 당연히 전제되었던 것으로 사료된다. 특히나, 주변지역의 공간적 범위가 확대·팽창할수록 당해 지역에 대하여 도시계획 입안·결정권을 지닌 지방자치단체장과의 충돌 문제가 발생할 수 있으므로, 실무상 주변지역이 항만구역과 불연속적으로 산재하여 있는 경우를 쉽게 상정하기는 어려웠을 것이다.

그러나, 분법 이후 법은 항만재개발사업구역에 포함될 수 있는 주변지역의 범위에 대하여 "항만구역과 지리적으로 연접하지 아니한 지역을 포함한다"라는 명시적인 문언을 두게 되었는바, 반드시 연접하지 않더라도 항만재개발구역에 주변지역으로서 포함될 수 있도록 하였다.

다만, 주변지역의 범위를 적절히 한정하지 아니하면, 사실상 항만구역과 관련없는 일반적인 도시지역들까지도 주변지역으로 포섭하게 될 우려가 있으므로, 법은 주변지역으로 포함될 수 있는 범위를 항만구역의 경계에서 1.5km 이내에 해당할 것을 요구하고 있다.

IV. 사업계획에 대한 종속성

법 제12조 제1항은 "해양수산부장관은 수립한 사업계획에 따라 사업구역을 지정한다"라고 정하고 있는바, 사업구역의 지정은 사업계획에서 정한 사업구역의 대상 및 면적(법 제9조 제3항 제2호)에 따라서 행하여져야 한다. 따라서, 사업계획의 변경 없이 사업계획과 다른 내용으로 사업구역을 지정할 수는 없는 것으로 판단된다.

제2절 결합개발

I. 결합개발의 의의

"지리적으로 연접하지 아니한 둘 이상의 항만구역과 그 주변지역을 결합하여 하나의 사업구역으로 지정"하는 것을 결합개발이라고 한다 (법 제12조 제3항). 이 경우 해당 항만구역과 그 주변지역은 각각 제2항에 따른 요건을 갖추어야 하는 것이므로, 곧 결합개발이란 각각 독립하여 별개의 항만재개발사업구역으로 지정하여 사업을 시행할 수 있는 것에 대하여, 양자를 하나로 묶어서 함께 개발하는 방식을 의미한다.

예컨대, 하나의 항만이 여러 개의 항만으로 세분화되어 있는 경우가 있고, 이 경우 사업성에 따라서 개별 항만에 대하여 개별적인 항만재개발사업이 시행되는 경우가 있을 것인데, 이 경우 이들을 묶어서 함께 개발할 수 있도록 함으로써 사업성을 개선하여 주는 것이 '결합개발'의 방식인 것이다. 참고로 항만재개발사업과 비교하여 비교적 앞서 결합개발 방식을 도입한 도시개발법의 경우, 입법자료상으로는 그 긍정적인 효과로 "사업성이 열악한 지역에 대한 민간 투자를 활성화하고 지역 특성에 맞는 다양한 도시공간을 창출함과 아울러 주민의 재산권 보장에도 기여할 것"이라는 점을 언급하고 있다.[103]

결합개발의 유사 입법례로는 도시개발법 제3조의2, 도시재정비촉진을 위한 특별법(2005. 12. 30. 법률 제7834호로 제정된 것) 제9조 제4항, 도시 및 주거환경 정비법(2009. 2. 6. 법률 제9444호로 개정된 것) 제34조 제1항 등을 예로 들 수 있겠다.

---

103) 국회 국토해양위원회, 도시개발법 일부개정법률안(정부 제출, 허태열 의원 대표발의) 검토보고서, 2010. 9., 5면에서 인용.

II. 결합개발의 요건

결합개발을 위해서는 ① 시행령(안) 제12조가 인정하는 결합개발의 사유가 인정되어야 하고, ② 결합개발의 대상이 되는 둘 이상의 항만구역과 그 주변지역이 각각 개별적으로 사업구역으로 지정되기 위한 요건을 모두 충족하여야 한다.

전자(①)의 경우, 시행령(안)은 (a) 사업계획 중 항만기능의 재편 또는 정비계획에 따라 대체 부두 등의 건설이 필요한 경우, (b) 항만구역과 그 주변지역에 산재한 항만 관련 산업체 등의 일괄 정비가 필요한 경우, (c) 도시경관, 문화재, 군사시설 및 공항시설 등을 관리하거나 보호하기 위하여 국토계획법, 군사기지 및 군사시설 보호법, 문화재보호법 및 공항시설법 등 관계법령에 따라 토지이용이 제한되는 경우 등을 열거하고 있고(제12조 각 호), (d) 그 외에도 "그 밖에 해양수산부장관이 항만재개발사업의 효율적인 시행을 위하여 필요하다고 인정한 경우"라는 포괄적인 조문을 마련하고 있다. 따라서, 해양수산부장관이 인정하는 한 당해 요건의 충족 여부는 문제될 가능성이 낮을 것이다.

후자(②)의 경우, 둘 이상의 항만구역과 그 주변지역이 각각 법 제12조 제2항이 정한 요건을 충족하여야 한다. 법상으로는 동조 제5항의 요건을 충족하여야 한다는 명시적인 요건이 없어, 각 항만구역과 그 주변지역이 1만㎡ 이상이어야 하는 것인지가 해석상의 쟁점이 될 것으로 보이기는 하나, 법상 명시적으로 동조 제5항을 언급하는 내용이 없는 점, 결국 결합개발에 관한 사항은 사업계획의 내용으로 포함되는 것인 점(법 제9조 제3항 제3호), 결국 그에 따르면 여러 항만구역과 주변지역을 '하나의 사업구역'으로 지정하는 것이어서 1만㎡의 제한 또한 전체 합계를 기준으로 판단하는 것으로 볼 수 있는 점 등을 종합하면 각각의 항만구역과 그 주변지역이 1만㎡ 이상이어야 할 필요는 없을 것으로 사료된다.

아울러, 법이 "해당 항만구역과 그 주변지역은 각각 제2항에 따른 요건을 갖추어야 한다"라고만 정하여 1.5km의 제한이나 항만구역 대 주변지역의 비율을 각각 갖출 것을 요구하고 있을 뿐, 둘 이상의 항만구역 및 주변지역 간의 간격이 1.5km이어야 한다는 것은 아니다. 다만, 이렇게 해석할 경우 지리적으로 다른 지방에 속하는 항만구역을 하나의 구역으로 묶어서 개발하는 것도 가능하다는 극단적인 결과를 초래하게 되는바, 시행령(안)은 결합개발의 대상이 되는 항만을 항만법 제3조에 따라 구분된 동일 항만의 항만구역으로 한정하고 있다(제12조 본문).

III. 결합개발의 절차

결합개발은 곧 여러 개의 항만구역과 주변지역을 하나의 '사업구역'으로 지정하는 것인바, 사업구역의 지정을 위한 동일한 절차를 거쳐야 한다. 따라서, 법은 결합개발을 하려는 경우 사업계획에 그 내용을 포함토록 하고 있다(법 제9조 제1항 제3호). 사업구역은 사업계획의 내용대로 지정되어야 하는 것이므로, 사업계획의 변경 없이 해양수산부장관이 마음대로 결합개발을 전제로 한 하나의 사업구역을 지정할 수는 없다.

제3절 | 사업구역 지정 절차

I. 관계기관 협의

법은 사업구역의 지정을 위해서 사업계획의 수립 당시 거쳤던 관계기관 협의를 한번 더 거칠 것을 요구하고 있다. 구체적으로 해양수산부장관은 미리 관할 시·도지사 및 시장·군수·구청장의 의견을 듣고 관계 중앙행정기관의 장과 협의를 하여야 한다.

사업계획의 내용대로 사업구역이 지정되어야 하는 것인 이상(법 제12조 제1항), 사업계획과 별도로 사업구역의 지정행위에 대하여 추가적인 협의를 거칠 실익이 있는지는 의문이지만, 법상 요구되는 절차이므로 이를 생략하는 것은 그 자체로 사업구역 지정행위의 위법성을 구성하게 될 것이다.

II. 중앙항만정책심의회 심의

법은 관계기관 협의와 마찬가지로 사업계획의 수립 당시 중앙항만정책심의회의 심의를 거쳤음에도 불구하고, 사업구역 지정 시 심의를 한번 더 거칠 것을 요구하고 있다. 심의를 받지 아니한 채 사업구역을 지정하는 것은 그 자체로 사업구역 지정행위의 위법성을 구성하게 된다.

III. 고시

해양수산부장관은 중앙항만정책심의회 심의를 거친 다음 사업구역 지정에 관하여 1. 항만재개발사업의 명칭·목적, 2. 사업구역의 위치 및 면적, 3. 시행자가 지정된 경우에는 그 시행자의 성명 또는 명칭, 4. 법 제24조에 따라 수용하거나 사용할 토지·물건 또는 권리의 세부목록과 그 소유자 및 권리자의 성명·주소, 5. 토지이용규제 기본법 제8조 제2항에 따른 지형도면 등을 고시하여야 한다.

IV. 관할 지방자치단체장에 송부 및 열람

이상과 같이 사업구역 지정 고시를 완료한 다음, 해양수산부장관은 관계 서류의 사본을 관할 시·도지사 및 시장·군수·구청장에게 보내야 한다. 관계 서류의 사본을 받은 특별자치도지사 또는 시장·군수·구청장은 이를 14일 이상 일반인이 열람할 수 있게 하여야 한다. 이는 이미 사업구역 지정 고시가 발효된 다음에 이루어지는 절차이므로, 특별히 주민들의 의견을 수렴하기 위한 절차에 해당하지는 아니하고, 다만 공시하는 성격을 지니는 것에 불과하다. 따라서, 사업구역 지정 고시의 직접적인 효력이나 하자와는 관련이 없는 것으로 사료된다.

| 제 4 절 | **행위제한[제14조]** |

I. 의의

1. 제도의 개관

통상적으로 개발사업법들은 당해 개발사업을 시행하기 위한 공간적인 범위를 확정하여 사업구역을 지정하게 되면, 그 때부터 당해 사업구역 내에서 개별적인 개발행위를 제한하여 사업의 원활한 진행하는 요소를 차단하게 된다. 이를 각 법들은 '행위제한'이라는 이름으로 규정하고 있다. 금지되는 행위들은 건축이나 토지형질변경 등 국토계획법 제56조 제1항이 열거하고 있는 개발행위허가의 대상이 되는 개발행위들이다.

2. 금지되는 행위의 범위

법은 사업구역의 지정 및 고시가 이루어진 이후 건축물의 건축, 공작물의 설치, 토지의 형질변경, 토석의 채취, 토지분할, 물건을 쌓아놓는 행위에 대하여 해양수산부장관이나 특별자치도지사·시장·군수·구청장의 허가를 받을 것을 요구하고 있다. 이와 같이 제한되는 행위는 대체로 국토계획법 제56조 제1항 각 호가 정하는 개발행위와 유사하나, 다만 시행령(안)의 경우에는 항만재개발사업이 공유수면까지를 포함하는 것임을 고려하여, (a) 공유수면의 매립 행위나(제15조 제1항 제3호 후단), (b) 수산업법 제2조 제7호에 따른 양식, 같은 법 제2조 제10호에 따른 입어 및 같은 법 제2조 제19호에 따른 유어(遊漁) 등 수산동식물의 포획·채취 또는 양식 행위 또한 금지행위에 포함하고 있다(동항 제5호).

녹지지역·관리지역 또는 자연환경보전지역 등에서만 물건을 1개월 이상 쌓아놓는 행위를 규제하고 있는 국토계획법 제56조 제1항 제5호와 달리, 시행령(안)은 그와 같은 대상의 제한 없이 당해 사업구역 내에서 이동이 쉽지 아니한 물건을 1개월 이상 쌓아 놓는 행위를 모두 금지하고 있다(제15조 제1항 제7호).

그 외에도 시행령(안)은 죽목(竹木)을 베거나 심는 행위 또한 제한의 대상으로 삼고 있다(제15조 제1항 제8호).

3. 행위제한의 예외

다만, 예외적으로 법은 ① 사업구역의 지정·고시 당시 이미 관계 법령에 따라 행위허가를 받았거나 허가를 받을 필요가 없는 행위에 대하여 그 공사 또는 사업을 시작한 자의 경우(곧 공사의 착수 여부를 기준으로 하는 것이다)에는 해양수산부장관 또는 관할 특별자치도지사·시장·군수·구청장에게 사업구역 지정 고시 후 30일 이내에 '신고'하는 절차만을 거친 뒤 당해 행위를 계속할 수 있도록 하고 있고, ② 재해복구 또는 재난수습에 필요한 응급조치를 위하여 하는 행위나 경작을 위한 토지의 형질변경 등 대통령령으로 정하는 행위의 경우에는 허가나 신고를 거치지 아니하고 할 수 있도록 정하고 있다.

후자(②)의 구체적인 대상에 대하여는 시행령(안) 제15조 제2항이 상세하게 정하고 있는 바 1. 경작을 위한 토지의 형질변경, 2. 항만재개발사업에 지장을 주지 아니하고 경관을 손상하지 않는 범위에서의 토석채취, 3. 이동이 용이한 물건을 1개월 이내의 기간 동안 쌓아놓는 행위, 4. 관상용 죽목의 임시 식재(植栽)(경작지에서의 임시식재는 제외한다) 등 규제의 필요성이 낮은 행위들이 이에 해당한다.

II. 항만재개발사업의 경우 특징

1. 행위허가 주체의 이원화에 따른 문제

항만재개발사업의 경우 행위제한은 2가지 측면에서 특징이 있다. 첫째로는 행위허가의 주체가 이원화 되어 있다. 법은 해양수산부장관이나 지방자치단체장의 허가를 받은 다음에 당해 사업구역 내에서 제한되는 행위를 하는 것이 가능하도록 정하고 있으면서도, 해양수산부장관의 허가를 받아야 하는 대상을 공유수면 관리 및 매립에 관한 법률에 따라 해양수산부장관이 관리하는 공유수면에서의 행위로 한정하고 있다. 즉, 사업구역에 포함된 공간들 중 공유수면에 대한 행위에 대하여만 해양수산부장관의 권한이 미치는 것이다.

그런데, 사업구역을 지정할 권한을 지닌 주체는 해양수산부장관이므로, 이는 정작 구역지정의 주체인 행정청이 당해 구역에서의 사업시행을 방해하는 행위들을 제한함에 있어서는 별다른 영향력을 미치지 못한다는 의미가 된다. 즉, (특히 주변지역에서) 항만재개발사업을 두고 해양수산부장관과 지방자치단체장의 의견이 충돌할 경우에는, 지방자치단체장이 가진 행위허가권한이 중요한 변수가 될 수도 있다. 추측건대, 이는 사업구역 지정에도 불구하고 관할 지방자치단체장의 도시계획권한을 보호하고, 해양수산부장관과의 권한 충돌을 조율하기 위한 것으로 보이나, 장기적으로는 사업의 효율적 시행에 걸림돌이 될 우려가 있는 것이어서 개선이 필요할 것으로 사료된다.

참고로, 법은 법 제14조 제1항의 행위허가의 기준 등과 관련하여 국토계획법 제57조 이하의 규정들을 준용하도록 하고 있으나(동조 제5항), 국토계획법은 개발행위허가의 기준과 관련하여 도시관리계획이나 도시계획시설사업 등에 어긋나지 않거나 지장을 주지 않을 것만을 요구하고 있는 반면(국토계획법 제58조 제1항 제2호 내지 제3호 참조), 법은 사업계획이나 사업구역 지정행위를 도시관리계획으로 의제하는 조항을 두고 있지 아니하므로, 결과적으로 사업계획의 내용이나 사업구역 지정행위에 어긋나는 방향으로 행위허가를 내어주는 것을 제한할 명시적인 법령상의 근거는 발견되지 아니하는 것으로 사료된다.

2. 행위허가의 범위

항만재개발사업의 경우에는 통상적인 개발사업과 달리 육지뿐만 아니라 그에 접한 공유수면 또한 일부 사업의 대상으로 삼게 된다. 그런데, 종래 개발사업법령들이 정하고 있는 행위제한은 토지를 대상으로 한 것에 그치고 있으므로, 법은 항만재개발사업구역에서 제한되는 행위의 유형으로 공유수면 매립행위나, 수산물의 채집 등에 관련된 행위를 추가적으로 규율하고 있다.

III. 개발행위허가와 법 제14조 제1항 행위허가의 관계

이상의 특징들을 고려하면 국토계획법상 개발행위허가(동법 제56조 제1항)와 법 제14조 제1항이 정하는 행위허가는 구별되는 제도로 봄이 타당할 것으로 사료된다. 양자는 규율의 대상이 되는 행위나 공간적 범위를 달리하는 것일 뿐만 아니라, 인허가의 주체 또한 일치하는 것으로 보기 어렵기 때문이다. 이에 법은 법 제14조 제1항의 행위허가를 받는 경우 그에 대하여 국토계획법상 개발행위허가를 의제하도록 정하고 있는바(법 제14조 제6항), 이는 양자가 별개의 제도임을 전제로 하여 전자에 대하여 후자를 의제하고 있는 것이라 봄이 타당하다.

통상 개발사업법령들은 인허가에 국토계획법상 개발행위허가를 의제하는 조문을 거의 필수적으로 두고 있는데, 그와 같은 의제조항을 근거로 하여 법 제14조 제1항의 행위허가가 의제된다고 보기는 어려울 것으로 판단된다. 참고로 법 제14조와 유사하게 개발제한구역으로 지정된 곳에서의 행위제한 및 그에 대한 행위허가에 관하여 정하고 있는 개발제한구역의 지정 및 관리에 관한 특별조치법(개발제한구역법) 제12조와 관련하여, 개발제한구역 내에서 학교시설사업 촉진법상 시행계획 승인을 받은 학교시설을 증축하는 경우, 개발제한구역법 제12조에 의한 행위허가를 별도로 받아야 한다고 본 법제처 해석례를 참조할 수 있겠다(법제처 2017. 11. 14. 회신 17-0451 해석례). 법제처는 "입법목적을 달리하는 법률들이 일정한 행위에 관한 요건을 각각 규정하고 있는 경우에는 어느 법률이 다른 법률에 우선하여 배타적으로 적용된다고 해석되지 않은 이상 그 행위에 관하여 각 법률의 규정에 따른 요건을 갖추어야 한다고 할 것(대법원 1995. 1. 12. 선고 94누3216 판결 참조)"이라는 전제 하에, 학교시설사업 촉진법 제5조 제1항이 국토계획법상 개발행위허가는 의제하고 있음에 반하여, 개발제한구역법 제12조 제1항의 행위허가는 의제하고 있지 아니하므로 이를 별도로 받아야 한다고 판단하였다.

사업구역의 변경과 해제[제13조]

I. 사업구역의 변경

1. 사업구역의 변경 절차

법은 사업구역의 변경에 관하여도 관계기관 협의, 중앙항만정책심의회 심의 등의 절차를 모두 요구하고 있고(법 제12조 제7항), 아울러 고시 및 관계 지방자치단체장에 대한 통지 절차를 모두 요구하고 있다(동조 제8항).

2. 경미한 변경의 경우

다만, 법은 경미한 사항의 변경의 경우에는 위와 같은 절차를 요구하고 있지 않다. 시행령(안)은 1. 사업구역 면적의 축소, 2. 사업구역 면적 10퍼센트 이내의 증가, 3. 지형 또는 지질 사정으로 인한 사업구역의 위치변경, 4. 국토계획법상 도시관리계획 결정, 환경영향평가법에 따른 환경영향평가 및 도시교통정비 촉진법에 따른 교통영향평가 등 관계 기관과의 협의 결과를 반영한 사업구역의 변경, 5. 측량 및 도서상의 기재착오 등으로 인한 오류사항의 정정 등을 경미한 변경 사항으로 정하고 있다(시행령(안) 제13조).

이 중 제1호 내지 제3호의 경우에는 논의가 필요한데, 사업구역의 면적이나 위치를 변경시키는 것인 만큼, 그에 수반하여 사업계획의 변경이 필요한 것은 아닌지 여부에 대한 검토가 필요하다. 이중 제1호와 제2호와 관련하여서는 시행령(안) 제9조 제1항은 동일한 사유를 사업계획의 경미한 변경 사유로 정하고 있으므로, 양자를 함께 수반하여 변경하는 것은 별다른 무리가 없다. 사실상 대법원 1995. 8. 25. 선고 94누

12494 판결의 취지를 고려하면, 경미한 변경의 경우 고시가 생략된다고 하여도 그 효력이 부정된다고 단정하기도 어려운 상황이므로, 제1호와 제2호의 경우 사업구역의 경미한 변경을 통하여 사업계획 자체의 경미한 변경도 함께 이루어지는 것이라 해석하는 방안도 고려해볼 수 있다.

　문제는 제3호이다. '지형 또는 지질 사정으로 인한 사업구역의 위치 변경'의 경우 변경의 정도나 수준에 대한 언급이 전혀 없으므로 지형 또는 지질을 이유로 하여 사업구역을 10퍼센트 이상 확장하거나, 혹은 위치를 큰폭으로 변경하는 것 또한 허용되는지 여부가 의문이 들 수 있다. 더욱이, 제3호의 경우 그와 유사한 사유가 사업계획의 경미한 변경 사유로 규정되어 있지 않으므로, 사업구역의 변경만으로 사업계획의 변경이 수반된다거나 경미한 변경으로 곧바로 처리될 수 있는 것이라 보기도 어렵다. 만일, 제3호를 지나치게 폭넓게 해석할 경우 사실상 사업구역 지정제도의 취지 자체를 몰각할 수 있으므로, 제2호와의 관계를 고려하여 그 변경의 범위를 10퍼센트 이내로 제한하는 방식으로 해석하는 방안을 고려하는 것이 타당해 보이고, 이 경우 사업계획 또한 제9조 제1항 제2호 내지 제3호를 통하여 경미한 변경으로 처리하는 것이 적절할 것으로 사료된다. 장기적으로는 사업계획의 경미한 변경과 사업구역 지정의 경미한 변경 사유 양자 간의 관계를 고려하여 입법적 개선책을 마련함이 타당할 것이다.

II. 사업구역의 해제

1. 해제 사유

> 법 제13조(사업구역의 지정해제) ① 해양수산부장관은 제12조 제1항에 따라 지정된 사업구역이 다음 각 호의 어느 하나에 해당하는 경우에는 중앙심의회의 심의를 거쳐 그 지정을 해제할 수 있다.
> 1. 제12조 제1항에 따라 사업구역이 지정된 날부터 2년 이내에 제15조 제1항에 따른 항만재개발사업 시행자를 지정하지 아니한 경우
> 2. 제15조 제1항에 따라 지정된 항만재개발사업 시행자가 항만재개발사업 시행자로 지정된 날부터 2년 이내에 제17조 제1항에 따른 항만재개발사업실시계획의 승인을 신청하지 아니한 경우
> 3. 제15조 제1항에 따라 지정된 항만재개발사업 시행자가 제17조 제1항에 따라 항만재개발사업실시계획의 승인을 받은 날부터 1년 이내에 항만재개발사업을 착수하지 아니한 경우

  법 제13조 제1항은 일정한 경우 지정된 사업구역을 해제할 수 있도록 정하고 있다. 이와 같은 사업구역 지정해제는 필요적인 것이 아니고 해양수산부장관의 재량에 달려 있다. 즉, 동항 각 호에 해당하는 사유가 인정된다고 하여 반드시 곧바로 사업구역의 지정 해제 절차를 밟아야 하는 것은 아니고, 해양수산부장관의 판단에 따라 해제 여부를 결정하여야 하는 것이다.

  대체로 사업구역의 해제 사유들은 사업구역 지정 이후 일정한 기간 동안 후속절차가 뒤따르지 아니하는 경우들에 해당한다.

2. 해제 절차

법은 사업구역의 해제를 위해서는 중앙항만정책심의회의 심의를 거치도록 정하고 있고, 사업구역의 해제 시 1. 항만재개발사업의 명칭, 2. 사업구역의 위치 및 면적, 3. 사업구역 지정의 고시일 및 지정해제의 효력 발생일, 4. 사업구역 지정 해제의 사유 등의 내용을 고시할 것을 요구하고 있다(법 제13조 제2항, 시행령(안) 제14조).

제4편

사업시행자의 지정

제1장 총설

제1절 **사업시행자의 의의 및 법적 성격**

I. 사업시행자의 의의

사업시행자는 당해 항만재개발사업을 직접적으로 시행하는 주체이자, 사업의 시행에 따르는 각종 권리 의무의 최종적인 귀속 주체가 되는 자이다.[104] 법은 사업시행자에게 항만재개발사업의 구체적인 시행을 위한 실시계획을 작성하도록 하고(제17조 제1항), 사업의 시행을 위해 필요한 경우에는 타인 토지에 출입할 권한을 부여하는 한편(제21조 제1항) 그에 따른 손실을 보상할 의무를 부과하며(제22조), 수용권을 부여한다(제24조 제1항). 또한 법은 사업의 시행에 따라 조성된 토지를 처분하는 주체이자(제38조), 사업시행을 위하여 필요한 비용을 부담할 의무를 지는 주체(제32조 제1항)로 사업시행자를 정하고 있다.

이상의 내용을 종합하면, 사업시행자는 항만재개발사업을 시행함에 있어 필요한 상세계획의 작성 주체이자, 각종 인허가의 상대방이 되는 자이며, 결과적으로 개발비용을 부담하여 개발이익을 향유하는 자로서의 의미를 지닌다.

---

104) 김종보, 건설법의 이해, 제6판, 피데스, 2018, 429면 참조.

II. 행정주체로서의 사업시행자 지위

이와 같은 사업시행자의 지위는 그 자체로 공법상 지위이자, 행정주체로서의 지위를 의미하는 것이라 볼 수 있다. 판례는 개발사업의 시행자에 대하여 행정주체로서의 지위를 인정하고 있는데, 대표적으로 대법원은 도시정비법상 정비사업을 시행하는 조합이나 토지소유자 등[105)]에 대하여 행정주체로서의 지위를 인정하고 있다.

대법원 2013. 6. 13 선고 2011두19994 판결

구 도시 및 주거환경정비법(2012. 2. 1. 법률 제11293호로 개정되기 전의 것, 이하 '구 도시정비법'이라 한다) 제8조 제3항, 제28조 제1항에 의하면, 토지 등 소유자들이 그 사업을 위한 조합을 따로 설립하지 아니하고 직접 도시환경정비사업을 시행하고자 하는 경우에는 사업시행계획서에 정관 등과 그 밖에 국토해양부령이 정하는 서류를 첨부하여 시장·군수에게 제출하고 사업시행인가를 받아야 하고, 이러한 절차를 거쳐 사업시행인가를 받은 토지 등 소유자들은 관할 행정청의 감독 아래 정비구역 안에서 구 도시정비법상의 도시환경정비사업을 시행하는 목적 범위 내에서 법령이 정하는 바에 따라 일정한 행정작용을 행하는 행정주체로서의 지위를 가진다.

한편, 하급심 판결례 중에는 도시정비사업뿐만 아니라 민간이 도시계획시설사업의 시행자가 되는 경우에도 행정주체로서의 지위에 놓이게 된다고 보고 있는 판결이 발견된다.

---

105) 참고로, 도시정비법상 정비사업 중 당해 정비구역 내 토지등소유자가 사업시행자가 되어 사업을 시행하는 방법은 ① 조합을 설립하는 방식과 ② 토지소유자가 직접 사업시행자가 되는 방식으로 구분될 수 있는데, 양자 모두에 대하여 대법원은 사업시행자가 되는 경우 행정주체로서의 지위를 가진다고 인정하고 있다.

이상의 판결례의 추이를 정리하면, 항만재개발사업의 경우에도 사업시행자로서의 지위는 그 자체로 공법상 지위로서 토지수용권 등을 지니고 공익사업을 시행할 권한을 지닌 행정주체로서의 지위를 의미하는 것이라 볼 수 있을 것이다.

사업시행자의 자격[제15조]

I. 사업시행자의 자격 범위

> 법 제15조(항만재개발사업 시행자의 지정) ① 해양수산부장관은 다음 각 호의
> 자 중에서 항만재개발사업의 시행자를 지정하여야 한다.
> 1. 국가기관 또는 지방자치단체
> 2. 「항만공사법」에 따른 항만공사(이하 "항만공사"라 한다)
> 3. 「공공기관의 운영에 관한 법률」 제4조에 따른 공공기관(이하 "공공기관"이
>   라 한다) 중 대통령령으로 정하는 공공기관
> 4. 「지방공기업법」에 따른 지방공기업(이하 "지방공기업"이라 한다)
> 5. 자본금 등 대통령령으로 정하는 자격요건에 해당하는 민간투자자
> 6. 제1호부터 제5호까지의 규정의 어느 하나에 해당하는 자 둘 이상이 항만재
>   개발사업을 시행할 목적으로 출자하여 설립한 법인으로서 대통령령으로 정
>   하는 기준에 적합한 법인

1. 사업시행자 자격의 확대 과정

법은 항만재개발사업의 시행자가 될 수 있는 자의 지위를 한정적으
로 열거하고 있다. 본래 항만은 국유재산이자 행정재산에 해당하는 공
간이었고, 따라서 항만의 개발과 관리·운영은 기본적으로 국가의 사무
에 속하는 것이었다. 다만 지리적인 이유로 이를 지방자치단체와 같은
다른 공적 주체에 일임하는 형태를 취하기는 하였으나, 기본적으로 공
적 주체에 의하여 개발되는 공간으로서의 항만이라는 의미 자체는 그
대로 유지되어 왔다.

그러나, 2003. 5. 29. 항만공사법이 제정되면서 국가와 지방자치단체
가 출자한 항만공사가 개별 항만별로 설립되어 그 역할을 대체하기 시
작하였고, 그에 더하여 민간투자의 개념이 항만에 도입되면서 사업주체

는 보다 유연화되고 민간화되기 시작하였다. 2014. 3. 24. 항만법 개정으로 종전에는 공적주체와 민간투자자가 반드시 "함께" 출자한 SPC만이 사업시행자가 될 수 있었던 것을 폐지하여, 출자비율을 충족하기만 한다면, 민간투자자 단독으로 출자하여 설립한 SPC도 사업시행자가 될 수 있도록 허용하기 시작하였다. 따라서, 현행법에 의하면 민간투자자 단독으로 사업시행자가 되는 것이 가능할 뿐만 아니라, 민간투자자가 단독으로, 혹은 재무적 투자자를 구하여 함께 설립한 SPC가 사업시행자가 되는 것이 허용된 것이다.

2. 민간투자자의 규모 및 출자 요건

가. 민간투자자의 규모

항만재개발사업은 최소 1만㎡ 이상을 사업구역으로 하는 대규모 사업이므로, 충분한 자금조달과 사업수행능력이 인정되는 자가 사업을 시행함이 적절하다. 따라서 시행령(안)은 사업을 시행할 수 있을 정도의 충분한 능력을 갖출 것을 요구하면서, 사업추진능력을 판단할만한 요소들을 열거하고 있는바, 자본금의 규모 등 회사의 규모를 가늠할 수 있는 요소, 혹은 사업부지 소유권을 일정 비율 확보하고 있는지 여부 등을 판단기준으로 삼고 있다.

시행령(안) 제16조(사업시행자의 지정) ② 법 제15조 제1항 제5호에서 "자본금 등 대통령령으로 정하는 자격요건에 해당하는 민간투자자"란 다음 각 호의 어느 하나에 해당하는 자를 말한다.
  1. 「건설산업기본법」에 따른 종합공사를 시공하는 업종에 등록한 건설업자
  2. 「자본시장과 금융투자업에 관한 법률」에 따른 신탁업자로서 「주식회사 등의 외부감사에 관한 법률」 제4조에 따른 외부감사의 대상이 되는 자
  3. 사업구역 토지면적의 50퍼센트 이상을 소유한 자
  4. 「사회기반시설에 대한 민간투자법」 제2조 제12호에 따른 민관합동법인

5. 사업구역 토지면적의 3분의 1 이상의 토지를 신탁받은 부동산신탁회사
6. 「부동산투자회사법」 제5조에 따라 설립된 자기관리 부동산투자회사 및 위탁관리 부동산투자회사

나. SPC 설립 시 출자 비율

시행령(안)은 SPC를 설립하여 이를 사업시행자로 하려는 경우에는 법 제15조 제1항 제1호 내지 제5호에 해당하는 자들이 최소한 합하여 20% 이상은 출자할 것을 요구하고 있다(제16조 제3항).

3. 공공기관의 경우

시행령(안)은 공공기관들 중에서도 6개의 한정된 기관만을 항만재개발사업의 시행자가 될 수 있는 자로 정하고 있다. 시행령(안) 제16조 제1항은 1. 제주국제자유도시개발센터(제주특별자치도에서 시행하는 항만재개발사업으로 한정), 2. 한국관광공사, 3. 한국농어촌공사, 4. 한국수자원공사, 5. 한국철도공사, 6. 한국토지주택공사 등을 사업시행자 자격이 있는 대상들로 열거하고 있다.

II. 항만공사법과의 관계 - 항만공사가 100% 출자한 SPC의 사업시행자 자격 인정 가부

본래 법이 사업시행자의 범위를 점차 확대하고, SPC에 대한 출자자 구성에 관한 규제를 완화하여온 이유는 항만재개발사업에 대한 민간투자를 확대하고 장려하기 위한 것에 있는 것이었다. 그러나, 최근 각 항만을 관장하는 항만공사들이 100% 출자한 자회사를 통하여 항만재개발사업이나 항만배후단지개발사업의 사업계획 및 사업시행자 공모에 참여하는 경우가 생겨나고 있는바, 재원조달능력이나 사업수행경험 등

에서 통상의 민간투자자들을 능가할 수밖에 없는 상황이어서 사실상 순수한 민간투자자의 사업참여를 배제하는 것이나 다름없는 결과를 초래하고 있다.

그런데, 항만공사법 제8조는 동법에 따라 설립된 항만공사의 사업범위를 '한정적'으로 열거하고 있는데, (a) 제2호에서는 "항만배후단지의 조성 및 관리·운영에 관한 사업"을, (b) 제2호의2에서는 "항만재개발사업"을, (c) 제8호에서는 "제1호, 제2호, 제2호의2, 제2호의3, 제3호, 제4호의2, 제6호, 제6호의2 및 제7호에 따른 사업과 관련되는 부대사업의 직접시행이나 출자 또는 출연" 등을 각 규정하고 있다.

즉, 문언만 놓고 본다면 출자 또는 출연이 허용되는 대상은 항만배후단지개발사업이나 항만재개발사업에 부수하는 '부대사업'에 그치는 것일 뿐, 항만배후단지개발사업이나 항만재개발사업 그 자체를 의미하는 것은 아니다.

관련하여, 확립된 판례는 발견되지 않으나, ① 항만공사의 설립 목적 및 사업 범위는 국가의 역할을 대신할 공법적 주체를 설립하는 설권적인 의미를 지닌다는 측면에서 엄격하고 한정적으로 접근하여야 하는 점, ② 항만공사가 자회사를 설립하는 방식으로 사업을 수행하는 것을 폭넓게 허용하게 된다면, 공공기관운영법, 민법, 상법 등 일반법이 아닌 항만공사법을 특별법으로 입법하여 그 권한범위를 한정한 입법 취지 자체가 몰각되는 점, ③ 한국철도공사법이나 한국토지주택공사법의 경우에는 명확히 해당 법률이 열거하고 있는 모든 사업에 대한 출자나 출연을 허용하고 있는 반면, 항만공사법은 그와 다른 조문체계를 지니고 있는 점, ④ 항만공사법 입법자료에 의하면 항만배후단지개발사업이나 항만재개발사업을 사업범위로 확장하여 온 취지는 항만공사가 이를 '직접 수행'하도록 하기 위함임을 알 수 있는 점[106] 등을 종합하면, 항만공사는 당해 사업들을 '직접 수행'하는 것이 허용될 뿐이고 이를 출자하거나 출연하는 방식으로 간접적으로 수행하는 것은 허용되어 있지 않다고 해석하는 것이 보다 타당할 것으로 사료된다.

---

106) "항만관리의 효율성을 위하여 필요한 경우 2개 이상의 인접한 항만을 관할하는 항만공사(港灣公社)를 설립할 수 있도록 하고, 항만배후단지 및 복합화물터미널 등 항만부대시설의 조성 및 관리 · 운영과 관련한 사업을 항만공사가 직접 수행할 수 있도록 하는 등 항만공사의 설립근거 및 사업범위를 합리적으로 조정하는 한편 …(후략)…", 항만공사법(2006. 10. 4. 법률 제8043호로 개정된 것), 제 · 개정이유.

사업시행자의 공모

제1절 공모절차의 개관

I. 공모절차의 개요

법은 사업계획의 수립 절차와 사업시행자의 지정절차를 구분하여 별개의 절차로 정하고 있다. 따라서, 법 규정에 의한다면, 사업계획을 먼저 수립하여 사업구역을 지정한 후 그 다음 사업시행자를 지정하는 것이 순서이다.

그러나, 실무상으로는 사업계획과 사업시행자의 지정을 함께 공모하여 단일한 절차로 진행하는 경우가 대부분인바, ① 해양수산부장관에 의하여 사업계획이 수립된 상태에서 이를 변경할 것을 예정하여 사업시행자 및 사업계획 공모 절차를 함께 진행하거나, ② 사업계획이 수립되어 있지 아니한 상태라 하더라도 사업시행자 및 사업계획 공모 절차를 함께 진행함으로써 사실상 단일한 절차로 진행하고 있다. 이에 본 장에서는 앞서 논의한 사업계획의 공모절차와 함께 사업시행자 지정에 관련한 절차를 같이 논하도록 한다.

전술한 바와 같이 사업계획은 ① 해양수산부장관이 직접 수립하는 경우, ② 사업계획에 대하여 공모를 받는 경우, ③ 사업시행자가 되고자 하는 자로부터 사업계획의 제안을 받는 경우 등 3가지 경우로 나뉘어지는

데, 이 중 ②와 ③에 해당하는 경우에는 둘 다 결과적으로는 사업계획과 사업시행자를 공모하는 절차를 거쳐서 최종적으로 선정절차를 진행하게 된다. 다만 ②와 ③의 차이점은, 후자의 경우 사업계획을 최초로 제안했던 자에게 공모 절차에서 일정한 가산점을 부여한다는 점에 있을 뿐이다 (시행령(안) 제11조 제9항). 때문에 해양수산부 항만재개발사업 업무처리규정(이하 '업무처리규정')은 ③과 관련하여 제3자 공모 절차의 진행에 대하여 ②에 대한 절차를 준용하도록 정하고 있다(제9조 제2항).

공모절차는 사업계획 요청 공고 → 사업설명회(임의절차) → 응모 → 사업계획안에 대한 평가절차 → 협상대상자 지정 → 협상 → 실시협약 체결 등의 절차를 거쳐서 진행되며, 관련한 상세한 절차들은 시행령(안), 업무처리규정, 개별 항만재개발사업에 대한 공모지침서 등을 통하여 규율되고 있다.

II. 사업계획 및 사업시행자의 공모

시행령(안)은 사업계획을 공모하기 위해서는 1. 항만재개발사업의 개요, 2. 사업계획의 평가계획, 3. 공모참가자격 및 일정, 4. 사업시행자 지정 절차, 5. 항만재개발사업계획서 작성지침, 6. 그 외에 사업계획의 작성이나 제출 등에 필요한 사항 등을 포함한 내용을 ① 관보와 함께 신문 등의 진흥에 관한 법률 제9조 제1항에 따라 전국을 보급지역으로 등록한 둘 이상의 일반일간신문에 공고하고, ② 해양수산부 홈페이지에 14일 이상 게시할 것을 요구하고 있다(제6조 제1항). 이 경우 응모기간은 90일 이상으로 하여야 한다(동조 제2항).

해양수산부장관은 사업계획 요청 공고를 하는 경우 민간 투자자의 적극적인 사업 참여를 유도하기 위하여 사업설명회를 개최할 수 있다

(업무처리규정 제3조 제2항).

참고로, 법과 시행령(안) 상으로는 위와 같은 규정 이외에 사업시행자 선정을 위한 세부적인 방법이나 절차에 관한 규정은 발견되지 아니하는바, 해당 내용은 모두 업무처리규정에 이르러 비로소 구체적으로 등장하게 된다.

III. 평가 절차

1. 평가계획의 수립

평가에 앞서 해양수산부장관은 평가항목, 배점기준, 평가절차 및 기간 등을 포함한 평가계획을 수립하여야 한다. 이와 같은 평가계획은 공모지침서의 내용으로 수록된다. 다만, 해양수산부장관이 직접 공모된 사업계획들을 평가하지 아니하고, 다른 기관에 위임하여 평가를 진행하는 경우에는, 그 평가기관은 해양수산부장관이 수립한 평가계획에 기초하여 이를 구체화한 세부적인 평가계획을 수립할 수 있다(이상 업무처리규정 제5조 참조).

업무처리규정은 사업계획 평가항목과 배점을 별표로 정하여 두고 있는데, 이는 예시적인 것에 불과한 것이므로, 해양수산부장관은 각 사업별 특성을 고려하여 얼마든지 달리 정할 수 있다.

[표] 업무처리규정 별표에서 정하고 있는 사업계획 평가항목 및 배점의 예시

평가항목	세부평가항목	세부평가요소
1. 재무계획 (30점)	가. 출자자의 재무 건전성(5점)	1) 출자자 구성의 우수성 2) 출자자의 자본금 규모 3) 출자자의 재무구조 등
	나. 사업성 분석의 적정성(10점)	1) 총사업비 산정의 적정성 2) 시장분석 및 수요예측의 적정성 3) 사업이익 및 수익률의 적정성 4) 고용창출 및 국가(지역) 경제 파급 효과 등 사회적 편익 기여도 등
	다. 재원조달계획 (10점)	1) 재원조달계획의 적정성 2) 재원조달계획의 안정성 3) 재원조달계획의 실현가능성 4) 재정지원 요구액의 적정성 등
	라. 용도별 분양(임대) 가 산정의 적정성 (5점)	1) 용도별 분양(임대)가 산정의 적정성 등
2. 개발계획 (35점)	가. 개발구상(10점)	1) 개발컨셉 및 테마 2) 개발규모의 적정성 등
	나. 부분별 개발계획 (25점)	1) 토지이용계획 2) 「항만재개발 및 마리나항만 경관 가이 드라인」(해양수산부예규 제86호)에 따른 경관조성 계획 3) 환경친화적 조경계획 4) 환경보전 및 재난방지계획 5) 교통 및 보행동선처리계획 6) 공공시설물 설치계획 7) 건축물 배치계획 및 건축계획 등
3. 관리운영 계획 (35점)	가. 사업관리운영계획 (5점)	1) 프로젝트회사 설립, 조직 및 운영계획 3) 사업리스크 관리계획 등
	나. 마케팅계획(5점)	1) 마케팅 및 홍보전략 2) 분양 및 임대계획 등

평가항목	세부평가항목	세부평가요소
3. 관리운영 계획 (35점)	다. 단지 활성화 계획 (25점)	1) 전략시설 유치 및 운영계획 2) Tenant 유치계획 3) 상권 활성화계획 3) 관광요소 유치계획 등
4. 가 점		1) 외국자본 유치 2) 사업시행자에 Tenant 참여 등 3) 일자리 창출 요소 등

2. 평가인단의 구성

해양수산부장관은 응모받은 제안서를 직접 평가할 수도 있으나, 타에 위탁하여 평가절차를 진행할 수도 있다. 시행령(안)은 사업계획의 제안을 받은 경우 그 평가에 관하여 정부출연연구기관에 검토를 의뢰할 수 있는 규정을 두고 있으나(제11조 제3항), 사업계획 공모의 경우에 대하여는 그와 같은 의뢰의 근거 규정을 따로 마련하고 있지 아니하다. 그럼에도 불구하고 실무적으로는 각 경우의 구별 없이 모두 시행령(안) 제11조 제3항을 적용 또는 준용하여, 정부출연연구기관에 대하여 검토를 의뢰하고 있는 것으로 보인다.[107] 현재 정부출연연구기관으로는 한국개발연구원 등을 포함한 23개 기관만이 열거되어 있다(정부출연연구기관 등의 설립·운영 및 육성에 관한 법률 별표).

업무처리규정 제6조에 의하면, 평가인단의 구성을 어떻게 할 것인지는 평가를 의뢰받은 평가기관의 내부적인 절차와 기준에 따르도록 하고 있다. 다만, 평가의 적정성을 위하여 업무처리규정은 평가인단 구성

---

107) 참고로, 부산항 북항 2단계 항만재개발 사업계획 평가에 관하여도 해양수산부는 입찰참가자격을 "「정부출연연구기관 등의 설립·운영 및 육성에 관한 법률」의 적용을 받는 연구기관"으로 제한하고 있다.

시 도시계획, 건축, 환경 및 재무분야 전문가를 포함할 것을 필요적으로 요구하고 있다(동조 제1항). 또한 업무처리규정은 다음과 같은 자들을 평가위원으로 고려하여 위촉기준을 수립하도록 권장하고 있다(동조 제2항). 즉, 동조 제1항의 경우는 필수적으로 포함되어야 하나, 제2항의 경우에는 그러하지 아니한 것으로 사료된다.

> 업무처리규정 제6조(평가인단의 구성·운영 등) ② 평가기관의 장은 다음 각 호를 참조하여 제1항에 따라서 평가위원 위촉 자격기준을 수립하여야 한다.
> 1. 국가 또는 지방자치단체의 관련분야 4급 이상 공무원, 변호사, 공인회계사, 기술사, 건축사 등의 자격증을 소지하거나 관련분야 박사학위를 소지한 5급 이상 공무원
> 2. 「공공기관의 운영에 관한 법률」에 따른 공기업 또는 준정부기관의 관련분야의 임원
> 3. 영 제58조 제3항의 연구기관에 종사하는 관련분야 책임연구원급 또는 「고등교육법」 제2조 제1호에 따른 대학의 관련분야 조교수 이상인 사람
> 4. 변호사, 공인회계사, 기술사, 건축사 등의 자격증 소지자 또는 박사학위 소지자로서 관련분야에 5년 이상 실무경험이 있는 사람
> 5. 그 밖에 관련분야에서 제4호에 의한 자와 동등한 전문지식과 실무경험이 있다고 장관 또는 평가기관의 장이 인정한 사람

3. 사업계획 설명 기회의 부여

업무처리규정 제7조는 사업계획안을 제출한 응모자로 하여금 해당 사업계획안에 대하여 평가인단에게 설명할 수 있는 기회를 부여할 수 있도록 허용한다. 통상적으로는 사업계획서 제출 이후 '사업계획서 발표회'를 갖는 것으로 이루어진다.

4. 평가결과의 제출

평가기관의 장은 평가를 의뢰받은 날부터 30일 이내에 해당 사업계획안에 대한 평가결과를 장관에게 제출하여야 하고, 다만 부득이한 사

유가 있는 경우에 한하여 평가결과 제출기간을 1회 연장할 수 있다. 시행령(안)의 경우는 연장의 횟수나 기간을 제한하고 있지 아니하나, 업무처리규정에서는 이를 제한하고 있다.

평가기관으로부터 결과를 접수한 해양수산부장관은 원칙적으로 7일 이내에 응모자들에 대하여 평가결과를 통보하여야 한다(이상 업무처리규정 제8조).

IV. 협상대상자 지정

해양수산부장관은 평가결과의 순위에 따라 우선협상대상자와 차순위 협상대상자를 선정하고, 우선협상대상자와 협상절차를 개시한다. 이와 같은 우선협상대상자 지정 행위는 그 자체로 행정처분에 해당하는 것이므로, 평가결과에 불복하는 응모자는 우선협상대상자지정처분 취소를 구하는 행정소송을 제기하는 방식으로 다툴 수 있다(대법원 2013. 9. 26. 선고 2011두27599 판결 참조).

협상과 관련하여 해양수산부장관은 해양수산부 항만국장을 단장으로 하여 10인 이내의 인원으로 구성되는 협상단을 꾸리게 되고, 협상과 관련하여 정부출연연구기관으로부터 자문을 받을 수 있다. 그 외에도 법률·금융·회계분야 등 전문가의 자문을 받는 것도 가능하다. 통상적으로는 평가업무와 협상에 대한 자문 업무를 함께 포괄하여 의뢰하고 있다. 협상단장은 중요한 사항에 대해서 미리 장관의 지침을 받아 우선협상대상자와 협상업무를 수행하여야 한다(이상 업무처리규정 제11조 참조).

V. 실시협약 체결

협상의 결과 해양수산부장관과 사업시행자는 총사업비 등 사업시행의 조건 등이 포함된 협약을 체결한다. 시행령(안)은 실시협약이 체결된 경우 협상대상자를 사업시행자로 지정한 것으로 본다고 정하고 있다(제11조 제11항).

법상 사업시행자 지정을 위해서는 고시가 요구되기는 하나(법 제15조 제4항), 기본계획 및 사업계획의 수립, 사업구역 지정과 같이 그 자체로 다수에게 영향을 미치게 되는 행정계획과 달리 사업시행자 지정처분은 그 자체로 처분상대방에 대한 개별적인 처분에 해당하므로, 이 경우 고시는 그와 같은 처분 사실을 사후적으로 공고하는 것에 불과할 뿐, 고시 자체가 사업시행자 지정 처분의 효력발생요건은 아닌 것으로 사료된다.[108] 따라서, 실시협약체결사실 자체만으로 일단은 사업시행자 지정처분이 있는 것으로 볼 수 있겠다.

---

108) 관련하여 국토계획법상 도시계획시설사업 시행자 지정 처분이 '고시'의 방법으로만 성립하거나 효력이 생기는 것이 아니라고 본 대법원 2017. 7. 11. 선고 2016두35144 판결 참조.

제 2 절 **공모지침서의 주요 내용109)**

I. 사업일반조건

공모지침서는 사업일반조건에 대한 조항을 통상 지침서의 전단에 배치하고 있는데, 이는 사업의 시행에 관한 전반적이고 가장 일반적인 조건들을 정리하여 두고 있는 것이다.

1. 사업시행자 지정에 관한 사항

사업계획과 사업시행자를 함께 공모하는 경우에는, 응모하고자 하는 자가 작성하여야 하는 사업계획의 공간적 범위를 일반조건을 통하여 정하여 둔다. 통상적인 경우라면 당해 항만재개발사업구역 전체에 대한 사업계획을 작성하여야 한다.

공모지침서는 사업계획서 평가 후 당해 응모자가 법이 정하는 사업시행자의 자격을 갖춘 경우에는 사업시행자로 지정한다고 정하고 있다. 관련하여 해양수산부 내부에서는 사업계획 제안 단계에서는 사업시행자로서의 자격을 갖추지 아니하였더라도 후에 사업시행자 지정 당시에 이르러서 그 자격을 갖추면 되는 것으로 규제를 완화하여야 한다는 논의가 있었던 것은 사실이나110), 현재 해양수산부가 공고한 공모지침서들은 모두 공모일 현재 사업시행자 자격을 갖추고 있을 것을 공모자격

---

109) 이하에서는 가장 최근에 공고된 부산항 북항 2단계 항만재개발 사업시행자 재공모 지침서(2020. 2.)를 위주로 논의하도록 한다.

110) 참고로, 해양수산부 내부에서 논의되던 규제 개선의 내용을 보더라도 "항만재개발 사업계획 제안 자격요건을 실시계획 승인 신청 전까지 구비하도록 완화"하겠다는 취지를 밝힌 자료가 있으므로 참조할 수 있을 것이다. 해양수산부 항만지역발전과, 항만재개발 사업계획 제안자 범위 확대, 2013. 8. 13.자 자료 참조.

으로 요구하고 있다.

2. 사업시행방식 제안에 관한 사항

법의 개정으로 환지방식의 항만재개발사업의 시행이 가능하게 되었는바, 공모지침서에서는 사업신청자가 사업의 시행방식을 택하여 제안할 수 있도록 정하는 경우가 있다. 부산 북항 2단계 사업의 경우 총사업비 정산, 수용 또는 사용, 환지 등의 사업시행방식 중에 사업신청자가 택하여 제안하도록 한다.

3. 인허가 등 사업시행방식에 관한 사항

공모지침서는 항만재개발사업의 인허가와 관련하여 사업시행자가 부담하여야 할 기초적인 사항들을 사업일반조건에 수록하는 경우가 있다.

대체적으로 ① 사업시행자로 지정된 이후에 실시계획을 신청하여야 하는 기간의 제한이나 착공 및 준공시기에 대한 준수 의무, ② 준공 기한 위반시에 대한 지체상금에 관한 언급, ③ 총사업비 부담의무에 관한 사항, ④ 실시협약 체결 이후 발생하는 민원의 처리 비용과 책임에 관한 사항, ⑤ 사업을 둘러싼 여타 다른 문서들과 공모지침서 간 해석의 우열에 관한 사항 등을 공모지침서의 사업일반조건으로 수록하게 된다.

4. 토지보상 등 구역내 토지의 소유권에 관한 사항

항만재개발사업의 특징 중 하나는 사업시행자 지정이나 실시계획 승인 등을 위하여 필요적으로 일정 비율 이상의 토지소유권을 확보할 것을 요구하고 있지 아니하다는 점이다. 다른 법들의 경우에는 사업시행자로 지정되거나 인허가를 받는 시점에 일정 비율 이상의 토지소유권 또는 소유권자의 동의를 취득하도록 정하고 있는 경우가 일반적이다.

이에, 공모지침서에서 그에 관한 사항을 정하고 있는 경우들이 발견되는데, 사업일반조건에서는 토지보상과 관련한 사업시행자의 일반적인 의무, 국가나 지방자치단체 소유의 재산을 사업시행자에게 매각하는 것에 관한 사항, 사업완료 이후 사업시행자가 취득하는 부분에 관한 사항 등을 정해두고 있다.

II. 사업계획수립방향

법상으로는 사업신청자가 제안할 수 있는 사업계획의 내용에 대하여는 특별한 제한이 없다. 심지어는 기본계획이 수립되지 아니한 곳에서도 사업계획을 제안할 수 있는 것이기 때문이다.

그러나, 사업계획의 방향이나 내용에 대하여 구체적인 기준을 제시하지 아니하는 경우, 주무부처인 해양수산부의 정책방향이나 의도와 다른 방향으로 사업계획이 작성되어 응모될 수도 있다. 이와 같은 위험을 방지하기 위해 통상 공모지침서에서는 당해 항만재개발사업에 대한 전체적인 구상 및 발전상, 공공용지나 각종 지구의 구성 비율, 인접에서 추진중인 다른 사업들과의 관계에 관한 사항, 경관, 공원·녹지의 구성, 교통 등에 관한 구상방향, 그 외 사업신청자가 고려하여야 할 다른 행정계획의 내용 등에 대하여 개괄적인 규율을 하고 있다.

III. 신청자격 등에 관한 사항

1. 신청자격

공모지침서는 사업을 수행할 능력이 있는 자로서 공모일 현재 법 제15조 및 시행령(안) 제16조가 정하는 사업시행자로서의 자격을 갖추고 있을 것을 요구하고 있다.

대체로 공모지침서들은 사업신청자가 단독으로 공모하는 것과 다른 법인과 컨소시엄을 구성하여 응모하는 것 모두를 허용하고 있는데, 통상 컨소시엄을 구성하는 경우에는 출자비율이 가장 높은 자를 대표사로 하도록 하고, 대표자가 계약당사자로서 계약이행에 대한 일차적인 책임을 부담하도록 한다. 컨소시엄으로 응모하는 경우 거의 대다수가 실시협약 체결 혹은 그 이후 단계에서 SPC를 설립하게 될 것이다가 예상되는데, 공모지침서는 이 경우에 SPC가 계약당사자로서의 지위를 승계하도록 하는 내용을 두고 있다.

[참고] 컨소시엄 대표자 관련 질의답변 사례(구체적인 내용은 지침서마다 상이)

사업명	광양항 묘도 준설토 매립장 항만재개발사업
질의 요지	최대출자자와 타인자본 조달 시 신용공여자(자금조달 비율이 가장 높은 자)가 상이할 경우 컨소시엄의 대표자는 누구인지
답변	본 공모에서는 컨소시엄 대표자는 자기자본 및 타인자본 등 구분 없이 자금조달 비율이 가장 높은 법인으로 사업 참여 및 사업협약 체결 등 본 사업과 관련한 모든 권한을 위임받은 자로 정의하고 있습니다.

특이한 것은 공모지침서는 단독 응모이든 컨소시엄이든 간에 상관없이 사업신청자들 중에 국가계약법이나 공정거래법 등에 의하여 제재를 받아 그 기간이 계속 중인 자의 참여를 금지하고 있다는 점이다.

2. 자금조달능력 등에 관한 서류 요구

공모지침서는 사업신청자에 대하여 신용정보의 이용 및 보호에 관한 법률에 따른 신용정보업자가 평가한 신용평가등급을 만족할 것을 요구하거나, 자기자본에 대한 투자확약서, 타인자본에 대한 대출의향서 또는 조건부 대출확약서[111] 등을 제출하도록 요구하고 있다.

공모지침서는 이와 같이 동 지침서에서 정하고 있는 사업시행자 자격을 갖추지 못한 자가 사업신청을 하거나 관련하여 제출한 자료가 허위 등 부정한 방법으로 제출된 경우에 대하여 당해 사업신청을 무효로 한다고 정하는 경우가 있다. 참고로 제출된 사업신청서류들은 대체로 보완이나 수정이 불허되어 있다고 보면 될 것이다.

IV. 사업계획서의 작성에 관한 사항

공모지침서에는 사업계획서의 작성 방법이나 서식, 기준 등에 대한 기본적인 사항들을 정하여두고 있다. 공모지침서는 토지가격기준, 가격 산출기준, 실질할인율, 이자율, 환율, 물가상승률, 도량형 등 사업계획서에서 사용할 지표의 확정에 관한 사항들을 정하여 두고 있는데, 사업에 따라 일부 수치들에 대하여는 각 사업신청자가 자율적으로 지표를 설정하여 제출하도록 하되 다만 그와 같은 지표를 사용한 합리적인 이유에 관하여 설명하도록 정하고 있다.

공모지침서들은 통상적으로 '사업계획서 작성지침'이라는 문서를 별첨하고 있고, 해당 문서에 사업계획서의 작성에 관한 상세한 지침을 마

---

111) 이와 같은 각종 문서들의 서식은 공모지침서에 양식이 첨부되어 있다. 사업신청자 입장에서 특히 주의할 것은, 해당 양식들에 기재된 문구를 변형하는 등으로 해석의 방향이 달라지게 될 경우 그 자체로 평가에서 불이익이 가해질 수 있다는 점이다. 항만재개발사업에 관한 것은 아니나 국토교통부가 주관한 신안산선 민간투자사업의 경우 RFP에 첨부된 투자확약서 등의 양식을 변경한 것을 두고 평가 시 불이익을 부여한 바 있었고, 이 때문에 탈락한 회사가 우선협상대상자 지정처분의 취소소송을 구한 사실이 있었다(서울행정법원 2018구합61369호 사건). 현재는 국토교통부가 모두 승소하여 사업이 진행 중인 상황이다.
특히, 항만재개발사업의 경우에도 사업이 구상단계에서 적절한 투자처를 찾지 못하여 표류하고 있는 경우가 많으므로, 해양수산부의 입장에서는 투자확약서 등의 구속력 등의 쟁점에 대하여 관심이 많을 가능성이 크므로, 사업계획을 제안하는 자의 입장에서는 유념할 필요가 있겠다.

련하고 있다. 부산항 북항 2단계 사업의 예를 들면, 작성지침은 사업계획서를 크게 ① 개발계획(개발구상, 단지배치계획, 건설관리계획), ② 재무계획(사업관리·운영계획, 출자자의 구성 및 재무구조, 재원조달계획, 사업성 분석), ③ 운영계획(기업유치 계획, 공공성확보 계획)으로 구분하여 각각에 대한 세부지침을 기술하고 있다. 이와 같이 작성지침에서 정하고 있는 사업계획서의 구성을 위반하는 경우에는 평가절차에서 감점이 이루어진다.

V. 평가에 관한 사항

1. 평가의 방법 및 절차에 관한 사항

공모지침서는 사업계획서의 평가방법과 절차에 관한 사항을 미리 정하여 두고 있다. 통상적으로 평가는 해양수산부장관이 직접 수행하는 것이 아닌 정부출연연구기관에 의뢰하는 방식으로 이루어지는데, 평가인단은 업무처리규정 제6조 제1항이 정하고 있는 바와 같이 도시계획, 건축, 환경 및 재무분야 전문가를 포함시켜야 한다는 것 이외에는 의뢰를 받은 평가기관의 장의 재량에 의하여 일반적으로 20인 이내로 구성하게 된다.

사업계획서에 대한 평가는 (1) 서류심사와 (2) 본 심사로 구분되는데, 통상 서류심사를 통과한 사업계획서에 한하여 본 심사 절차를 진행하게 된다. 즉, 서류심사는 신청자가 제출한 사업계획서가 적식이나 제출서류 등을 제대로 갖추었는지를 형식적인 요건들을 심사하는 것으로서, 사업계획의 내용에 대하여 실체적인 심사가 이루어지는 단계는 아니다.

많은 경우에 문제는 사업신청자가 사업계획서에 사소한 서류를 누락한 경우인데, 예컨대 제출이 요구되는 서류를 제출하였으면서도 그에 첨부하여야 하거나 포함되어야 하는 일부 서류나 페이지가 미처 제출되지 못한 경우, 혹은 제출되었으나 내용이나 형식에 어떠한 흠결이 있는 경우가 대표적인 경우이다. 공모지침서는 ① 필요적 제출서류의 제출 여부를 확인하여 이를 갖추어야만 본 심사의 기회를 부여한다고 하여 마치 적식을 갖추지 못한 사업계획서를 '각하'하는 것과 같이 취급하면서도, ② 필요한 자료를 제출하지 않았거나, 자료를 제출한 경우라도 점수를 부여할 수 없는 경우에는 해당 평가요소에 대하여 '0점'을 부여하도록 하는 조항이나, ③ 신청서류의 종류를 제출하지 않은 경우 건당 2점을 감점하도록 하는 조항을 동시에 두고 있어, 위와 같은 경우 '각하', '0점 처리', '단순 감점'의 방법 중 어떠한 기준에 따라 처리하여야 하는 것인지 충돌이 있을 수 있다. 실무적으로도 항만재개발사업뿐만 아니라 상당수 민간투자사업에서 우선협상대상자 지정을 두고 발생하는 분쟁의 원인이 바로 이와 같은 서류의 평가방법을 두고 발생한다.112)

이러한 유형의 분쟁의 경우, 후술할 바와 같이 평가기관의 판단 재량이 폭넓게 인정되는 경우가 많아서 탈락한 사업신청자의 입장에서는 불복의 여지가 많지 않다.

---

112) 대표적으로, 최근 공모된 민간투자사업 중 가장 큰 규모(총사업비 3조 3895억 원 규모)인 신안산선 복선전철 민간투자사업의 경우 농협생명 컨소시엄이 탈락한 주요 문제 중 하나는 사업계획서의 필수서류인 법인인감증명서와 주주현황 등을 시설사업기본계획 고시일 이전에 발급된 것으로 제출하였기 때문인데, 당시 시설사업기본계획은 고시일 이후 발급 서류만을 유효한 것으로 취급하고 있었으므로 이와 같은 서류를 어떠한 방식으로 처리할 것인지를 두고 분쟁이 있었다. 관련하여 NH농협생명 "신안산선 보완 사유서 제출...재심의 요청할 것", 건설경제신문, 2018. 2. 5.자 기사 참조.

2. 평가분야 및 배점에 관한 사항

공모지침서는 평가분야와 배점에 관한 사항을 정하고 있다. 공모지침서는 대체로 평가분야를 '개발계획', '재무계획', '관리운영계획'의 세 분야로 나눈 뒤, 세부적인 평가요소들을 열거하고 있는데, 대체로 이는 전술한 사업계획서의 작성방법이나 구성과 일치한다.

배점의 경우 계량요소와 비계량요소로 나누어지는데, 비계량요소는 각 평가위원의 판단에 따라 A~E까지의 점수를 차등적으로 부여하는 방식으로 이루어진다. 통상적으로 평가결과에 대한 분쟁이 발생하였을 경우 비계량요소의 경우 다툼의 여지가 별로 없는 편이고, 대체적으로 계량요소를 두고 고려하여야 할 평가요소가 누락되었다는 등의 문제가 제기되는 경우가 많다.

VI. 우선협상대상자 선정 및 실시협약 체결에 관한 사항

1. 우선협상대상자의 선정

공모지침서는 우선협상대상자로 선정하기 위한 최소한의 요건을 정하여 두는데, 대체로 평가분야별 배점의 60% 이상을 모두 충족한 경우로서 총점 80점 이상을 득점한 신청자일 것이 최소한의 요건이 된다. 이들 중 가장 고득점을 한 순으로 우선협상대상자 및 차순위 협상대상자로 선정된다.

다만, 공모지침서는 우선협상대상자로 선정된 자가 허위서류를 제출하거나, 비리 등의 사유로 유죄판결을 받는 경우 등 우선협상대상자 선정처분을 취소할 수 있는 사유들을 정하여 두고 있다.

2. 실시협약 체결

우선협상대상자 선정 이후 해양수산부장관은 우선협상대상자와 협상절차를 거쳐 실시협약을 체결하게 된다. 관련하여 공모지침서는 협약체결보증금과 협약이행보증금의 금액과 납부방법, 몰취 등에 관한 사항을 정하고 있다. ① 협약체결보증금은 '실시협약의 체결'을 보증하는 것으로, 일정한 시기까지 협약을 체결하지 아니하는 경우에 대한 보증금이고, ② 협약이행보증금은 실시협약을 체결한 다음, 체결된 실시협약 내용의 이행을 보증하는 것이다.

공모지침서는 우선협상대상자 선정통보 이후 실시협약을 체결하여야 하는 시한 - 곧, 협상기간을 정하고 있는데, 통상 영업일 기준 60일을 원칙으로 하되 해양수산부장관이 필요한 경우에는 그 기한을 연장할 수 있도록 한다.

공모지침서는 실시협약에 포함되어야 할 사항들에 대하여도 정하고 있는데, 기본적으로 다음과 같은 사항들이 실시협약의 내용으로 포함된다. 이외에도 공모지침서에는 실시협약의 해제 사유들을 정하여 두고 있다.

> 1. 주무관청과 사업시행자의 책임과 의무에 관한 사항
> 2. 사업계획서 변경에 관한 사항
> 3. 자금조달에 관한 세부내용(외자, 국내자본 등)
> 4. 법인 설립 계획 및 운영에 관한 사항
> 5. 총사업비 결정, 변경, 산정 등에 관한 사항
> 6. 주무관청의 토지처분에 관한 사항
> 7. 협약이행보증에 관한 사항
> 8. 개발이익 환수 및 항만 재투자에 관한 사항
> 9. 인·허가 및 사업시행에 관한 사항(추진일정 등)
> 10. 실시협약해지 및 손해배상 등에 관한 사항
> 11. 기타 본 지침서 등을 포함한 사업시행에 필요한 사항

참고로, 시행령(안)은 협약을 체결한 경우에는 그 협상대상자를 사업시행자로 지정한 것으로 의제하도록 정하고 있다(제11조 제11항).

VII. 사업의 시행에 관한 사항

공모지침서에서는 사업의 시행에 관한 일반적인 사항들을 정하고 있는바, 대체로 사업시행자나 해양수산부의 추상적인 의무들을 열거하고 있거나, 각 주체의 노력의무를 정하고 있는 내용들이다.

제3절 **공모지침서 관련 질의답변 사례 및 해설[113)]**

I. 사업신청자 구성 및 자격 관련

1. 사업신청자 일반

대체로 컨소시엄의 구성이나 출자에 관한 질의가 주를 이루고 있는바, 해양수산부는 컨소시엄 구성 시 출자비율 및 그 내용대로의 출자의무의 이행에 관하여 대체로 엄격한 입장을 취하고 있는 것으로 풀이된다.

사업명	광양항 묘도 준설토 매립장 항만재개발사업
질의 요지	사업설명회에 등록하지 아니한 자(법인)가 회원사로 참여가 가능한지
답변	사업설명회에 등록하지 않은 법인의 경우라도 컨소시엄 구성원으로 사업 참여가 가능합니다.

사업명	광양항 묘도 준설토 매립장 항만재개발사업
질의 요지	최대출자자와 타인자본 조달 시 신용공여자(자금조달 비율이 가장 높은 자)가 상이할 경우 컨소시엄의 대표자는 누구인지
답변	본 공모에서는 컨소시엄 대표자는 자기자본 및 타인자본 등 구분 없이 자금조달 비율이 가장 높은 법인으로 사업 참여 및 사업협약 체결 등 본 사업과 관련한 모든 권한을 위임받은 자로 정의하고 있습니다.

---

113) 본 절에 수록된 질의답변 사례의 경우 해양수산부가 홈페이지를 통해 공고한 ① 인천항 영종도 준설토 투기장 항만재개발사업 제3자 공모지침서 관련 질의·답변(2013. 8.), ② 광양항 묘도 준설토 매립장 항만재개발 사업시행자 공모지침서 관련 질의·답변(2013. 12.), ③ 광양항 3단계 투기장(1구역) 항만재개발사업 사업시행자 공모지침서 질의·답변서(2018. 8.), ④ 부산항 북항 2단계 항만재개발 사업시행자 재공모 지침서 질의·답변서(2019. 12.), ⑤ 부산항 북항 2단계 항만재개발 사업시행자 재공모 지침서 질의·답변서(2020. 3.) 등에서 발췌 정리한 것이다. 편의상 각 사업의 명만 기재하고 이를 인용한 각 페이지 수는 기재하지 아니하였다.

사업명	부산항 북항 2단계 항만재개발사업(2019. 12.)
질의 요지	자기자본 확보율과 관련하여 자기자본의 재원조달 시 컨소시엄 구성 각 출자자의 출자비율과 무관하게 조달 가능한지?
답변	출자자의 지분비율 만큼 자기자본을 조달하여야 함.

2. 자금조달능력 평가 등에 관한 사항

항만재개발사업에 대한 민간투자를 장려하는 방향으로 입법적 변화가 있어왔음에도 불구하고, 항만의 특성상 공공기관이 사업에 참여하려는 경우가 빈번한 상황이다. 그런데, 공공기관의 경우 자금조달에 관한 법령상 현실상의 제약이 뒤따르는 경우가 있는바, 일부 제출서류나 평가방법 등을 두고 다른 기준을 적용하는 것이 적합하지 않느냐는 취지의 질의들이 있어왔다.

사업명	부산항 북항 2단계 항만재개발사업(2019. 12.)
질의 요지	제9조(신청자격) 제10항 관련 사업신청자는 사업계획서에 자기자본금(자기 자본)에 대한 투자확약서 및 조달계획을 포함하며, 차입분(타인자본)에 대해서 금융기관의 대출의향서 또는 조건부 대출확약서를 포함하여야 한다고 정하고 있는바, 개별사업 단위로 자금계획을 수립하지 않는 공공기관의 경우 예외 적용 가능한지?
답변	사업신청자가 관련 법령에 따라 채권 등을 발행할 수 있는 경우에는 차입분(타인자본)에 대해서 금융기관의 대출의향서 또는 조건부 대출확약서를 생략할 수 있다.

사업명	인천항 영종도 준설토 투기장 항만재개발사업
질의 요지	단독법인인 사업신청자 중 신설법인(인천항 영종도 준설토 투기장 항만 재개발사업을 정관에 목적사업으로 명시한 특수목적법인)의 경우 신용 평가등급을 받기가 현실적으로 어려운 부분이 있는 바, 단독법인인 사업 신청자가 신설법인인 경우에는 최대출자자의 신용평가등급을 기준으로 평가해도 되는지

답변	사업신청자가 신설법인의 경우에는 최대 출자자(컨소시엄 대표자)의 신용평가등급을 기준으로 평가가 가능합니다.

사업명	광양항 3단계 투기장(1구역) 항만재개발사업
질의요지	재무계획 평가배점 항목 중 SPC운영계획에 10점(SPC 설립 및 운영계획 : 3점, SPC 자기자본 확보율 : 7점)으로 배분되어 있는데 단독 법인 참여시는 평가 점수가 10점인지 여부
답변	단독 법인으로 참여시에도 SPC 설립과 동일하게 평가할 계획입니다. (예: SPC 설립 및 운영계획 ⇒ 단독법인 설립 및 운영계획, SPC 자기자본 확보율 ⇒ 단독법인 자기자본 확보율)

사업명	부산항 북항 2단계 항만재개발사업(2019. 12.)
질의요지	(1) 신용도 평가방법과 관련하여 국내 4대 신용평가기관(한국기업평가, 한국신용평가, 나이스신용평가, 서울신용평가) 외에 다른 신용평가기관의 평가결과도 제출가능한지? (2) 신용평가 평정일자 기준 및 유효기간 등의 구체적인 사항을 제시하여 주시기 바람
답변	(1) 「자본시장과 금융투자업에 관한 법률」 제9조 제26항에 따른 신용평가기관에서 작성한 평가결과에 한하여 인정함. (2) 평가일자 기준은 공고일 현재이며, 유효기간 내 신용평가기관의 평가결과를 제출하여야 함.

II. 사업비 산정 관련 질의

1. 총사업비 일반

대체로 해양수산부는 총사업비에 어떠한 항목을 인정받을 수 있는지 여부 등에 관한 질의에 대하여, 우선협상대상자와 협상 과정에서 협의하여 정하여야 할 문제라는 입장을 견지하고 있는 것으로 사료된다.

사업명	광양항 묘도 준설토 매립장 항만재개발사업
질의 요지	사업시행자가 본 사업을 위하여 합리적으로 투자한 사업비 전부를 인정 받을 수 있는지
답변	총사업비 인정 여부는 사업협약 체결 시 우선협상대상자와의 협의 결정 할 예정입니다.

사업명	광양항 묘도 준설토 매립장 항만재개발사업
질의 요지	(1) 공모지침서상 불명확한 항목인 부가가치세, 판매관리비, 금융비, 물 가상승분 등의 경우 어떤 법률, 기준에 따라 인정, 정리되는지 (2) 일부 사업비 항목을 인정받지 못한다면 그에 대한 근거 및 구체적인 항목을 제시해줄 수 있는지
답변	(1) 총사업비는 사회기반시설에 대한 민간투자법을 준용한 것으로서 추 후 정부차원의 명확한 기준을 정립하여 우선협상대상자와 협의 결정 할 예정입니다. (2) 총사업비 인정여부는 사업협약 체결 시 협의 결정할 사항으로 구체 적인 항목 제시는 불가합니다.

사업명	광양항 묘도 준설토 매립장 항만재개발사업
질의 요지	사업시행자가 본 사업을 위하여 합리적으로 투자한 사업비 전부를 인정 받을 수 있는지
답변	총사업비 인정 여부는 사업협약 체결 시 우선협상대상자와의 협의 결정 할 예정입니다.

사업명	인천항 영종도 준설토 투기장 항만재개발사업
질의 요지	총사업비, 총투자비 및 개량비의 정의와 총사업비 또는 총투자비를 구성하 는 각 항목별 사업비(판매비, 부대비, 운영설비비, 영업준비금, 일반관리비, 예비비 등)의 의미 및 세부적인 작성지침을 보완 설명하여 줄 수 있는지
답변	• 총사업비의 항목별 의미는 「사회기반시설에 대한 민간투자법 시행령」 제2조의2 규정을 준용하여야 하며, 판매비는 준공 전 사용을 목적으로 해당 물권의 판매 · 이용을 위하여 홍보활동에 필요한 제작 및 인건비 등 비용을 의미하며, 사업신청자는 판매비에 대한 구체적인 근거를 제 시하여야 합니다.

답변	• 총투자비는 지침 제4조 제9호 및 〈양식16〉에서 제시된 바대로 사업비와 예비비(물가변동비) 및 건설이자의 합계액을 의미합니다. • 개량비는 「국유재산법 시행규칙」 제25조의 규정을 준용하며, 세부적인 사항은 사업협약 시 결정합니다.

사업명	인천항 영종도 준설토 투기장 항만재개발사업
질의 요지	각 항목별 사업비를 불변가격기준으로 작성하고, 〈양식16〉에 기재된 '예비비(A)' 항목에 물가변동비를 반영한 경상가격으로 총사업비(총투자비)를 제시하라는 의미인지? 공공시설물 설치비란 항목은 〈양식16〉 총투자비 산정에 없는 바, 공사비 항목에 포함해야 하는지
답변	사업비 항목은 불변가격기준으로 작성하고, 예비비 항목에는 물가변동비를 반영하여 총투자비를 산정합니다. 공공시설물 설치비 등 추가항목 등은 자유롭게 구성 가능합니다.

사업명	인천항 영종도 준설토 투기장 항만재개발사업
질의 요지	• 가격산출은 공고일 현재의 불변가격으로 작성되어야 하는 것은 아닌지 • 공고일 현재의 경상가격이라면 물가상승비는 인정하지 않겠다는 취지인지
답변	본 지침서 〈양식16〉 총투자비 산출은 공고일 현재의 경상가격으로 산출하라는 의미이며, 사업비 항목은 불변가격으로 작성하고 예비비 항목에 물가변동비를 산정하여 산출합니다.

2. 민원처리비용의 사업비 포함 가부 관련

공모지침서들은 일률적으로 민원처리 및 해결의무를 사업시행자에게 일방적으로 부담시키고 있는데, 질의들은 대체로 그와 같은 경우 발생하는 비용을 총사업비에 반영하는 것이 가능한지 여부에 관한 것들이었다. 해양수산부는 일관된 입장을 보이지 않고 있는 것으로 사료되는데, 인천항 영종도 준설토 투기장의 경우 총사업비 항목에 반영할 수 없다고 하는 한편, 광양항 묘도 준설토 매립장의 경우에는 협의결과에 따라 반영의 여지가 있는 것처럼 회신하고 있다. 이와 같은 민원처리비용을 일률적으로 판단하기는 어려워 보이고, 어떠한 원인에서 누구의 귀책으로 발생하는 것인지를 구체적으로 따져서 사업비나 투자비에의 반영 가부를 개별적으로 판단하는 것이 바람직할 것으로 보인다.

사업명	인천항 영종도 준설토 투기장 항만재개발사업
질의 요지	민원처리를 위해 사업시행자가 실투입한 비용을 보상비로 인정하고 총 사업비 항목으로 반영하는 것인지
답변	본 사업으로 인하여 발생하는 모든 민원은 사업시행자 부담으로 처리하여야 하며, 총사업비 항목에 반영할 수 없습니다.

사업명	광양항 묘도 준설토 매립장 항만재개발사업
질의 요지	(1) 모든 민원은 사업시행자 부담으로 처리할 경우 항만법 시행령 제19조 제4항에 의거하여 이주대책비 및 영업권, 어업권, 광업권 등의 권리에 대한 보상비가 총사업비 범위에 포함되므로 사업시행자 부담으로 처리하는 모든 민원비용을 포함해도 되는지 (2) 사업협약체결 후 발생하는 모든 민원은 사업시행자 부담으로 처리하게 되어 있는데 민원관련 비용을 투자비에 반영 가능한지
답변	(1) 본 사업은 비관리청 항만공사에 적용되는 항만법 시행령 제19조 제4항의 규정을 적용하지 않습니다. 다만, 총사업비 인정범위는 사업협약 체결 시 결정할 예정으로 민원비용 포함여부는 자율적 제시가 가능한 만큼 사업신청자가 판단하여야 합니다. (2) 민원관련 비용의 투자비 반영 여부는 사업신청자가 판단 결정하여야 하며, 투자비 인정여부에 대해서는 사업협약 체결 시 결정할 예정입니다.

사업명	광양항 묘도 준설토 매립장 항만재개발사업
질의 요지	사업시행자가 항만개발 및 사용을 전제할 경우 '사회기반시설에 대한 민간투자법 시행령' 제2조의2 규정을 준용하여 항만개발에 의한 주변해역의 어업권 등 보상비를 사업비에 포함시킬 수 있는지
답변	사업신청자의 자율적인 사업계획 제안이 가능한 만큼 보상비가 필요한 경우 총사업비에 포함하여 제시할 수 있습니다.

3. 토지비, 토지공사비 등 관련

항만재개발사업의 경우 공유수면을 매립한 곳을 사업구역으로 포함하고 있는 경우가 많고, 때문에 연약지반을 처리하거나 개량하는 비용을 사전에 예상하거나 산정하기가 곤란한 경우가 많다. 때문에 사업비에 그와 같은 개량비용을 어떻게 부담할 것인지 초과되는 개량비를 어떻게 처리할 것인지를 두고 질의들이 제기되었고, 해양수산부는 대체로 그에 관하여 ① 개량비 자체는 국유재산법이 정한 것을 일응의 기준으로 하되 ② 촉발될 수 있는 여러 문제들은 우선협상대상자 선정 이후 협의를 거쳐 결정할 문제라는 입장을 취하고 있는 것으로 사료된다.

사업명	인천항 영종도 준설토 투기장 항만재개발사업
질의 요지	토지가격기준에서 말하는 '토지감정평가'는 부지조성공사 완료시 실시하는 감정평가상의 예상 감정가격을 말하는지
답변	부지조성공사 완료시점에서 토지이용계획 용도별로 평가하여 산출된 감정가격을 의미합니다.

사업명	인천항 영종도 준설토 투기장 항만재개발사업
질의 요지	개량비는 부지조성공사까지 사업시행자가 투입한 총투자비로 해석되는 바, 총사업비 항목의 토지비는 토지감정금액에서 부지조성공사까지 총투자비를 감액한 금액으로 제안하면 되는지
답변	총사업비 항목의 토지비는 토지감정금액에서 개량비를 제외한 금액으로 제안합니다.

사업명	광양항 묘도 준설토 매립장 항만재개발사업
질의 요지	'부지조성공사' 또는 '부지조성공사까지 사업시행자가 투입한 개량비'는 연약지반개량, 각종 기반시설비용 및 부대공사비까지 모두 포함하는지
답변	토지대금 산정은 국유재산법에서 정한 개량비용을 기준으로 하며, 기반시설 비용에 대한 인정여부에 대해서는 추후 사업협상 체결 시 결정할 예정입니다.

사업명	광양항 묘도 준설토 매립장 항만재개발사업
질의 요지	부지조성시까지 사업시행자가 투입한 개량비가 취득 토지의 감정평가 금액을 초과하는 경우 그 차액의 처리 방안은
답변	개량비가 취득토지의 감정평가 금액을 상회할 경우에는 우선협상대상자와 사업협약 체결 시 결정할 예정입니다.

사업명	광양항 묘도 준설토 매립장 항만재개발사업
질의 요지	토지대금의 산정시 사업시행자가 투입한 개량비를 감액한 금액으로 명시되어 있는데, 개량비는 총사업비 또는 투자비와 동일한 비용인지
답변	'개량비'는 국유재산법 시행규칙 제25조 제2항에 따라 산정하여야 합니다.

사업명	광양항 묘도 준설토 매립장 항만재개발사업
질의 요지	사업지역은 초연약 해성점성토층이 매우 두껍고 인근 산토의 토질이 공학적으로는 부적합하여 연약지반개량 시에 많은 비용이 소요될 것으로 예상되는데, 통상적이고 개략적인 연약지반 개량비용을 제시해 줄 수 있는지
답변	연약지반 개량비용은 사업신청자의 토지이용계획 및 적용공법 등에 따라 제시하여야 할 사항이므로 정부에서 통상적이고 개략적인 비용 제시는 불가합니다.

사업명	광양항 묘도 준설토 매립장 항만재개발사업
질의 요지	매립완료 여부 및 매립비용을 총사업비에 사업자 부담으로 추가하여야 하는지
답변	매립공사와 관련된 비용 등에 관한 사항은 사업시행자가 부담하지 않습니다.

4. 이자율, 할인율, 각종 지수 등의 적용 관련

공모지침서들에 따라 이자율, 할인율 등 각종 지표들을 스스로 정하고 있는 경우가 있는 반면, 사업신청자가 제시하도록 정하고 있는 경우가 있다. 만일 후자의 경우에는 사업신청자가 자율적으로 제시하되, 다만 그에 대한 합리적인 산정의 근거를 제시할 것을 요구하고 있다.

사업명	인천항 영종도 준설토 투기장 항만재개발사업
질의 요지	실질할인율을 통상적인 할인율(예시 6%)로 고정해야 하는 것은 아닌지
답변	실질할인율은 통상적으로 사용되는 할인율을 자율적으로 제시하되, 사업 신청자는 적용된 할인율에 대해 산출근거를 제시하여야 합니다.

사업명	인천항 영종도 준설토 투기장 항만재개발사업
질의 요지	지침서상의 이자율 기준을 반영하되 실제 금융상황에 따른 스프레드(가 산금리)를 추가하여 총투자비의 건설이자를 산정해도 되는지
답변	사업신청자는 금융상황을 고려한 가산금리를 추가하여 건설이자를 산정 할 수 있으며, 가산금리에 대한 구체적인 근거를 제시하여야 합니다.

사업명	부산항 북항 2단계 항만재개발사업(2019. 12.)
질의 요지	이자율 반영시 All-in Cost 산정 방식 등 구체적인 기준을 제시 바람
답변	이자율은 공모지침 제14조 제3항 제4호에 따라 공고일 현재 3년 만기 회 사채(무보증 BBB0) 유통수익률(금융투자협회 기준)을 적용하여야 함.

사업명	부산항 북항 2단계 항만재개발사업(2019. 12.)
질의 요지	사업시행자가 투입한 총사업비에 금융비용을 포함하는지?
답변	건설이자 등 금융비용은 총사업비에 포함되며, 구체적인 사항은 실시협 약으로 정함(공모지침서 제2조 제1항 제15호).

사업명	광양항 묘도 준설토 매립장 항만재개발사업
질의 요지	합리적 총사업비 산출을 위한 적정 소비자 물가지수의 제시가 가능한지
답변	사업신청자의 자율적인 제시가 가능하며, 소비자 물가지수 등 주요지표 에 대해서는 적용근거를 제시하도록 지침에 명시되어 있습니다.

5. 기타 사항(개별 비용의 반영 요부)

사업비 산정에 관하여 개별적인 비용의 반영 가부에 관한 질의가 주를 이루고 있으나, 대체로 해양수산부는 우선협상대상자 선정 이후 협상에 따라 정할 예정이라는 취지로 답변하는 경우가 많다.

사업명	부산항 북항 2단계 항만재개발사업(2019. 12.)
질의 요지	신교통수단은 부산시 계획에 의해 추진되는 사업으로 사업시행주체 또한 부산시이므로 본 사업시행자 역할은 한정적이라 사료된다. 따라서, 동 내용이 사업시행자가 토지이용계획 수립 시 접근성 강화를 위한 제반 여건(트램 설치가 가능하도록 도로 폭 확보 등)을 반영하라는 의미인지 또는 소요 비용까지 포함하라는 의미인지?
답변	사업응모자는 사업계획(안)에 트램 설치공간 및 사업비 등을 반영하여야 하며, 구체적인 사항은 우선협상대상자 선정 이후 협상 예정임.

사업명	부산항 북항 2단계 항만재개발사업(2019. 12.)
질의 요지	동 사업은 교통영향평가 대상 사업임에도 불구하고 사업과 직접적인 연관 관계가 규명되지 않는 "종합교통망 구축방안"을 제시하고 있어 사업시행자의 불확실성을 증대시키고 있다.
답변	사업응모자는 사업계획(안)에 '종합교통망 체계 구축방안'의 실행을 위한 추정 소요비용을 반영하여야 하며, 공모지침서 제4조 제3항에 따라 소요비용 분담방안(민간, 정부, 부산시 등)을 제시하는 경우 협상 시 검토 예정

사업명	부산항 북항 2단계 항만재개발사업(2019. 12.)
질의 요지	(1) 사업비 추정의 정확성을 위해 철도부지내 토양오염 현황(오염범위 및 심도)과 처리 소요비용(현재→3지역, 현재→1지역, 3지역→1지역)을 제시할 수 있는지? (2) 사업시행자가 토양오염 정화비용을 추가 부담(3지역→1지역 등)할 경우 토양오염이 발생된 지역 가치 평가 시 반영될 수 있는지?
답변	(1) 제공된 전략환경영향평가서에 개략적인 토지오염 기초조사 현황을 확인할 수 있으며, 사업시행자가 토양오염 정화비용을 산정하여 사업계획서에 반영하여야 함.

답변	(2) 가치평가는 「감정평가 및 감정평가사에 관한 법률」, 「토양환경보전 법률」 등 관련법에 따름.

사업명	부산항 북항 2단계 항만재개발사업(2019. 12.)
질의 요지	북항 1단계와 2단계를 연결하는 교량의 주요 제원과 소요비용 및 설치 (비용부담) 주체가 누구인지?
답변	사업시행자는 소요비용을 반영하여야 함.

사업명	부산항 북항 2단계 항만재개발사업(2020. 3.)
질의 요지	기반시설에 대한 과도한 조건부여는 공모참여를 어렵게 하는 요인이 될 것인데, 본 사업과 직접적인 연관성이 없는 경부선 이설 사업비를 사업시 행자에게 부담하게 하는 근거는 무엇이며, 사업계획서 작성 시 경부선 이 설 사업비 제외가 가능한지?
답변	부산항 북항 2단계 항만재개발 사업은 '부산역 일원 철도시설 재배치사 업'을 포함하고 있으므로 사업시행자는 소요비용은 산정하여 부담하여야 하며, 사업규모 변경은 허용하지 않음.

III. 공간배치 및 구조 등에 관한 사항

1. 공간배치, 면적 등의 변경 가부

해양수산부는 ① 대체로 정하여진 사업구역 자체를 변경하는 것에 대하여는 법이 정하는 경미한 변경 수준을 제외하고는 부정적인 입장을 취하고 있으나, ② 그 구역 내에서 개별 지구나 용지의 구성, 비율 등을 변경하는 것에 대하여는 다소 긍정적인 입장을 보이고 있다. 다만, 이러한 내용은 개별 지침서에 따라 달라질 수 있는 것이고, 자칫하면 평가에 불이익을 초래할 수도 있는 것이기 때문에 각 공모 절차마다 미리 질의답변을 받아두는 것이 필요할 것으로 사료된다.

사업명	광양항 묘도 준설토 매립장 항만재개발사업
질의 요지	(1) '창의적인 개발을 유도하기 위한 자유로운 구상'의 범위가 고시된 기본계획의 토지이용 입지를 조정할 수 있는지, 특히 당초 수정계획상 공공시설지구 위치가 제시되어 있는데 고수하여야 하는지 (2) 공모지침상 복합: 공공지구 비율이 70:30으로 계획방향이 수립되었는데 비율 변동이 가능한지
답변	(1) 공공시설지구 위치 등 토지이용계획은 사업신청자가 자유롭게 구성 제시할 수 있습니다. (2) 사업신청자가 자율적으로 사업계획 제안이 가능한 만큼 비율 변동은 가능합니다.

사업명	광양항 묘도 준설토 매립장 항만재개발사업
질의 요지	복합산업물류지구 내에 임대부지 설정 시 체육시설 설치가 가능한지
답변	본 공모지침 제4조 제1항 제11호에서 체육시설 설치가 가능한 것으로 제시하고 있습니다.

사업명	인천항 영종도 준설토 투기장 항만재개발사업
질의 요지	'창의적인 개발을 유도하기 위한 자유로운 구상'의 범위가 고시된 기본계획의 위치 및 면적을 모두 조정할 수 있는지
답변	군사시설 제공 부지를 제외한 나머지 부지에 대해서는 사업신청자가 위치 및 면적 모두 조정이 가능합니다.

사업명	부산항 북항 2단계 항만재개발사업(2019. 12.)
질의 요지	토지이용의 합리적 이용을 위하여 사업계획서 제출 시 사업시행자가 사업구역계를 조정하여 제안할 수 있는지? 조정이 가능하다면 조정 허용범위는 어디까지인지
답변	사업제안시 사업구역 확대/축소의 변경제안은 경미한 경우를 제외하고 허용치 않는 것을 원칙이며 사업시행자 지정 이후 공모지침서 제3조 제3항에 해당하는 사유 발생 시 구역변경 방안을 검토할 수 있을 것이다.

사업명	부산항 북항 2단계 항만재개발사업(2019. 12.)
질의 요지	수역구간 매립도 가능한지?
답변	수제선 정비, 친수공간 조성 등을 위한 불가피한 공유수면 매립은 제안할 수 있다.

2. 기타 사항

사업명	광양항 3단계 투기장(1구역) 항만재개발사업
질의 요지	사업계획서 평가시 상부시설을 직접 시행하는 경우 가점을 부여하는 데 여기서 상부시설의 범위는? (예: 건축물, 구조물 및 임대업 또는 물류업 영위를 위한 부지포장까지 포함되는지 여부)
답변	상부시설이란 동 지침서 제4조에 따른 지반개량, 기반시설 등을 제외한 투자비가 보전되지 않는 시설물로서 일반적으로 토지 상부에 설치되는 시설을 의미하며 구체적인 판단은 평가인단을 통해 결정됩니다(투자비 보전의 대상이 되지 않는 건축물이나 구조물, 부지포장은 이에 해당할 것으로 사료됩니다).

IV. 사업기간 관련

공모지침서는 사업기간 내에 사업시행자가 준공을 하지 못하는 경우 지체상금을 부담하도록 할 것을 사업일반조건으로 수록하는 경우가 일반적이다. 때문에, 사업시행자 입장에서는 사업기간을 시행 중 연장하는 것이 가능한지 여부가 지체상금을 피하는 것과 관련한 핵심적인 문제가 되는데, 해양수산부는 대체로 사업기간의 제시나 변경 등에 대하여 유연한 태도를 보이고 있는 것으로 보인다. 다만, 이는 지체상금과 직결된 문제이므로 개별 사업마다 질의답변의 형식 혹은 실시협약의 내용 등으로 명확하게 정하여 두는 것이 필요할 것이다.

사업명	광양항 묘도 준설토 매립장 항만재개발사업
질의 요지	1단계, 2단계 공사를 구획별로 착공하여 순차적으로 준공하는 경우 사업 기간 제시를 구획별로 하여야 하는지 아니면 1단계, 2단계 기준으로 제시 하여야 하는지
답변	사업기간 제시는 1, 2단계로 구분하여 제시하되, 필요한 경우 단계별 범 위 내에서 구획별 제시가 가능합니다.

사업명	광양항 묘도 준설토 매립장 항만재개발사업
질의 요지	1단계 사업완료 이전 2단계 사업 착수가 가능할 경우 2단계 사업기간을 2단계 공사착수일로 기준하는 것이 타당하지 않은지
답변	사업기간은 사업신청자가 자율적으로 제시 가능합니다.

사업명	부산항 북항 2단계 항만재개발사업(2019. 12.)
질의 요지	실시계획 승인 상 사업시행기간은 불확실성이 배제된 기간으로 계획서 작성 시 예상하지 못한 다양한 문제가 발생할 수가 있어 사업기간 연장 은 대부분의 현장에서 빈번히 발생하고 있는 실정임. 공모지침서에서 준 공기간 연기 시 지체상금 납부를 요구할 경우 사업참여 리스크가 증가할 수 있어 이에 대한 조정이 가능한지?
답변	「항만법」 제60조에 따라 '항만재개발사업의 시행기간'을 포함한 실시계 획 변경 가능

V. 조성토지 및 시설의 매각 및 임대에 관한 사항

1. 매각에 관한 사항

민간투자자의 입장에서는 사업의 조성결과 어떠한 방식으로 토지 등
을 처분할 것인지가 관건이 되므로, 조성토지의 처분방법이나 처분대상
을 정하는 방법에 대한 질의가 상당수 제기되어왔다. 해양수산부는 대
체적으로 처분대상이나 방법에 대하여 사업신청자가 합리적인 방안을
제안할 수 있다는 유연한 입장을 취하고 있는 것으로 보인다.

사업명	광양항 묘도 준설토 매립장 항만재개발사업
질의 요지	매각대상지는 사업신청자가 계획하는 것인지 아니면 주무관청이 정한 매각대상지가 있는 것인지
답변	매각대상지는 사업신청자가 제출한 사업계획서를 토대로 사업협약 체결 시 결정할 예정이며, 주무관청에서 별도로 정한 매각대상지는 없습니다.

사업명	부산항 북항 2단계 항만재개발사업(2019. 12.)
질의 요지	매각부지와 임대부지에 대한 관련계획이 있는지, 꼭 임대만으로 해야 하 는 부지가 있는지?
답변	매각부지와 임대부지에 대한 관련계획이나 기준은 없음. 단, 추후 확정될 2030 부산 세계박람회 계획에 매각, 임대부지가 지정되는 경우 이를 반영 하여야 함.

사업명	부산항 북항 2단계 항만재개발사업(2019. 12.)
질의 요지	제4조 제1항 제2호에서 국가 또는 지방자치단체 소유의 재산을 사업시행 자에게 매각가능하고, 세부 내용 및 조건은 실시협약에서 결정하기로 되 어 있으며, 제4조 제4항 제3호에서 사업시행 기간 내 조성토지 또는 시설 에 대한 사업 준공 후 이를 운영해야 한다고 되어 있다. 이 경우 운영 시 사업시행자가 직접 운영, 위탁에 의한 운영, 분양을 통한 운영 모두 가능한지? 및 운영에 대한 운영기간, 조건, 제한 등이 있는지?
답변	조성토지의 처분은 공모지침서 제40조를 참조하여 사업신청자가 최적의 사업방안을 제시할 수 있다.

2. 임대에 관한 사항

항만재개발사업의 경우 SOC라 할 수 있는 항만시설이 일부 포함되어 있고, 이들 중에서도 공공시설에 속하는 것들은 준공과 함께 관리청으로 그 소유권이 이전된다. 다만 이를 사업시행자가 준공 이후 임대하는 방식으로 총사업비 중 일부를 정산할 수도 있을 것인데, 임대기간이 완료된 이후의 처분방법을 두고 질의가 제기되어왔다. 대체로 해양수산부는 임대부지의 경우 임대기간이 만료된 이후에도 그대로 국유재산으로 그 지위를 유지하고, 처분할 의도를 지니고 있지는 아니한 것으로 사료된다.

사업명	광양항 묘도 준설토 매립장 항만재개발사업
질의 요지	임대부지에 설치한 일체의 시설과 권리를 토지사용기간 종료 시 주무관청에게 무상으로 양도하는 것은 지나친 사유재산권 침해의 소지가 있는데, 사업시행자가 철거하지 않은 시설물을 대상으로 주무관청과 협의하여 양도 대상을 선정하는 것이 타당하지 않은지
답변	임대부지에 설치된 시설물에 대한 인계 또는 철거에 대한 세부사항(대상 시설물, 규모, 시기 등)은 사업협약체결 시 정하도록 본 공모지침서 제40조 제3항에서 규정하고 있습니다.

사업명	광양항 묘도 준설토 매립장 항만재개발사업
질의 요지	사업시행자는 임대부지에 한하여 사용기간 종료 시 주무관청에게 무상으로 귀속하게 되어 있는데, 사업기간 종료 시 해당 부지를 Tenant가 매입 가능한지
답변	임대부지는 매각대상에서 제외되므로 사업기간 종료 시 Tenant의 부지 매입을 고려하고 있지 않습니다.

VI. 협약이행보증금에 관한 사항

항만재개발사업에 참여하려는 공공기관의 경우 협약이행보증금의 액수의 과다나 보증금 예치 자체에 대하여 문제를 제기한 경우가 많았다. 그러나, 공공기관의 자금조달 능력 등에 관한 제출서류에 대한 질의와 달리, 해양수산부는 협약이행보증금에 대하여는 엄격한 태도를 견지하여 사업신청자의 지위나 특성과 상관없이 공모지침서에서 정하고 있는 협약이행보증금을 납부하여야 한다는 입장을 취하고 있다.

사업명	광양항 묘도 준설토 매립장 항만재개발사업
질의 요지	협약이행보증금의 비율을 우선협상대상자와 협의하여 조정할 수 있는지, 협약이행보증금 납부시기가 사업협약체결일로부터 20일 이내에 납부하도록 한 것이 매우 현실적이지 못한 조건으로 우선협상대상자와 협의하여 납부시기를 조정할 수 있는지
답변	협약이행보증금의 비율 및 납부시기는 주무관청과 협의·조정할 사항이 아닌 우선협상대상자가 지켜야 할 의무적인 사항입니다.

사업명	광양항 묘도 준설토 매립장 항만재개발사업
질의 요지	(1) 협약이행보증금을 총사업비의 10%로 산정한 근거가 무엇인지 (2) 협약이행에 대한 의무를 해당공사의 50% 공정까지로 규정하고 있는 이유는
답변	(1) 협약이행보증금은 공사 및 용역계약 보증금과 같이 정부의 손실부담을 확보하기 위한 것으로 보증비율은 SOC 등 유사개발 사업을 준용하여 산정한 것입니다. (2) 공정률 50% 달성 시는 협약이행에 문제가 없다고 판단하여 사업시행자의 자금조달 어려움을 해소하고자 결정한 것입니다.

사업명	부산항 북항 2단계 항만재개발사업(2019. 12.)
질의 요지	실시계획승인 이후 사업비 투자가 가능한 공공기관의 사업추진 절차 특성을 고려할 때 실시협약체결 보증금 및 협약이행보증금 납부는 어려운 실정임. 공공기관의 경우 예외 적용가능한지?
답변	공모지침에 따라 실시협약체결 보증금 및 협약이행보증금을 납부해야 함.

사업명	부산항 북항 2단계 항만재개발사업(2019. 12.)
질의 요지	공공기관이 대규모 사업을 시행하기 위해서는 공공기관 예타를 별도 시행하여야 합니다. 예타 시행시기는 언제인지? 만약, 예타 시행 후 타당성 결여로 사업을 추진할 수 없을 경우 실시협약 시 납부한 협약이행보증금은 반환이 되는지?
답변	공공기관 예비타당성 검토 시기는 관련 규정 따르며, 예비타당성 검토 결과 사업참여가 불가능한 경우 협약이행보증금을 반환함.

VII. 기타 사항

사업명	부산항 북항 2단계 항만재개발사업(2020. 3.)
질의 요지	'부산역 일원 철도시설 기능재편 및 경부선 이설'은 국토부에서 부산시를 사업시행자로 지정(2019. 3.)하여 이미 추진 중인 사업인데 동일 건에 대하여 항만재개발사업시행자가 사업을 추진해야하는 것인지? 추진해야하는 경우, 부산시와 항만재개발 사업시행자의 업무범위는?
답변	부산항 북항 2단계 항만재개발 사업은 '부산역 일원 철도시설 재배치사업'을 포함하고 있으므로 사업시행자가 추진하여야 함. 단, 철도재배치 사업 추진 방법 및 업무범위는 기지정된 철도시설 재배치 사업시행자(부산시)와 협의하여 추진 필요

I. 서론

　항만재개발사업을 포함한 민간투자사업들의 경우 사업의 규모가 상당하고 그로 인하여 촉발되는 경제적 이익이 많으므로, 평가결과에 대하여 탈락한 사업신청자들이 쉽게 수긍하지 못하는 경우가 많고, 이로 인하여 법적 분쟁으로 나아가는 경우가 다수 있다. 대체로 평가점수의 부여방식 등을 둘러싼 것이 쟁점이 되는바, 법원은 특별히 평가의 방법이나 절차에 문제가 있다고 보여지지 않는 이상 평가점수를 부여한 것의 위법성을 쉽게 인정하지는 않는 경향이 있다.

II. 타 사업에 대한 판례의 기본 입장

1. 민간투자사업의 경우

　서울고등법원은 "(민간투자)법에 근거하여 이루어진 우선협상대상자 지정처분은 특정인에게 권리나 이익을 부여하는 수익적 행정행위로서 일종의 재량행위에 속한다"고 하면서, "우선협상대상자 지정을 위하여 필요한 기준을 정하거나 위 기준에 따라 사업계획을 평가하는 것 역시 행정청의 재량에 속한다"라고 판시하고 있다(서울고등법원 2004. 6. 24. 선고 2003누6483 판결). 즉 우선협상대상자 지정을 위한 평가단계에서 적용될 기준을 해석하여 적용하는 것 역시 재량권의 범위 내에 있다는 것이 법원의 기본적인 입장이다.

　따라서 그것이 명백히 법령의 규정에 반하거나(서울행정법원 2007. 6. 28. 선고 2006구합48455 판결), 사실오인으로 인하여 객관적인 합리성이나 타당성을 결여한 경우(서울고등법원 2004. 5. 24. 선고 2003누6438 판결)에 이르러야 재량권 일탈·남용이 되어 위법하다는 것이 그 동안 축적된 하급심 판결례의 확립된 견해이다.

예컨대, 서울고등법원은 ① 조작된 사업계획서가 제출되어 이를 기초로 심사가 이루어졌다는 등의 사정이 인정되는 경우에 우선협상대상자 지정처분이 위법하다고 하였으나(서울고등법원 2004. 6. 24. 선고 2003누6483 판결), ② 반면, 평가의 기준이 되는 민간투자시설사업기본계획의 해석상의 다툼이 있는 정도만으로는 우선협상대상자 지정처분을 위법하다고 판단하지 않았다(서울고등법원 2007. 2. 9. 선고 2005누29657 판결).

2. 최근 분쟁이 잦았던 민간공원특례사업의 경우

한편, 장기미집행 도시계획시설의 일몰시한이 다가옴에 따라, 최근에는 민간공원특례사업의 사업시행자 선정을 두고 다수의 분쟁이 있어왔는바, 대법원은 평가결과에 대한 다툼에 대하여 다음과 같이 설시하여 판단의 기준을 확립하였다.

대법원 2019. 1. 10. 선고 2017두43319 판결 〔사업대상자선정처분취소〕

그리고 공원조성계획 입안 제안을 받은 행정청이 제안의 수용 여부를 결정하는 데 필요한 심사기준 등을 정하고 그에 따라 우선협상자를 지정하는 것은 원칙적으로 도시공원의 설치·관리권자인 시장 등의 자율적인 정책 판단에 맡겨진 폭넓은 재량에 속하는 사항이므로, 그 설정된 기준이 객관적으로 합리적이지 않다거나 타당하지 않다고 볼 만한 특별한 사정이 없는 이상 행정청의 의사는 가능한 한 존중되어야 하고, 심사기준을 마련한 행정청의 심사기준에 대한 해석 역시 문언의 한계를 벗어나거나, 객관적 합리성을 결여하였다는 등의 특별한 사정이 없는 한 존중되어야 한다.

따라서 법원은 해당 심사기준의 해석에 관한 독자적인 결론을 도출하지 않은 채로 그 기준에 대한 행정청의 해석이 객관적인 합리성을 결여하여 재량권을 일탈·남용하였는지 여부만을 심사하여야 하고, 행정청의 심사기준에 대한 법원의 독자적인 해석을 근거로 그에 관한 행정청의 판단이 위법하다고 쉽사리 단정하여서는 아니 된다. 한편 이러한 재량권 일탈·남용에 관하여는 그 행정행위의 효력을 다투는 사람이 주장·증명책임을 부담한다.

III. 대응전략

1. 해양수산부나 우선협상대상자로 지정된 자의 경우

판례들이 기본적으로 평가의 기준 설정이나 평가결과에 대하여 행정청의 재량을 인정하는 경우가 많기 때문에, 특별히 평가결과에 존재하는 하자가 불합리하다거나 행정청의 해석방법이 부당하다고 볼만한 정도에 이르지 않는 이상, 해양수산부의 입장에서 패소할 가능성이 그리 높지는 아니한 것이 현실이다.

2. 탈락한 사업신청자의 경우

대체로 유사 유형의 소송에서 탈락한 사업신청자가 취하여야 할 적절한 전략은 ① 다투고자 하는 평가항목에 대하여 우선협상대상자로 선정된 업체에게 특정한 점수를 부여한 방식이 합리성을 심각하게 결여한 것이고, ② 그로 인하여 전체적인 평가순위가 뒤바뀔 수 있다는 점을 보여줄 필요가 있다. 탈락한 사업신청자의 입장에서는 특정 상대방의 평가결과에 대하여만 지적할 것이 아니라, 다른 탈락한 사업신청자들의 평가결과들까지도 폭넓게 다투는 경우가 많고, 또한 그러할 필요가 있겠다.

그 외, 법이나 항만법, 그리고 그 하위법령들의 경우 기존의 개발사업 법령들에 비추어 아직 정리되지 못한 조문 간의 관계나 법적 쟁점이 존재하므로, 그와 같은 쟁점이 우선협상대상자로 선정된 상대방을 공격할 수 있는 것이라면 적극적으로 주장할 필요가 있을 것이다.

사업시행자의 대체 지정 [제16조]

제1절 | 사업시행자 지정의 취소

I. 서론

법 제15조 제2항이 정하고 있는 일정한 사유가 인정되는 경우 해양수산부장관은 사업시행자지정을 취소할 수 있다. 취소사유는 크게 1. 사전적(원시적)인 사유와, 2. 사후적(후발적)인 사유로 구분될 수 있는데, 전자의 경우는 사업시행자가 거짓 부정한 방법으로 사업시행자로 지정된 것이어서 애당초 지정처분 자체에 취소가능한 하자가 있었던 경우를 의미하는 것이고, 후자의 경우는 사후적으로 사업시행자가 사업의 시행을 지연한다거나 그 외 사업을 계속할 수 없는 사정이 발생한 경우를 의미하는 것이다.

II. 취소의 법적 성격 – 원시적 사유와 후발적 사유의 구분

사업시행자 지정 '취소'라는 처분의 명칭에도 불구하고, 법 제15조 제2항이 열거하고 있는 각 경우의 처분의 법적 성격은 일률적으로 동일한 것으로 볼 수는 없다. 법 이론상으로 본다면 원시적인 사유(하자)가 있어 이를 이유로 처분을 소급적으로 소멸시키는 것은 '취소'라고 하나, 일단은 하자 없이 적법하게 성립한 처분을 후발적인 사유에 기하여 원칙적으로는 장래를 향하여 그 효력을 소멸시키는 것을 '철회'라고 한다.[114] 이와 같은 기준에 따라 본다면, 법 제15조 제2항 제1호의 경우에는 법 이론상 '취소'라고 할 수 있겠으나, 그 이외의 경우는 '철회'의 법적 성격을 지니는 것에 가깝다고 볼 수 있다.

이와 같은 구분은 취소나 철회의 원인되는 사실의 입증책임이 누구에게 있느냐의 점에 있어서 실무상으로도 중요한 의미를 지닌다. 대법원은 "공유수면의 상황 변경 등 예상하지 못한 사정변경으로 인하여 공익상 특히 필요한 경우"에 처분을 취소할 수 있다고 정하고 있는 구 공유수면매립법 제32조 제3호의 법적 성격을 법 이론상 '철회'라고 하면서, 그와 같은 사유의 입증책임은 철회사유를 주장하는 자에게 있다고 판시한 바 있다(대법원 2006. 3. 16. 선고 2006두330 전원합의체 판결[115]). 따라서, 법 제15조 제2항 제2호 내지 제7호의 사유들에 대하여는 기본적으로 철회권을 행사하는 해양수산부장관이 입증책임을 부담한다고 사료되고, 특히 제6호의 경우에는 대법원 판결의 취지에 따라 "처분을 유지하는 것이 현저히 공익에 반하는 경우"에 해당하는지 여부까지도 해양수산부장관이 입증하여야 할 것으로 사료된다.

---

114) 김동희, 행정법 I, 제16판, 박영사, 2010, 352면 참조.

115) "구 공유수면매립법(2005. 3. 31. 법률 제7482호로 개정되기 전의 것) 제32조 제3호, 제40조, 같은 법 시행령(2005. 9. 30. 대통령령 제19080호로 개정되기 전의 것) 제40조 제4항, 제1항의 규정을 종합하면, 구 농림수산부장관은 매립공사의 준공인가 전에 공유수면의 상황 변경 등 예상하지 못한 사정변경으로 인하여 공익상 특히 필요한 경우에는 같은 법에 의한 면허 또는 인가를 취소·변경할 수 있는바, 여기에서 사정변경이라 함은 공유수면매립면허처분을 할 당시에 고려하였거나 고려하였어야 할 제반 사정들에 대하여 각각 사정변경이 있고, 그러한 사정변경으로 인하여 그 처분을 유지하는 것이 현저히 공익에 반하는 경우라고 보아야 할 것이며, 위와 같은 사정변경이 생겼다는 점에 관하여는 그와 같은 사정변경을 주장하는 자에게 그 입증책임이 있다."

사업시행자의 대체 지정

I. 의의

법은 사업시행자 지정 취소에 관한 법 제15조 제2항과 연동하여, 동항에 따라 사업시행자 지정이 취소된 경우 해양수산부장관이 간단한 절차를 통해 다른 사업시행자를 대체하여 지정할 수 있는 근거를 마련하고 있다. 이는 분법되면서 새로이 도입된 조문이다.

법 제15조 제2항은 대체로 사업시행자의 귀책으로 인하여 그 지정을 취소하는 경우에 관한 것인데, 이와 같이 사업시행자의 귀책사유를 원인으로 하는 것임에도 불구하고, 다른 사업시행자를 대체 지정하는 절차에 대하여 특별한 규정이 없었다. 가장 큰 문제는 종전 사업시행자가 항만재개발사업을 위해 이미 매수하여 놓은 토지를 어떻게 새로운 사업시행자에게 이전하도록 할 것인지의 점인데, 이를 강제할 수 있는 근거가 마땅치 아니하였으므로, 사업시행자 지정 취소 시 항만재개발사업의 원활한 추진에 지장을 줄 가능성이 있었다. 이에, 특별한 절차를 거치지 아니하고 해양수산부장관이 사업시행자를 대체 지정할 수 있는 근거를 마련함과 동시에 종전 사업시행자와의 법률관계를 강제적으로 정리할 수 있는 근거를 마련하게 된 것이다.[116]

---

116) 이상, 국회 농림축산식품해양수산위원회, 항만 재개발 및 주변지역 발전에 관한 법률안 검토보고서, 2019. 3., 36면. 이와 같은 제도의 유사입법례로는 지역 개발 및 지원에 관한 법률 제20조와 경제자유구역의 지정 및 운영에 관한 특별법 제8조의5 등이 발견된다.

II. 대체지정의 절차

법 제16조 제1항은 "같은 조에 따라 새로운 사업시행자를 대체지정할 수 있다"라고만 하여 대체지정에 대한 특별한 절차를 규정하지 아니하고 전적으로 법 제15조에 의존하고 있다. 그런데, 법 제15조는 항만재개발사업의 사업시행자가 될 수 있는 자격이 있는 자를 열거하고 있다와 더불어, 지정 후 그 사실을 고시할 것만을 요구하고 있는바 그 외의 별다른 절차를 정하고 있지 아니하다. 이상의 조문의 내용을 종합하면, 사업시행자 대체지정은 전적으로 해양수산부장관이 재량껏 행할 수 있는 것이라 사료된다.

III. 종전 사업시행자 지위의 승계

법 제16조 제2항은 대체지정된 사업시행자는 사업구역의 지정과 항만재개발사업실시계획의 승인에 관한 종전의 사업시행자의 지위를 승계한다고 정하고 있다.

즉, 법에 의하면 대체지정된 사업시행자는 종전 사업시행자의 당해 사업과 관련한 공·사법상 모든 권리관계에 대하여 승계하는 것이 아니라, 해양수산부장관과의 사이에서 사업구역 지정처분과 실시계획승인 처분이라는 2개의 처분과 관련하여서만 공법적인 지위를 이전받는 것이다. 따라서, 그 이외의 관계에 있어서는 해양수산부장관과 종전 사업시행자 간에 형성한 법률관계가 당연히 새로운 사업시행자에게 승계된다고 볼 수 없다. 특히 법은 승계의 대상에 사업시행자 지정처분을 명시하지 않고 있으므로, 그에 수반한 실시협약 등의 경우 새로운 사업시행자에게 승계된다고 보기 어렵고 해양수산부장관과 새로운 사업시행자 간에 새로운 협약을 체결하여야 하는 것이다.

이상과 같은 맥락에서 보면, 법 제16조 제2항은 공법상 지위승계에 관하여 일반적으로 적용되는 행정절차법 제10조와도 관련성이 없다. 행정절차법 제10조[117]는 처분당사자로서의 지위를 그대로 승계인에게 승계토록 하는 것임에 반하여, 법 제16조는 종전의 처분을 취소하고 그와 별개의 새로운 처분을 하면서 일부 효과를 승계토록 따로 정하고 있는 것이므로 양자는 구분되는 개념이라 할 수 있겠다.

IV. 사업구역 내 토지의 매수 절차

이상과 같이 법은 종전 사업시행자와 새로운 사업시행자 간에 승계되는 법률관계를 제한적으로만 정하고 있고, 그 마저도 공법상 법률관계에 국한되는 것인바, 종전 사업시행자가 사업과 관련하여 형성하고 있던 사법(私法)적인 법률관계에 대하여는 별도의 조문으로 규율하여야 할 필요가 있다. 이에 법 제16조 제3항 내지 제9항을 통하여 사업시행에 필수적인 부지의 소유권과 관련하여 '매수협의' 및 '수용'의 절차로 그 승계관계를 규정하고 있다.

---

117) 행정절차법 제10조(지위의 승계) ① 당사자등이 사망하였을 때의 상속인과 다른 법령등에 따라 당사자등의 권리 또는 이익을 승계한 자는 당사자등의 지위를 승계한다.
② 당사자등인 법인등이 합병하였을 때에는 합병 후 존속하는 법인등이나 합병 후 새로 설립된 법인등이 당사자등의 지위를 승계한다.
③ 제1항 및 제2항에 따라 당사자등의 지위를 승계한 자는 행정청에 그 사실을 통지하여야 한다.
④ 처분에 관한 권리 또는 이익을 사실상 양수한 자는 행정청의 승인을 받아 당사자등의 지위를 승계할 수 있다.
⑤ 제3항에 따른 통지가 있을 때까지 사망자 또는 합병 전의 법인등에 대하여 행정청이 한 통지는 제1항 또는 제2항에 따라 당사자등의 지위를 승계한 자에게도 효력이 있다.

1. 매수협의 및 수용의 절차

> 법 제16조(사업시행자의 대체지정 등) ③ 제1항에 따라 대체지정된 사업시행자는 종전의 사업시행자가 해당 항만재개발사업을 위하여 매수한 토지에 대하여 지체 없이 매수 협의를 시작하여야 한다.
>
> ④ 해양수산부장관은 제3항에 따른 협의가 성립하지 아니하거나 협의를 할 수 없는 경우에는 종전의 사업시행자에게 해당 항만재개발사업을 위하여 매수한 토지를 제1항에 따라 대체지정된 사업시행자에게 매도하라는 명령을 할 수 있다. 이 경우 해양수산부장관은 대체지정된 사업시행자에게 그 사실을 통보하여야 한다.
>
> ⑤ 제1항에 따라 대체지정된 사업시행자는 제4항 후단에 따라 매도명령 사실을 통보받았을 때에는 지체 없이 종전의 사업시행자와 해당 토지의 매수 협의를 하여야 한다.
>
> ⑦ 제1항에 따라 대체지정된 사업시행자는 제5항에 따른 매수 협의가 성립되지 아니하거나 협의를 할 수 없는 경우에는 「공익사업을 위한 토지 등의 취득 및 보상에 관한 법률」 제51조에 따른 관할 토지수용위원회(이하 "관할 토지수용위원회"라 한다)에 재결(裁決)을 신청할 수 있다.

법 제16조는 종전 사업시행자로부터의 토지 매수 절차를 크게 ① 매수협의, ② 매도명령에 따른 매수협의, ③ 관할 토지수용위원회의 재결 등 세 단계 절차를 거치도록 하고 있다. 외관상으로만 본다면 토지보상법에 의한 수용절차와 비슷하게 협의취득을 시도하여 보고, 성립하지 아니하면 수용재결을 신청하는 구조를 차용한 것으로 보이기는 한다. 다만, 후술할 바와 같이 이는 '수용권'의 행사와는 법적 성격을 전혀 달리하는 것이다.

만일 종전 사업시행자가 매도협의에 응하지 않는 등으로 협의가 어려운 경우에 대하여, 법은 먼저 종전 사업시행자에게 '매도명령'을 하도록 정하고 있으나(법 제16조 제4항), 매도명령 또한 그것만으로 곧바로 매매계약과 같은 법률관계를 형성하는 것이 아니라, 매도명령이 발하여진 다음 다시 매수협의를 진행하여야 하는 것이므로(동조 제5항) 큰 틀에서 보면 매수협의를 장려하기 위한 절차에 지나지 않는 것으로 사료된다.

법은 "제5항에 따른 매수 협의가 성립되지 아니하거나 협의를 할 수 없는 경우" 재결을 신청하도록 정하고 있으므로, 매도명령까지 거친 다음에야 비로소 재결을 신청할 수 있는 것이다.

2. 매도 금액

법은 원칙적으로 매수 협의의 기준 금액은 조성원가와 조성원가에 민법 제379조에 따른 법정이율을 곱한 금액을 합한 금액으로 하되, 만일 그에 따라 계산된 금액이 시가(時價)보다 큰 경우에는 시가로 매수 금액을 결정하도록 정하고 있다(법 제16조 제6항).

이상과 같은 규정에는 2가지 문제가 존재한다. 먼저, '조성원가'에 대한 명확한 정의가 없으므로 그에 포함될 수 있는 비용의 범위가 불분명하다. 특히 이에 대하여는 현재 시행령(안)에서도 별다른 규율이 정해져 있지 않은 상황이므로, 어떠한 방식으로 조성원가를 확정할 것인지에 대하여는 해석상 다툼의 소지가 있어 보인다.

둘째, 법 제16조 제6항은 매수협의에 대하여 적용되는 기준금액이므로, 동조 제7항에 의한 재결의 경우에는 직접적으로 적용되는 금액이 아니다. 그렇다면, 동조 제7항에 의할 때에는 토지보상법에 의한 금원을 기준으로 하여야 하는 것인지, 아니면 이 경우에도 동조 제6항에 의한 조성원가 + 법정이율에 의한 금원을 기준으로 하여야 하는 것인지 명확하지 않다.

3. 토지 소유권 취득의 법적 성격

가. 토지수용과의 차이점

이상과 같이 법 제16조 제3항 내지 제7항은 종전 사업시행자로부터 토지를 매수하는 절차를 마치 협의취득과 수용재결과 유사하게 정하고 있으나, 법 제16조에서 정하고 있는 매수협의나 재결은 토지수용으로서의 법적 성격을 지니고 있는 것인지 의문의 소지가 있다.[118)

무엇보다도, 법은 매수협의와 재결에 관하여 토지보상법상의 수용재결 관한 조문을 직접적으로 준용하거나 연동시키고 있지 아니하다. 법 제16조 제7항 또한 재결을 신청하여야 하는 토지수용위원회의 관할에 관한 토지보상법 제51조만을 언급하고 있을 뿐, 당해 재결이 토지보상법 제28조 이하의 재결과 어떠한 관계에 있는 것인지에 대하여 명확한 규정을 두고 있지 아니하다. 비슷하게, 법은 '매수협의'에 대하여도 이것이 토지보상법 제26조 등이 말하는 협의취득에 해당하는 것인지에 대하여 별다른 언급이 없고, 매수협의가 있는 경우에 토지보상법 제29조에 따른 협의성립의 확인을 관할 토지수용위원회에 신청할 수 있는 것인지에 대하여 어떠한 언급도 하고 있지 않다.

그 이외에도 법이 매도명령 제도를 통하여 매수협의를 장려하고 있는 점, 매수협의와 별개로 종전 사업시행자가 토지를 처분하는 경우 그 이익에 대한 환수절차를 별도로 마련하고 있는 점 등을 보면, 이와 같은 법 제16조상의 각 제도의 취지가 토지보상법을 염두에 두고 입법된 것

---

118) 물론, 법은 특이하게도 사업구역의 지정에 토지보상법상 사업인정을 의제하고 있으므로, 그 이후에 이루어지는 사업시행자의 지정 또는 대체 지정 단계에서는 이미 수용권이 인정되어 있는 상황이다. 따라서, 매도협의나 재결 또한 기본적으로는 수용권이 인정되는 상황에서 벌어지는 것이기는 하나, 그와 같은 사정만으로 이를 토지수용권의 행사의 법적성질을 지닌 것으로 볼 수 있을지는 의문이 있다.

인지 의문이 있다.

나. 현행 조문의 문제점

현행 조문대로라면 매수협의나 재결에 의하여 새로운 사업시행자가 소유권을 취득하게 된다고 하더라도, 이는 수용권을 발동한 것인지 여부가 명확치 않은 상황이어서 새로운 사업시행자가 이를 원시취득하는 것이라 단정하기가 어렵다.

본래 토지보상법에 의하면 협의취득의 경우 제29조에 의한 협의성립의 확인이 있으면 원시취득의 효과가 발생하고[119], 수용재결의 경우에도 원시취득의 효과가 발생한다. 원시취득이란 타인의 권리를 바탕으로 하지 않고 원시적으로 권리를 취득하는 것을 의미하는데, 이로서 취득하는 권리는 세상에 새로이 생겨난 것이므로 구 권리자의 권리에 제한이나 흠이 있다고 하더라도 원시취득에 있어 새로운 권리에는 영향이 없게 된다.[120] 따라서 원시취득의 효과가 인정되게 되면, 종전의 사업시행자가 토지에 대하여 형성하여 놓은 각종의 용익·담보물권 등의 제한이 소멸하는 것이므로, 새로운 사업시행자가 사업을 시행함에 있어서는 부담을 덜게 되는 것이다. 특히, 사업시행자 지정이 취소될 정도로 사업이 부진한 정도였다면 종전 사업시행자가 사업부지 내 토지에 대하여 담보물권 등 복잡한 권리관계를 설정하여 두었을 가능성이 높으므로, 원시취득의 방법에 의하지 아니하고는 이를 정리하는 것이 쉽지

---

119) "공공사업의 시행자가 토지수용법에 의하여 그 사업에 필요한 토지를 취득하는 경우 그것이 협의에 의한 취득이고 토지수용법 제25조의2의 규정에 의한 협의 성립의 확인이 없는 이상, 그 취득행위는 어디까지나 사경제 주체로서 행하는 사법상의 취득으로서 승계취득한 것으로 보아야 할 것이고, 재결에 의한 취득과 같이 원시취득한 것으로 볼 수는 없다." 대법원 1996. 2. 13. 선고 95다3510 판결.

120) 송덕수, 신민법강의, 제6판, 박영사, 2013, 69면.

않은 것이기도 하다.

그러나, 법 제16조에 의하면 매수협의가 성립되었다고 하더라도 그에 대하여 토지보상법 제29조에 따른 협의성립 확인을 신청할 수 있는 것인지 불분명하므로, 원시취득의 효과를 받게 될 수 있을지 의문의 소지가 있고, 또한 동조에 의한 재결이 토지보상법상의 수용재결에 해당하는 것인지도 명확하지가 않다. 따라서 실제로 매수협의나 재결이 있었을 때, 이를 둘러싼 종전의 권리관계의 존속을 두고 해석상의 대립이 발생할 수 있는 것이다.

항만재개발사업의 경우 특이하게도 실시계획 승인 단계가 아닌 사업구역 지정처분 단계에서 사업인정 고시를 의제하도록 하여(법 제24조 제2항) 수용권을 부여하고 있으므로, 법 제16조에 따른 관계를 '수용'으로 정리하더라도 법 체계상은 큰 문제가 없을 것으로 보인다. 따라서 장기적으로는 법 제16조에 따른 매수협의 및 재결과 토지보상법의 관계를 명확하게 정리하는 것이 필요할 것으로 사료된다.

V. 무단 처분에 대한 제재

법은 매수협의와 별개로 종전의 사업시행자가 매도대상인 토지를 타에 매각하는 경우, 그 매각으로 인하여 종전 사업시행자가 얻게 되는 이익을 처분으로 환수하도록 정하고 있다. 환수에 관하여는 국세의 체납 처분의 예에 따르도록 한다.

이 때 환수되는 이익은 매도금액에서 조성원가를 공제한 금액을 말한다고 정하고 있다(법 제16조 제8항). 사업시행자 대체 지정은 물리적인 공사를 하기 이전에도 이루어질 수 있는 것인바 이 경우 조성원가는 당해 토지를 종전 사업시행자가 취득하게 된 원가로 보는 것이 상당할 것으로 생각된다. 다만 현재 '조성원가'에 대한 의미에 관하여는 법상 명확한 정의가 부존재한 상황이므로, 그 해석에 대하여는 해양수산부의 견해를 추후 확인하여 보아야 할 것으로 보인다.

제4장 사업시행의 대행

> 법 제15조(항만재개발사업 시행자의 지정) ⑤ 사업시행자는 항만재개발사업을 효율적으로 시행하기 위하여 필요하다고 인정하는 경우에는 해당 사업구역에 입주하려는 자 또는 입주하려는 시설의 운영자에게 대통령령으로 정하는 바에 따라 항만재개발사업의 일부를 대행하게 할 수 있다.

I. 의의

법은 일정한 경우에는 사업구역 내의 일부 부지나 시설에 대하여 사업시행을 대행하게 할 수 있도록 정하고 있는바, 이는 사업을 전면적으로 대행토록 하는 것이 아니라 단순히 사업구역 내에서 특정 부지 등에 입주할 것이 예정되어 있는 자에 대하여 그 편의를 위해 직접 입주할 부지를 개발하도록 대행하게 허용하는 제도에 불과하다. 즉, 법 제15조 제5항에 의한 사업대행자 제도는 도시정비법 등에서 등장하는 바와 같은 전면적인 사업대행 제도를 의미하는 것이 아니라, 물류시설법 제27조 제5항 등에서 발견되는 입주예정자에 대한 부분적인 사업대행만을 의미하는 것이다.

II. 대행의 요건

법은 사업대행이 가능한 요건으로 "항만재개발사업을 효율적으로 시행하기 위하여 필요하다고 인정하는 경우"라는 추상적인 요건을 두고 있으므로, 이는 특별한 사정이 없는 한 문제되는 경우가 거의 없을 것으로 보인다.

법과 그 위임을 받은 시행령(안)은 해당 사업구역에 입주하려는 자 또는 입주하려는 시설의 운영자를 대행자의 자격으로 정하고 있으므로, 사업대행자는 그에 해당하기만 하면 된다.

III. 대행의 절차

시행령(안)은 입주예정자로 하여금 부지조성사업을 대행하게 하려는 경우에는 사업시행자와 입주예정자 간에 계약을 체결하도록 하고(제19조 제2항), 계약을 체결한 날부터 14일 이내에 그 계약의 체결 사실 및 계약 내용을 해양수산부장관에게 알리도록 정하고 있다(동조 제3항).

IV. 사업시행자의 책임

사업대행을 하게 되는 경우, 사업시행자에게는 사업대행자를 지도·감독할 책임이 부여되는바(동조 제4항), 사업대행자의 귀책으로 인한 책임에 대하여 사업시행자도 완전히 자유롭게 되는 것은 어려울 것이다.

제**5**편

실시계획의
작성과 승인

제 1 장

실시계획의 의의

I. 공사허가 겸 구체적인 사업계획

실시계획은 해양수산부장관으로부터 사업시행자로 지정된 자가 해당 항만재개발사업의 구체적인 시행을 위하여 수립하는 계획이다. 통상 개발사업법들은 구역지정 및 기본적인 개발계획의 수립 → 사업시행자 지정 → 실시계획(또는 사업계획)의 승인(또는 인가)을 거쳐 비로소 물리적인 공사에 나아가게 되는데, 실시계획 및 그에 대한 승인은 공사를 위한 설계도면과 함께 사업의 시행을 위한 구체적인 계획을 포함하는 의미를 지니는 것이다. 즉, 실시계획 및 그 승인은 사업시행자가 공사를 수행할 수 있는 공사허가로서의 의미를 지님과 동시에, 사업시행자의 구체적인 사업시행을 위한 각종 계획을 직접 수립하여 최종적으로 확인받는 절차로서의 의미를 지닌다고 볼 수 있다.

실시계획 및 그 승인과 유사한 지위를 지니는 것들로는, 도시개발법상 실시계획 및 그 인가, 도시정비법상 사업시행계획 및 그 인가 등이 있고, 그 외에도 개별 개발사업법상의 실시계획 혹은 사업계획 공사계획 등의 명칭을 지닌 것들 또한 유사한 지위를 지니는 것들이라 할 수 있다. 이들 모두 대체적으로 ① 공사허가이자, ② 사업시행자가 수립하는 구체적인 사업계획을 승인하는 것으로서의 양면적인 의미를 지니고 있다.

II. 실시계획 승인의 재량성

사업시행자는 실시계획을 작성하여 해양수산부장관으로부터 승인을 받아야 하는데, 이와 같은 승인 처분은 그 자체로 재량행위로서의 법적 성질을 지니는 것으로 사료된다. 법원은 도시정비법상 사업시행계획인가(대법원 2008. 1. 10. 선고 2007두16691 판결 참조), 구 전원(電源)개발에 관한 특례법상 사업실시계획승인(대법원 1998. 9. 22. 선고 97누19571 판결), 구 국방·군사시설사업에 관한 법률상 국방·군사시설실시계획승인(대법원 2012. 7. 5. 선고 2011두19239 전원합의체 판결), 구 공공철도건설촉진법상 실시계획 승인(부산고등법원 2007. 6. 15. 선고 2006누1647, 1654(병합) 판결) 등에 대하여 모두 재량행위로서의 성질을 인정하고 있다.

실시계획의 내용 및 작성

제2장

제1절 실시계획의 내용

법은 실시계획의 내용으로 다음과 같은 사항들이 포함되어야 한다고 정하고 있다. 이를 사업계획의 내용과 비교하면 다음과 같다. 양자의 내용을 비교하면, 상당 부분 내용이 중복되는 것으로 보이나, 사업시행자에 관한 사항, 기반시설 설치에 관한 사항, 재원조달 및 투자계획, 조성토지의 처분계획 등과 관련하여 실시계획 단계에서는 보다 구체화되고 상세화된 계획의 수립이 요구됨을 알 수 있다.

[표] 사업계획과 실시계획의 내용

사업계획(법 제9조 제3항)	실시계획(법 제17조 제2항)
1. 항만재개발사업의 명칭 2. 항만재개발사업의 대상 지역 및 면적 3. 제12조 제3항에 따라 둘 이상의 항만구역과 그 주변지역을 결합하여 하나의 사업구역으로 지정하려는 경우에는 그 결합에 관한 사항 4. 항만재개발사업의 시행기간 5. 항만기능의 재편 또는 정비계획 6. 항만재개발사업의 시행방식 7. 기반시설의 설치계획	1. 항만재개발사업의 명칭 2. 사업구역의 위치 및 면적 3. **사업시행자의 성명 또는 명칭(소재지와 대표자의 성명을 포함한다)** 4. 항만재개발사업의 시행기간 5. 기반시설의 설치계획(**비용부담계획을 포함한다**) 6. 토지이용계획, 교통계획 및 환경계획

사업계획(법 제9조 제3항)	실시계획(법 제17조 제2항)
8. 공공시설의 설치계획 9. 도시경관 및 재난방지 등에 관한 계획 10. 토지이용계획, 교통계획 및 환경계획 11. 복합시설용지에 관한 사항(복합시설용지가 있는 경우만 해당한다) 12. 제28조에 따라 원형지로 공급될 대상 토지 및 개발방향(원형지로 공급될 대상 토지가 있는 경우만 해당한다) 13. 기업유치 및 투자촉진에 관한 사항 14. 고용 및 정주환경의 개선에 관한 사항 15. 재원조달계획 16. 그 밖에 항만재개발사업의 시행에 필요한 사항으로서 대통령령으로 정하는 사항	7. **재원조달 및 연차별 투자계획** 8. **조성토지의 처분계획서** 9. 그 밖에 대통령령으로 정하는 사항

법 제17조 제2항 제9호의 위임을 받은 시행령(안) 제21조는 필요한 토지의 확보계획과 항만재개발사업을 단계적으로 시행하는 경우 단계별 시행계획을 실시계획의 내용에 포함토록 요구하고 있다. 전술한 바와 같이 항만재개발사업의 경우 타 개발사업과 달리 사업시행자의 지정이나 실시계획의 승인 등에 대하여 일정 면적 또는 비율 이상의 토지소유권을 취득하고 있을 것을 요구하고 있지 아니하므로, 법과 시행령(안)은 단지 실시계획의 내용으로 토지의 확보계획을 수록토록 하여 승인의 대상으로 삼고 있는 것으로 사료된다.

사업계획과 실시계획의 관계

　법은 실시계획의 내용과 관련하여 사업계획과의 관계에 대해 명확한 규정을 두지 않고 있다. 통상적인 개발사업법령에서는 구체적인 사업의 시행에 나아가는 단계에서 작성되는 사업시행계획이나 실시계획 등에 대하여 그에 선행하는 상위계획의 내용에 부합할 것을 명문의 규정으로 두고 있는 경우가 많은데, 예컨대 도시개발법 시행령 제38조 제1항은 "실시계획은 개발계획에 맞게 작성하여야 한다"라는 명시적인 규정을 두어, 실시계획의 내용이 상위계획의 내용에 부합할 것을 요구하고 있는 것을 참조할 수 있겠다.

　이 때, 쟁점이 될 수 있는 것은 실시계획이 사업계획에 부합하지 아니하게 될 경우, 실시계획에 어떠한 하자가 있게 된다거나 행정소송 등을 통하여 취소판결이 내려질 가능성이 있는지 여부이다. 그런데, 전술한 바와 같이 사업계획과 같은 상위계획에 대하여 통상적으로 구속력이 인정되는 경우가 많지 않은 점 및 법 조차도 명시적으로 양자를 일치시킬 것을 요구하지 않는 점 등을 종합하면 실시계획에 사업계획과 상이한 내용이 존재한다고 하여 곧바로 실시계획이나 그에 대한 인가처분이 위법하게 된다고 보기는 어려울 것으로 사료된다. 다만, 현재로서는 명확한 판례나 해양수산부의 유권해석사례가 발견되지 아니하므로, 주의를 요할 필요가 있겠다.

I. 의의

실시계획의 작성을 위해서는 조사·측량 등이 필요할 수 있고, 그에 따라 타인의 토지에 출입하는 등의 권한이 필요할 수 있다. 이에 법은 사업시행자에 대하여 사업의 시행을 위하여 필요한 경우 ① 타인이 소유하거나 점유하는 토지에 출입하거나 ② 타인이 소유하거나 점유하는 토지를 재료적치장·임시통로 또는 임시도로로 일시 사용할 수 있도록 하는 권한을 부여하고 있으며, ③ 특히 필요한 경우에는 나무, 흙, 돌이나 그 밖의 장애물을 변경하거나 제거하는 등의 적극적인 행위에 나설 수 있도록 하는 근거를 마련하고 있다. 이와 같은 규정은 통상의 개발사업법령들에서 일반적으로 발견되는 입법례이다.

이와 같은 권한은 공익사업의 사업시행자가 사업의 시행을 위하여 사인의 토지에 대한 공적인 제한을 수인하도록 하는 것에 해당하므로, 그 자체로 공용수용 혹은 공용사용으로서의 법적 성질을 지닌다. 법리적으로 보면 법 제21조에 의한 사업시행자의 사용권한은, 법 제24조에 따라 부여되는 수용권(收用權)과는 구분되는 별개의 권원이라고 할 수 있다. 때문에 법은 제24조와 별개로 법 제22조를 통하여 제21조에 따른 권한 행사에 관한 보상조항을 따로 규정하고 있는 것이다.[121] 또한, 양

---

121) 법 제21조와 유사한 타법상의 규정에 관하여 대법원은 "도로관리청 등이 도로에 관한 공사, 조사, 측량 또는 도로의 유지를 위하여 필요한 경우에는 타인의 토지에 출입할 수 있고, 위와 같이 타인의 토지에 출입하기 위하여는 미리 당해 토지의 점유자에게 이를 통지하도록 규정하고 있는바, 도로구역결정에 앞서 측량 등을 위하여 타인의 토지에 출입하는 것은 그 성질상 도로구역결정 절차의 일부를 이루는 것이 아니라 이와 독립한 별개의 공용수용이라 할 것"이라고 판시하고 있다. 대법원 2001.

자가 구분됨을 전제하는 이상 법 제21조에 따른 권한 행사와 관련하여 사업시행자가 어떠한 절차상의 잘못을 저질렀다고 하더라도, 그것만으로는 이를 토대로 작성되는 실시계획이나 그 인가의 하자를 구성한다고 볼 수는 없고, 나아가 실시계획인가에 의하여 부여되는 법 제24조에 의한 수용권에 어떠한 하자가 발생한다고 볼 수는 없다.[122)

II. 출입 등을 위한 절차

법은 사업시행자가 제21조 제1항에 따라 타인 토지에 출입하려는 등의 행위를 하려는 경우에는 7일 전까지 그 소유자 또는 점유자에게 출입 및 일시 사용하려는 자 등의 인적사항·출입시간·출입목적 등을 서면으로 알리고 동의를 받을 것을 정하고 있다. 만일, 해당 토지의 소유자 또는 점유자가 동의를 하지 아니하거나, 주소불명 등으로 동의를 받을 수 없는 경우라 하더라도, 사업시행자는 관할 특별자치도지사 또는 시장·군수·구청장의 허가를 받아 출입하는 것이 가능하다.

타인의 토지에 출입하려는 자는 그 권한을 나타내는 증표를 지니고 관계인에게 보여 주어야 하며, 출입할 때에는 성명·출입시간·출입목적 등이 표시된 문서를 관계인에게 내주어야 한다.

법은 제21조 제1항에 따른 권한 행사와 관련하여 시간적인 제한을 두고 있는데, 해 뜨기 전 또는 해 진 후에는 토지의 소유자 또는 점유자의 승낙 없이 택지 또는 담으로 둘러싸인 타인의 토지에 출입하는 것이 금지된다.

---

4. 27. 선고 2000두1157 판결.

122) 관련하여, 대법원 2001. 4. 27. 선고 2000두1157 판결 참조.

III. 공유수면에 대한 일시 사용 권한

항만재개발사업은 친수구역을 사업의 대상으로 하는 것이므로, 육지에 접한 공유수면 부분에 대한 사용이 필연적으로 수반될 수밖에 없다. 때문에 법은 사업시행자에 대하여 항만재개발사업이 예정된 공유수면에 출입하거나 이를 일시 사용할 수 있는 권한을 부여하면서, 해당 공유수면에 대하여 타 법령상 권한을 가지고 있는 자들이 정당한 사유 없이 그와 같은 사업시행자의 사용을 방해할 수 없도록 정하고 있다. 주로 공유수면에 대하여 수산업, 어업 관련 권리를 보유한 자들의 반발이나 방해가 예상되므로 이를 대비하기 위하여 마련한 조문인 것이다.

IV. 토지 출입 등에 따른 손실보상[제22조]

법 제21조에 따른 사업시행자의 타인 토지 출입 행위 또한, 소유자의 입장에서는 소유권에 대한 제한을 수인하도록 하는 것이므로, 법은 그에 대하여 사업시행자에게 토지소유자의 손실을 보상하여주도록 정하고 있다.

법 제22조 제2항 내지 제3항이 정하고 있는 손실보상의 절차는 통상의 경우와 거의 유사하다고 볼 수 있는데, 사업시행자는 먼저 토지소유자와의 손실보상에 관한 협의를 거칠 수 있고, 협의가 결렬되거나 불가한 경우 사업시행자나 토지소유자(손실을 받은 자) 둘 다 관할 토지수용위원회에 재결을 신청할 수 있다.

다만, 본래 토지보상법에 의하면 재결의 신청은 사업인정 고시일로부터 1년(토지보상법 제23조 제1항) 또는 사업인정이 의제되는 각종의 지구지정, 사업계획승인 등에서 재결신청의 기한을 정하고 있는 경우에는 그 기간 이내에 하여야 하고, 그러지 아니할 경우에는 재결신청은 각하를 면치 못하게 된다.[123] 그러나, 법은 이와 같은 시기적인 제한에 대하여 특례를 규정하여 해당 항만재개발사업의 시행기간 내에는 재결신청을 할 수 있도록 허용하고 있다.

손실보상의 대상이 되는 권리가 수산업법이 정하고 있는 어업권 등에 해당하는 경우, 수산업법 자체적으로 토지보상법에 대한 절차적인 특별규정을 마련하고 있으므로, 이 경우에는 수산업법 제81조부터 제87조까지의 규정에 의하여야 한다. 수산업법에 의하면 동법에 의한 권리에 대한 보상은 기본적으로 처분을 행한 행정관청이 1차적인 보상주체가 되고, 다만 행정관청은 그로 인하여 수익을 얻은 자에게 그 비용을 전가할 수 있다(제81조 제2항).

---

123) 국토교통부 중앙토지수용위원회, 토지수용 업무편람, 2020, 111면 참조.

실시계획의 승인[제17조]

제3장

승인의 절차

I. 승인서류의 제출

사업시행자는 실시계획을 작성한 다음, 그에 대하여 해양수산부장관으로부터의 승인을 받아야 한다(법 제17조 제1항). 이 때 승인을 받기 위하여 제출하여야 하는 서류로 시행령(안)은 다음과 같은 것들을 열거하고 있다(시행령(안) 제20조 제1항).

> 1. 축척 25,000분의 1의 위치도
> 2. 지적도에 따라 작성한 용지도(토지의 용도를 기록한 지도)
> 3. 계획평면도 및 실시설계도서
> 4. 자금계획 및 이를 증명할 수 있는 서류(연도별 투자계획 및 재원조달계획과 연도별 투자비 회수 등에 관한 계획을 포함한다)
> 5. 조성되는 토지 및 시설의 사용·수익·관리 및 처분에 관한 계획서
> 6. 「환경영향평가법」 제27조에 따른 환경영향평가서, 「도시교통정비 촉진법」 제16조에 따른 교통영향평가서, 「자연재해대책법」 제4조에 따른 사전재해영향성검토협의에 필요한 서류
> 7. 항만시설 등 공공시설의 설치·이전·철거·귀속·이관 및 양여 등에 관한 조서
> 8. 존치하려는 시설물의 명세서
> 9. 법 제19조 제2항에 따른 관계 행정기관의 장과의 협의에 필요한 서류
> 10. 해양수산부장관이 지정하는 수산에 관한 전문연구기관 또는 교육기관이 조사한 피해영향조사서

II. 지방자치단체장의 의견 청취

실시계획의 승인을 위하여, 해양수산부장관은 사전에 시·도지사 및 시장·군수·구청장에 대한 의견 청취 절차를 거쳐야 한다. 다만 법은 "의견을 들어야 한다"라고만 정하여, 관할 지방자치단체장의 의견 제출 기회만을 부여하고 있을 뿐, 그와 같이 제출된 의견을 실시계획 승인 처분의 발급 여부의 판단시 반드시 고려하여야 한다는 등의 의무를 부과하고 있지는 아니하다.

이 때, 법상으로는 의견청취의 대상이 되는 지방자치단체장의 범위가 한정되어 있지 아니한데, 시행령(안) 제22조 제1항은 "관할 시·도지사 및 시장·군수·구청장"이라고 하여, 당해 사업의 지리적 범위를 고려할 때 그에 대한 '관할권'을 가진 지방자치단체장으로 그 범위를 한정하고 있다. '관할'의 의미에 관하여 다소간의 해석의 여지가 있을 수 있겠으나, 단순히 당해 사업에 의하여 영향을 받을 수 있는 지방자치단체의 경우에는 이에 해당하지 않는다고 봄이 적절할 것으로 사료된다.

이와 같은 의견청취 절차를 위하여, 해양수산부장관은 실시계획 관계 서류의 사본을 지방자치단체장에게 송부하여야 하고(시행령(안) 제22조 제1항 후단), 이를 송부받은 지방자치단체장은 그날로부터 20일 이내에 의견서를 제출하여야 한다.

참고로, 실시계획 승인에 대하여는 별도로 중앙항만정책심의회의 심의를 거칠 필요가 없다(구 항만법 제4조 제1항 각 호 참조).

III. 각종 영향평가의 수행

시행령(안)은 사업시행자가 실시계획의 승인을 신청할 때 제출하여야 하는 서류로 환경영향평가법 제27조에 따른 환경영향평가서, 도시교통정비 촉진법 제16조에 따른 교통영향평가서, 자연재해대책법 제4조에 따른 사전재해영향성검토협의에 필요한 서류를 포함하고 있는바(제20조 제1항 제6호), 해당 검토나 평가가 '필요한 상황이라면' 실시계획의 승인 이전에 이와 같은 각종 영향평가가 이루어져야 한다.

환경영향평가의 경우 그 대상이 되는 사업 및 평가시기에 관하여 환경영향평가법 제22조 내지 동법 시행령 별표 3에서 정하고 있는데, 항만재개발사업의 경우에는 사업면적이 30만㎡ 이상인 경우로서 ① 외곽시설로서 길이 300미터 이상 또는 공유수면 3만제곱미터 이상의 매립이 수반되는 것 ② 계류시설로서 공유수면 3만제곱미터 이상의 매립이 수반되는 것 ③ 그 밖의 항만시설로서 조성면적이 15만제곱미터 이상 또는 공유수면 3만제곱미터 이상의 매립이 수반되는 것 중 어느 하나에 해당하여야만 환경영향평가 대상사업에 해당하게 된다. 즉, 기본적으로 환경영향평가법은 "일정면적 이상의 대규모 매립공사가 수반되는 경우"에 대하여만 평가를 시행하도록 정하고 있는 것이다. 동 별표 3은 이 경우 환경영향평가의 시행 시기를 "실시계획 승인 전"으로 정하고 있다.

교통영향평가의 경우 도시교통정비 촉진법 제15조, 동법 시행령 별표 1 등은 '항만재개발사업' 자체를 명시적으로 교통영향평가 대상사업으로 정하고 있지는 않다. 다만, 동 별표는 비고를 통하여 "다른 법령에 따라 승인 등을 받은 것으로 의제(擬制)되는 사업으로서 대상사업의 범위에 해당되는 사업은 교통영향평가를 실시하여야 하는 것으로 본다"라고 정하고 있고, 도시개발사업 중 부지면적 10만㎡ 이상인 사업과 같이 항만재개발사업과 인접하거나 유사한 사업으로서 법 제19조 제1항에 의하여 의제대상에 속하는 사업들을 교통영향평가 대상 사업으로 열거하고 있으므로, 이를 통해 항만재개발사업 또한 평가 대상에 속하게 될 가능성이 있다.

사전재해영향성검토의 경우에도 자연재해대책법 제5조, 동법 시행령 별표 1 등은 항만재개발사업을 명시적인 검토 대상으로 정하고 있지 아니하나, 동 별표 또한 대상사업을 의제하는 경우로서 비고 제1항[124]이 정한 면적 요건을 충족하는 경우에는 대상에 포함시키고 있는바, 그에 해당할 경우에는 항만재개발사업 또한 사전재해영향성검토의 대상이 될 가능성이 있다.

IV. 인허가 의제를 위한 협의

실시계획 승인의 경우 사업을 구체적으로 시행하기 위하여 그 직전 단계에 취득하는 인허가에 해당하므로, 그에 대하여는 사업의 실질적인 시행을 위한 각종 타 법률상의 인허가들을 의제하도록 하여 사업의 시행을 원만하게 할 수 있도록 정하고 있다.

다만, 이와 같은 인허가 의제 조항은 타 법률상 다른 행정관청이 지니고 있는 인허가 권한을 침범하는 것이 될 수 있으므로 법은 인허가 의제를 위하여는 다른 행정기관의 장과의 협의를 거치도록 정하고 있는

---

124) "위 표의 개발사업 중 재해영향평가 협의를 하여야 하는 개발사업의 범위는 개별 법령에서 정하는 바에 따라 허가·승인 등을 하려는 개발사업의 부지면적이 5천제곱미터(「국토의 계획 및 이용에 관한 법률」 제56조에 따른 개발행위의 허가의 경우에는 같은 법 시행령 제55조 제1항에 따른 용도지역별 개발행위허가의 규모를 초과하는 경우로 한정하며, 「산업집적활성화 및 공장설립에 관한 법률」 제13조에 따른 공장설립 승인의 경우에는 1만제곱미터) 이상이거나 길이가 2킬로미터(「산림자원의 조성 및 관리에 관한 법률」 제9조에 따른 임도 설치의 경우에는 4킬로미터) 이상인 경우로 한다. 다만, 개발사업 부지의 전부가 법 제12조에 따른 자연재해위험개선지구 또는 법 제25조의3에 따른 해일위험지구에 포함되는 경우에는 모든 대상 개발사업에 대하여 재해영향평가 협의를 하여야 한다."

바, 후술하다시피 이와 같은 협의가 성립하지 못하고 다른 행정기관의 장이 의제에 대한 거부의사를 밝히는 등의 경우에는 인허가 의제의 효력이 인정될 수 없게 된다.

법은 실시계획의 승인 이전에 미리 이와 같은 협의를 거치도록 하는 한편, 원활한 협의절차의 이행을 위하여 해양수산부장관에게 인허가 의제를 위한 일괄협의회를 개최할 수 있도록 권한을 부여하고 있다(법 제20조 제1항). 해양수산부장관이 이와 같은 개최권한을 행사하는 경우, 관계 행정기관의 장은 소속 공무원을 일괄협의회에 참석토록 하여야 할 의무를 지게 된다.

일괄협의회의 개최 절차나 방법 등에 대하여는 시행령(안)에서 상세히 정하고 있는데 ① 해양수산부장관은 회의 개최 7일 전까지 회의 개최사실을 관계 행정기관의 장에게 알려야 하고, ② 이 경우 관계 행정기관의 장은 원칙적으로 일괄협의회의 회의에서 인허가 의제에 대한 의견을 제출하여야 하나, ③ 예외적으로 협의회 당일날 의견 제출이 곤란한 사정이 있는 경우에는 일괄협의회의 회의를 개최한 날부터 5일 이내에 그 의견을 제출할 수 있다(이상 시행령(안) 제27조).

V. 고시 및 열람

해양수산부장관은 실시계획을 승인한 경우에는 그 내용을 고시하여야 한다(법 제17조 제4항). 고시의 내용에 관하여는 시행령(안) 제23조에서 상세하고 정하고 있는데, 항만재개발사업의 명칭 및 목적, 사업구역의 위치·면적, 사업시행자의 성명 또는 명칭 및 주소, 실시계획의 개요, 사업시행기간, 관련 자료의 열람방법 등이 고시의 내용으로 포함되어야 한다.

이외에도 법은 관할 지방자치단체장에게 관계 서류의 사본을 보내어 그를 통해 일반인에게 실시계획 승인의 내용을 열람하도록 하는 절차를 규정하고 있다. 해양수산부장관으로부터 관계 서류의 사본을 받은 관할 지방자치단체장은 이를 14일 이상 일반인이 열람할 수 있게 하여야 한다(법 제17조 제4항 후문).

I. 의의

1. 착공을 위한 권능의 부여

실시계획 승인 이전에는 물리적으로 공사에 나아갈 수 있는 구체적인 권능이 부여된 바 없고, 실시계획 승인에 이르러서야 비로소 그에 의제되는 각종의 물리적 공사에 대한 인허가에 근거하여 공사에 착수할 수 있는 권능이 사업시행자에게 부여된다고 볼 수 있다. 즉, 실시계획 내지 그에 대한 승인은 항만재개발사업을 위한 "포괄적인 법적 근거"가 되는 것이고, 사업의 시행을 위한 각종의 "공권"이 부여된다고 할 수 있는 것이다.[125]

2. 수용권과 실시계획 승인의 관련성

개발사업법령들은 공통적으로 사업시행자에게 수용권을 부여하여 강제적인 사업부지 내 권리의 취득권능을 부여하고 있는데, 이와 같은 수용권 부여시기에 관하여 ① 실시계획 승인 및 그와 동등한 성격을 지니는 인허가(예컨대 사업시행계획인가 등)의 발급에 대하여 사업인정을 의제하는 방식을 취하는 경우가 있는 반면[126], ② 항만재개발사업과 같이 애당초 사업구역이 확정되는 시기에 수용권을 부여하는 방식[127]

---

125) 김종보, 건설법의 이해, 제6판, 피데스, 2018, 715면의 도시개발법상 실시계획 인가에 관한 논의에서 인용.

126) 대표적으로 국토계획법상 도시계획시설사업의 경우 실시계획 인가 시 사업인정을 의제한다(국토계획법 제96조 제2항). 도시정비법 제65조 제2항 또한 사업시행계획 인가 고시 시점에 사업인정을 의제하고 있다.

127) 예컨대, 물류시설법 제32조 제2항은 물류단지의 지정고시에 대하여, 도시개발법 제

을 취하는 경우가 있다.

토지보상법상 사업인정이란 "해당 사업이 공익사업에 해당하여 토지 등을 수용·사용할 수 있는 사업으로 하겠다라는 국가기관의 결정"[128]을 의미하는 것으로 대법원은 "공익사업의 시행자에게 그 후 일정한 절차를 거칠 것을 조건으로 일정한 내용의 수용권을 설정하여 주는 형성행위"[129]로서의 의미를 지니는 것이라 설명하고 있다. 즉, 사업인정을 의제한다는 법 문언의 의미는, 해당 시점에 토지수용권능을 부여하겠다는 의미와 다름이 없는 것이다.

그런데, 항만재개발사업과 같이 사업시행자가 지정되거나 실시계획 승인을 하기 이전 단계인 사업구역 지정·고시(법 제12조)가 있는 때부터 토지보상법상 사업인정을 의제하는 것은, 수용권을 행사할 구체적인 주체가 정해지기 이전 단계에서부터 수용권을 인정하는 것이어서 다소 법 체계상 어색한 측면이 있다. 다만, 이와 같은 어색함에 불구하고, 실시계획 승인의 효력에 사업인정을 의제시키지 않는 것은 후술할 실시계획의 실효나 취소 등에도 불구하고 사업인정의 효력이 그대로 유지됨으로써 수용의 효력에는 영향이 없다고 해석할 수 있는 근거가 될 수 있다는 점에서 실무적 함의를 지닐 수는 있겠다.

법이 이와 같은 태도를 보이고 있는 것은 주로 도시개발법의 규율태도를 참조하였기 때문일 것으로 추측된다. 실무적인 관점에서 보면, 어차피 구체적인 수용권의 행사 주체 및 수용권 행사가 가능한 기간[130]은

22조 제3항은 개발계획(수용 또는 사용의 대상이 되는 토지목록을 포함한 것)의 고시에 대하여, 산업입지법 제22조 제2항은 산업단지의 지정고시에 대하여 각 토지보상법상 사업인정을 의제하는 태도를 보이고 있다.

128) 석호영, 사업인정제도에 있어 공익성 판단에 관한 비교법적 고찰, 토지공법연구, 2019. 2, 23면에서 직접 인용.

129) 대법원 2011. 1. 27. 선고 2009두1051 판결

실시계획 승인이 발급되는 단계에 이르러서야 비로소 확정이 가능하므로, 실시계획 승인 시점에 비로소 사업시행자에게 구체화된 수용권이 부여된다고 해석할 수도 있겠다.

II. 승인받은 실시계획상 사업시행기간의 법적 의미

한편, 실시계획 승인에 이르러 비로소 항만재개발사업의 시행기간이 구체적으로 확정된다고 볼 수 있는데, 이와 같은 사업시행기간에 어느 정도의 구속력을 인정할 것인지를 두고 논란의 소지가 있다. 타 개발사업법령상으로 사업시행기간이 도과한 경우의 효과 - 곧, 사업시행기간 도과로 인하여 실시계획 승인 등의 인허가가 효력을 잃게 되는 것인지에 대하여 쟁점이 되어온 바 있는데, 현재 각 사업별로 대법원과 법제처의 견해가 통일되지 않은 상황이어서 실무상 혼란이 야기될 가능성이 높다. 다만, 가장 최근의 대법원 판결은 사업시행기간을 단순한 "예정기간"으로만 파악하고 있고, 따라서 그 도과에도 불구하고 인허가 자체가 효력을 잃게 되는 것은 아니라는 입장을 취하고 있으므로 이를 주로 참조할 수 있겠다.

1. 사업시행기간이 실시계획 승인 등 인허가의 유효기간이 아니라고 본 견해

대법원은 "사업시행기간은 사업시행자가 당해 사업시행계획에 따라 정비사업을 시행할 예정기간을 의미할 뿐"이라고 하여 "사업시행기간이 사업시행계획 자체의 유효기간까지 의미하진 않는다"라고 판시한

---

130) 법은 항만재개발사업의 시행기간 이내에 재결신청을 할 수 있도록 정하고 있으므로 (법 제24조 제2항), 사실상 실시계획 승인이 있어야만 비로소 수용권을 행사하는 것이 현실적으로 가능하다고 볼 수 있다.

사례가 있다.[131] 해당 사안은 아현4구역주택재개발사업의 일부 조합원들이 '관리처분변경계획 수립 당시 이미 사업시행기간이 만료된 상태'였음을 이유로, 유효한 사업시행인가가 없는 상태에서 이루어진 관리처분변경계획 또한 무효임을 다툰 사안이었는데, 동일한 사안을 다룬 서울고등법원 판결은 "사업의 추진 정도에 따라 얼마든지 사업시행기간을 변경할 수 있다는 점에서 사업시행기간의 만료로 인하여 사업시행계획 자체가 실효된다고 보는 것은 무리한 해석인 점 등을 더하여 보면, 사업시행계획에서 정해진 사업시행기간은 향후 시행될 사업에 관한 일응의 예정기간을 의미하고, 사업시행계획 자체의 유효기간이라고 할 수는 없다"라고 하여[132] 사업시행기간을 인허가의 유효기간이라 인정하기 어려운 근거를 구체적으로 설명하고 있다.

한편, 법제처의 경우에도 국토계획법상 개발행위허가(동법 제56조 제1항)에 따라 허가 받은 사업기간을 개발행위허가의 '유효기간'으로 볼 수 있는지 여부에 대하여, "유효기간으로 볼 수 없다"는 입장을 취한 바 있다.[133] 가사, 법령이 정한 서식에 사업기간을 기재하도록 하고 있다고 하더라도, 이를 처분의 '유효기간'으로 한다는 명확한 근거가 없는 이상 사업기간을 개발행위허가의 유효기간으로 볼 수 없다는 견해를 취한 것이다.

이러한 견해에 의할 때에도, 여전히 대부분의 개발사업법령들이 사업시행기간 내에 수용권 행사를 위한 재결신청을 하도록 명시적으로 제한하고 있으므로, 최소한 사업시행기간의 도과는 사업시행자가 '수용권을 행사할 수 있는 종기'를 의미하는 것이라는 점에서 실무적인 의미가

---

131) 대법원 2016. 12. 15. 선고 2015두51354 판결
132) 서울고등법원 2016. 1. 19. 선고 2015누57118 판결
133) 법제처 2017. 10. 17. 회신 17 - 0393 해석례

있다(법 제24조 제3항 참조).

2. 사업시행기간의 도과로 실시계획 승인 등 인허가가 실효된다고 보는 견해

한편, 법제처는 국토계획법상 도시계획시설사업과 관련하여 사업시행자는 인가를 받은 실시계획상에 기재된 사업시행기간(착수예정일 및 준공예정일) 내에 사업을 시행할 권능을 부여받은 것이라고 보면서, 그 기간이 도과한 다음에는 사업시행권능이 실효된다는 견해를 취한 바 있다. 법제처는 "시·도지사등이 같은 법 제88조에 따라 도시계획시설사업 시행자가 작성한 실시계획을 인가하는 것은 시행자에게 도시계획사업을 실시할 수 있는 일종의 권한을 설정하여 주는 처분으로 볼 수 있는데(대법원 2005. 7. 28. 선고 2003두9312 판결 참조), 이와 같이 권한을 설정하여 주면서 권한 설정 대상 행위인 도시계획시설사업을 할 수 있는 시행기간(착수예정일 및 준공예정일)을 명시하도록 하는 것은 전체로서 도시계획사업을 실시할 수 있는 권한 설정 행위의 한 부분을 이루는 것이므로, 대상 행위는 원칙적으로 인가된 사업시행 기간 동안에 사업을 행할 수 있음을 전제하고 있다"라고 하여, "사업시행자는 당초 인가받은 실시계획에서 사업시행기간으로 정하여진 기간 동안 사업을 시행할 수 있는 권한을 부여받은 것으로서, 이러한 사업시행기간이 지난 경우, 즉, 준공예정일이 도과된 경우에는 그 전에 별도의 변경인가를 받지 아니하는 한 더 이상 사업을 진행할 수 있는 권한이 없다고 할 것"이라고 보았다.[134]

이와 같은 법제처의 견해를 전제할 때, 사업시행기간이 도과함으로써

---

134) 법제처 2012. 4. 3. 회신 12-0124 해석례 참조.

최초에 받았던 실시계획 승인은 효력을 잃게 되는 것이므로, 사업기간을 연장하려고 하더라도 이미 실효되어버린 실시계획 승인을 '변경'하는 방법으로 행할 수는 없고, 실질적으로 새로운 실시계획 승인을 받는 방식에 의하여야 한다고 볼 수도 있다.

3. 소결론

법제처 12-0124 해석례와 같이 사업시행기간의 도과로 인허가 자체가 실효된다는 견해를 취할 경우에는 실효되었다고 보는 기존의 인허가에 근거하여 행한 기왕의 법률행위들의 효력이나 지위를 어떻게 설명할 것인지가 문제된다. 즉, 기존 인허가에 의하여 토지수용을 한 경우, 인허가 실효됨으로써 수용권 행사의 효과가 지속될 수 있는 것인지 문제될 수 있는 것이다. 다만, 항만재개발사업과 같이 사업인정 고시를 실시계획 승인 등의 인허가에 직접 의제하지 아니하는 경우, 위와 같은 논의와 상관없이 수용권능이 형식적으로 인정되는 것은 그보다 더 이전 단계의 일이 되는 것이므로, 수용의 효력 자체에는 영향을 주지 않는다는 해석이 가능할 수 있다.

개발사업의 진행절차 및 실무상의 난점 등을 고려하면, 항만재개발사업의 경우에도 대법원 2015두51354 판결과 같은 태도를 취하여, 사업시행기간의 도과에도 불구하고 일단은 실시계획 승인의 효력은 유지되는 것으로 보는 것이 타당할 것으로 사료된다.

III. 분할승인의 경우

1. 의의

시행령(안)은 전체 사업구역에 대하여 실시계획 승인을 내리지 아니하고, 기능별, 시설별 또는 구간별로 나누어 일부에 대하여만 실시계획 승인을 할 수 있도록 정하고 있다(제20조 제2항). 이와 같이 해양수산부장관이 분할승인을 하려는 경우에는 그 내용이 사업계획의 내용에 포함되어 있어야 하는데(시행령(안) 제7조 제7호), 시행령(안) 스스로 "제7조 제7호의 단계별 항만재개발사업 시행계획에 따라"라는 문언을 사용하고 있으므로, 원칙적으로는 사업계획의 내용에 단계별 시행계획에 관한 내용이 포함되어 있지 아니하면 사업계획 변경과 분할승인을 순차적으로 혹은 동시에 하는 것이 적절할 것으로 보인다. 이와 같이 시행령(안)이 분할승인 제도를 두고 있는 이유는, 항만재개발사업 자체가 매우 광활한 사업부지를 대상으로 하는 것이기 때문에, 사업성이나 여러 제반 사정을 고려하여 효율적으로 사업을 시행할 수 있도록 적절히 조절할 수 있도록 하기 위함인 것으로 사료된다.

2. 사업계획의 변경 없이 분할승인이 가능한지

다만, 사업계획상 단계별 시행계획에 관한 내용이 포함되어 있지 아니한 경우에도 해양수산부장관이 분할승인을 할 수 있는지 여부가 쟁점이 될 수 있다. 이는 곧 시행령(안) 제20조 제2항에 의하지 아니하더라도 - 다시 말해 동항이 별도로 입법되어 있지 아니한 상황이라 하더라도 해양수산부장관이 분할승인을 하는 것이 가능한지의 점과 연결되어 있는 문제이다.

행정법학에서는 "단계화된 행정절차에서 사인이 원하는 특정부분에 대해서만 승인하는 행위"를 부분승인 혹은 부분허가라고 하는데[135], 대표적으로 하나의 대규모·대단위 사업을 위한 인허가를 발급하면서 우선 특정부분의 건축이나 시설의 설치만을 먼저 허용하는 경우를 예로

---

135) 홍정선, 행정법특강, 제10판, 박영사, 2011, 191면에서 직접 인용.

들 수 있다. 이와 같은 부분허가에 관하여 별도의 법령상의 근거가 존재하지 않는다고 하더라도 행정청이 부분허가(부분승인)을 내어주는 것이 가능한지 여부에 대하여 현재의 통설적인 견해는 부분허가권 자체가 행정청에게 부여된 본래의 허가권한에 포함되는 것이라고 보면서, 별도의 법적 근거가 없이도 가능하다고 보고 있다.[136)]

이와 같은 논의를 종합하면, 사업계획의 변경을 수반하지 아니하고 분할승인을 하더라도 그 자체만으로는 분할승인이 위법하다거나 하자가 있는 것이라 보기는 어려울 것으로 사료된다. 다만, 명확한 판례는 발견되지 않는 상황인 것으로 보이므로 추후 논의의 경과를 지켜볼 필요가 있겠다.

---

136) 홍정선, 행정법특강, 제10판, 박영사, 2011, 193면

인허가의 의제[제19조]

I. 의의

대규모, 대단위의 개발사업을 시행하는 경우, 그에 수반하여 여러 법률상의 인허가가 필요하게 된다. 건축물의 신축을 수반하는 경우에는 건축법상 건축허가 또는 주택법상 사업계획승인 등이 필요할 것이고, 그 이외에 각종의 기반시설을 설치하게 되는 경우에 대하여는 국토계획법상 도시계획시설결정 및 개별 기반시설에 대한 법령상의 인허가가 필요할 것이며, 그 이외에도 사업의 대상이 되는 부지에 부여되어 있는 공법적 지위 – 예컨대 농지, 산지, 공유수면, 하천 등의 지위를 개발사업을 시행할 수 있는 성격의 것으로 변환하여 주는 인허가 또한 필요하게 될 것이다.

이와 같은 인허가들을 개별적으로 신청하여 발급받을 경우 사업의 시행에 상당한 절차적인 제약이 될 수 있으므로, 개별 개발사업법들은 인허가 의제에 관한 조항을 마련하여 당해 법률에 의한 인허가를 받을 경우 다른 법령상의 인허가를 의제할 수 있도록 하는 근거규정을 마련하여두고 있다.[137] 이와 같은 인허가 의제조항의 법적 성질과 관련하여 행정법학에서는 인허가 의제제도가 독일법상의 '집중효'[138]에 해당하는

---

[137] 참고로, 이와 같은 인허가 의제제도가 우리 법상 본격적으로 도입된 시초는 통상 1973. 12. 24. 제정된 산업기지개발촉진법으로 알려져 있다. 초기의 인허가 의제조항은 도시계획사업 시행자지정, 도시계획사업 실시계획인가, 수도사업인가, 공공하수도사업허가, 공유수면점용허가, 하천공사시행허가, 도로공사시행허가, 농지전용허가, 입목벌채허가 등 11개 법률, 13개 인허가를 의제하였다. 정태용, 인·허가의제의 효력범위에 관한 고찰, 법제논단, 2017. 12., 219면의 논의 참조.

[138] "계획확정이 일반법규에 규정되어 있는 승인 또는 허가 등을 대체시키는 효과"를 집중효라 함. 홍정선, 행정법특강, 제10판, 박영사, 2011, 170면에서 직접 인용.

것인지 여부에 대한 관념적인 논의가 있어왔으나 실무적으로 이와 같은 논의가 특별한 실익이 인정되기는 어려운 것으로 판단되고, 우리의 법제도와 반드시 일치하는 논의라고 보기도 어렵다.[139]

오히려, 문헌들 중에는 인허가 의제를 ① 절차간소화를 위하여 인허가를 의제하는 것('절차간소화 의제조항')과 ② 주된 인허가의 성질상 의제되는 인허가가 반드시 필요적으로 수반되어야만 하는 경우('필수적 의제조항')로 구분한 다음, 전자의 경우에는 당사자가 의제되는 인허가에 관련된 신청서를 제출하지 아니하는 경우에는 의제의 효력이 발생하지 아니하는 것이고, 반면 후자의 경우에는 처분의 성질상 신청서가 미제출된 경우에도 의제의 효력이 인정되는 것이라 구분하여 접근해야 한다는 논의가 발견된다.[140] 이는 주된 인허가와 의제되는 인허가의 내용적인 관계를 고려하여, 가사 절차상으로 의제되는 인허가에 대한 행정청의 심사가 완료되지 아니하였더라도 반드시 의제되어야 하는 것들에 대하여는 의제효과를 부여하고, 그렇지 아니한 경우에는 의제되는 인허가의 권한을 지닌 행정청의 판단 및 심사권한을 가급적이면 존중하는 논의인 것으로 사료된다.[141]

II. 협의와 인허가 의제의 효력

1. 협의의 의미

현재 대부분의 개발사업법령들은 인허가 의제시 해당 인허가의 발급 권한을 지닌 행정청과 '협의' 절차를 거칠 것을 요구하고 있는데, 이와

---

139) 김종보, 건설법의 이해, 제6판, 피데스, 2018, 127면 참조.
140) 김종보, 건설법의 이해, 제6판, 피데스, 2018, 125면 이하 참조.
141) 대법원 2018. 7. 12. 선고 2017두48734 판결. "인허가의제의 취지가 의제된 인허가사항에 관한 개별법령상의 절차나 요건 심사를 배제하는 데 있다고 볼 것은 아니다."

같은 협의의 법적성질 - 곧, 협의를 결여하거나 관계 행정기관이 의제되는 인허가에 반대 의사를 표명하는 경우 인허가 의제효과가 발생하는지 여부 등을 두고 학술적, 실무적으로 많은 논의가 있어 왔다.

현재의 대체적인 견해는 인허가 의제시 거치게 되는 '협의'를 '동의' - 곧 의사합치를 요구하는 수준에 이르러야 한다고 보는 것으로 사료된다.[142] 이와 같은 견해에 의하면 단순히 관계 행정기관의 의견을 조회한 정도만으로는 해당 인허가가 의제되지 아니하고, 관계 행정기관의 동의 또는 합의와 같은 의사표시가 있어야만 비로소 해당 인허가가 의제된다고 보는 것이다. 하급심 판례 중에도 이와 같은 견해를 취한 것이 발견된다.[143]

다만, 대법원 판결례들상으로는 인허가 의제제도뿐만 아니라 실정법상 등장하는 "협의"라는 표현의 의미에 대하여 다양한 해석들이 발견되는바, 대법원은 국방·군사시설 사업에 관한 법률 및 구 산림법에서

---

142) 송연선, 인허가의제제도에 관한 법제연구, 한국법제연구원, 2005. 12., 43면; 김유환, 현대 행정법강의, 법문사, 2016, 128면 등 참조.

143) 의정부지방법원 2008. 12. 9 선고 2008구합2069 판결. "인·허가의제규정은 행정청이 자신의 권한 범위 내에서 허가, 인가, 승인 등을 하는 경우 다른 행정기관의 권한의 범위에 속하는 허가, 인가, 승인 등도 같이 이루어진 것으로 보는 규정이다. 이는 민원인으로 하여금 여러 개의 인·허가 등을 각 행정기관에서 개별적으로 받게 할 경우 인·허가 등의 절차가 복잡해지므로, 의제대상 인·허가 등을 정하고 있는 각 개별법의 실체적 요건에 적합하고, 또한 소관 행정청과의 협의가 있는 때에, 주된 인·허가시에 의제대상 인·허가 등이 있는 것으로 봄으로써 목적사업을 위한 복합적인 인·허가의 신속한 결정처리를 위하여 여러 절차를 일원화 하여 절차적 편의를 도모하고자 하는 것이고, 의제대상 인·허가사항에 관한 실체적 요건을 갖추었는지 여부, 인·허가를 하여도 되는지에 대한 검토는 해당 인·허가사항의 인·허가권한을 가진 행정기관이 개별 인·허가처분을 할 때와 동일한 정도의 검토가 이루어지는 것이라 하겠다. 따라서 인·허가의제규정에 있어서 관계 행정기관과의 협의는 단순히 의제대상 인·허가행정기관의 의견을 듣는 데에 그치는 것이 아니라 의제대상 인·허가행정기관의 동의를 구하는 것으로서 사실상 합의를 뜻한다고 할 것이다."

보전임지를 다른 용도로 이용하기 위한 사업에 대하여 승인 등 처분을 하기 전에 미리 산림청장과 '협의'를 하라고 규정한 조항과 관련하여 "그의 자문을 구하라는 것이지 그 의견을 따라 처분을 하라는 의미는 아니"라고 판시한 바 있는 반면[144], '협의'를 '동의'와 같은 의미로 본 것들도 발견되는 상황이다.[145]

정리컨대, 현재로서는 협의는 가급적 동의의 의미로 좁게 해석하는 것이 안전할 것으로 사료되는바, 인허가 의제 제도는 대부분의 경우 절차간소화의 취지에서 규정된 것들이 많고, '협의'는 인허가 발급권한을 지닌 관계 행정기관의 견해를 존중하고 그 권한을 침해하지 아니하고자 하는 취지에서 요구되는 것이라 봄이 타당하므로, 관계 행정기관이 명시적인 반대의사를 표명하는 경우에는 당해 인허가의 경우에는 의제되지 아니하는 것으로 봄이 상당하다고 사료된다. 나아가 후술할 바와 같이 현재의 대법원 판결의 태도에 의할 때 그와 같이 일부 인허가를 의제되지 아니하는 것으로 둔 채로 주된 인허가를 발급하는 것이 충분히 가능하므로, 관계 행정기관이 반대의사를 표명한 인허가를 의제 대상에서 일부 제외한 부분적 인허가 의제 또한 법리적으로도 가능한 상황이다.

2. 협의에 응하지 아니하는 경우

다만, 법 제19조 제2항과 같이, 개별 개발사업법령들은 주된 인허가를 관장하는 행정기관이 협의의견을 조회토록 하되, 관계 행정기관에게 일정한 기간 내 회신하도록 정한 뒤, 그 기간을 도과하는 경우에는 협의한 것으로 간주하는 내용의 조문을 두고 있다. 항만재개발사업의 경우

---

144) 대법원 2006. 6. 30. 선고 2005두14363 판결.
145) 대법원 2006. 3. 10. 선고 2004추119 판결.

관계 행정기관의 장은 협의 요청을 받은 날부터 20일 이내에 의견을 제출하여야 하고, 그 기간 내에 의견을 제출하지 아니하면 협의가 이루어진 것으로 보게 된다.

이와 같은 간주조항은 관계 행정기관이 협의에 불성실하게 응함으로 인하여 당사자에 대한 인허가 발급이 마냥 지연되는 것을 방지하기 위한 취지에서 도입된 것으로 사료된다.

III. 의제의 범위

통상적으로 개발사업법령들은 의제되는 인허가를 20 ~ 30개 정도로 열거하고 있는데, 개별 사업의 특성에 따라 일부 가감이 이루어지게 되고 대부분은 대동소이한 모습을 띠고 있다.

법이 의제하는 인허가의 목록은 다음과 같다. 법이 의제하고 있는 인허가의 범위는 여타 개발사업법령들 중에서도 많은 수준이라 할 수 있다. 참고로 도시정비법의 경우에는 18개 법률상의 인허가가 의제되어 항만재개발사업보다 의제되는 인허가의 수가 적은 반면(동법 제57조 제1항), 도시개발법의 경우에는 31개 법률상의 인허가가 의제되어(동법 제19조 제1항) 항만재개발사업과 유사한 수준이다.

[법령] 항만재개발사업의 경우 의제되는 인허가의 범위

1. 「건축법」 제11조에 따른 건축허가, 같은 법 제14조에 따른 건축신고, 같은 법 제16조에 따른 허가와 신고사항의 변경, 같은 법 제20조에 따른 가설건축물의 허가·신고 및 같은 법 제29조에 따른 건축협의
2. 「경제자유구역의 지정 및 운영에 관한 특별법」 제9조에 따른 경제자유구역개발사업 실시계획의 승인
3. 「골재채취법」 제22조에 따른 골재채취의 허가
4. 「공유수면 관리 및 매립에 관한 법률」 제8조에 따른 공유수면의 점용·사용 허가, 같은 법 제17조에 따른 점용·사용 실시계획의 승인 또는 신고, 같은

법 제28조에 따른 공유수면의 매립면허, 같은 법 제35조에 따른 국가 등이 시행하는 매립의 협의 또는 승인 및 같은 법 제38조에 따른 공유수면매립실시계획의 승인

5. 「관광진흥법」 제15조에 따른 사업계획의 승인

6. 「국토의 계획 및 이용에 관한 법률」 제30조에 따른 도시·군관리계획의 결정, 같은 법 제56조에 따른 토지의 형질변경·분할 허가, 같은 법 제86조에 따른 도시·군계획시설사업의 시행자 지정 및 같은 법 제88조에 따른 도시·군계획시설사업에 관한 실시계획의 인가

7. 「농어촌정비법」 제23조에 따른 농업생산기반시설의 사용허가 및 같은 법 제82조 제2항에 따른 농어촌 관광휴양단지 개발 사업계획의 승인

8. 「농지법」 제34조에 따른 농지의 전용허가 또는 협의

9. 「도로법」 제107조에 따른 도로관리청과의 협의 또는 승인(같은 법 제19조에 따른 도로 노선의 지정·고시, 같은 법 제25조에 따른 도로구역의 결정, 같은 법 제36조에 따른 도로관리청이 아닌 자에 대한 도로공사 시행의 허가 및 같은 법 제61조에 따른 도로의 점용 허가에 관한 것으로 한정한다)

10. 「도시개발법」 제3조에 따른 도시개발구역의 지정, 같은 법 제4조에 따른 도시개발사업 계획의 수립, 같은 법 제11조에 따른 도시개발사업 시행자의 지정 및 같은 법 제17조에 따른 실시계획의 인가

11. 「사방사업법」 제14조에 따른 입목·죽의 벌채, 토석·나무뿌리 또는 풀뿌리의 채취 등의 허가 및 같은 법 제20조에 따른 사방지의 지정해제

12. 「산림보호법」 제9조 제1항 및 같은 조 제2항 제1호·제2호에 따른 산림보호구역(산림유전자원보호구역은 제외한다)에서의 행위의 허가·신고

13. 「산림자원의 조성 및 관리에 관한 법률」 제36조 제1항·제4항에 따른 입목벌채등의 허가·신고

14. 「산업입지 및 개발에 관한 법률」 제17조에 따른 국가산업단지개발실시계획의 승인, 같은 법 제18조에 따른 일반산업단지개발실시계획의 승인, 같은 법 제18조의2에 따른 도시첨단산업단지개발실시계획의 승인 및 같은 법 제19조에 따른 농공단지개발실시계획의 승인

15. 「산업집적활성화 및 공장설립에 관한 법률」 제13조에 따른 공장설립등의 승인, 같은 법 제14조에 따른 공장의 건축허가, 같은 법 제14조의2에 따른 공장건축물의 사용승인, 같은 법 제14조의3에 따른 제조시설설치승인 및 같은 법 제28조의2에 따른 지식산업센터의 설립승인 등

16. 「산지관리법」 제14조에 따른 산지전용허가, 같은 법 제15조에 따른 산지전용신고 및 같은 법 제15조의2에 따른 산지일시사용허가·신고

17. 「소방시설공사업법」 제13조 제1항에 따른 소방시설공사의 신고
18. 「소하천정비법」 제10조에 따른 소하천등 정비 허가
19. 「수도법」 제17조 제1항에 따른 일반수도사업의 인가, 같은 법 제49조에 따른 공업용수도사업의 인가, 같은 법 제52조에 따른 전용상수도 설치의 인가 및 같은 법 제54조에 따라 준용되는 같은 법 제52조에 따른 전용공업용수도 설치의 인가
20. 「수산자원관리법」 제47조에 따른 보호수면에서의 공사시행 승인
21. 「위험물안전관리법」 제6조 제1항에 따른 제조소등의 설치 허가
22. 「자연공원법」 제71조에 따른 공원관리청과의 협의
23. 「전기사업법」 제62조에 따른 자가용전기설비 공사계획의 인가 또는 신고
24. 「체육시설의 설치·이용에 관한 법률」 제12조에 따른 사업계획의 승인
25. 「택지개발촉진법」 제9조에 따른 택지개발사업 실시계획의 승인
26. 「하수도법」 제16조에 따른 공공하수도 공사의 시행허가 및 같은 법 제24조에 따른 점용허가
27. 「하천법」 제30조에 따른 하천공사의 시행허가 및 하천공사실시계획의 인가, 같은 법 제33조에 따른 하천의 점용허가
28. 「화재예방, 소방시설 설치·유지 및 안전관리에 관한 법률」 제7조 제1항에 따른 건축허가등의 동의

IV. 인허가 의제에 관한 주요 대법원 판결례상의 쟁점

1. 의제된 처분을 다투는 경우의 대상

만일 제3자가 실시계획 승인에 의제된 인허가의 하자를 다투어 행정쟁송을 제기하려는 경우, 대법원은 의제된 인허가 - 곧, 다투고자 하는 인허가를 대상으로 삼아야 한다는 견해를 취한 바 있다. 대법원은 주택건설사업계획 승인처분에 따라 의제된 인허가에 하자가 있어 이해관계인이 위법함을 다투고자 하는 경우, 취소를 구할 대상은 '의제된 인허가'라고 하면서, 의제된 인허가가 주택건설사업계획 승인처분과 별도로 항고소송의 대상이 되는 처분에 해당할 수 있다고 판단한 바 있다.[146)]

해당 사안은 주택건설사업계획승인에 의제된 '지구단위계획결정'을 원고가 취소소송으로 취소를 구하는 대상으로 삼은 사안이다.

다만, 이러한 법리가 어느 범위까지 통용될 수 있는지에 대하여는 의문이 있는데, 위 대법원 2016두38792 판결에서 문제된 지구단위계획결정이나 도시계획시설결정 등의 경우에는 주택건설사업 자체와는 관념적으로나마 구분이 가능한 인허가라고 볼 수 있으나, 주택건설사업에 필연적으로 수반될 수밖에 없는 처분(예컨대 건축법상 건축허가나 국토계획법상 개발행위허가)이나, 주된 인허가와 의제되는 인허가의 심사 범위가 중첩되는 경우에도 이와 같은 결론이 유지될 수 있을지에 대하여는 추후 판결례의 경향을 살펴보아야 할 것으로 보인다. 대법원 2016두38792 판결 또한 "적어도 '부분 인허가 의제'가 허용되는 경우" - 곧, 의제되는 인허가의 효력과 주된 인허가의 효력을 관념적으로 구분하고 분리할 수 있는 경우를 전제하여 이 경우 의제되는 인허가를 독립적으로 다툴 수 있다는 논지를 펴고 있으므로, 만일 양자가 필수불가결하게 연결되어 있어 관념적인 분리가 어려운 경우에는 이와 같은 결론이 유지되기 어려울 가능성이 있을 것이다.

2. 주된 인허가를 그대로 둔 채 의제된 인허가만을 취소할 수 있는지

대법원은 주된 인허가에 의하여 의제된 인허가만 취소 내지 철회함으로써 주된 인허가의 효력은 유지하면서 해당 의제된 인허가의 효력만을 소멸시키는 것이 가능하다는 입장을 취하고 있다.[147] 이를 참조하면, 항만재개발사업의 경우에도 실시계획 승인의 효력을 유지하면서 그에 의제되는 일부 처분을 취소하거나 철회하는 것 또한 가능하다고 볼

---

146) 대법원 2018. 11. 29. 선고 2016두38792 판결.
147) 대법원 2018. 7. 12. 선고 2017두48734 판결

수 있겠다.

다만, 위와 같은 대법원 판결의 논지는 인허가 의제 조항 중에서도 '절차간소화 의제조항'의 성격을 지니는 것들[148]에 대한 것으로 보이고, 이른바 '필수적 의제조항'의 경우를 전제하고 있지는 아니한 것으로 사료된다. 따라서, 인허가 의제조항에 대한 법리가 발전해나감에 따라 필수적 의제조항으로 분류될 수 있는 인허가들에 대한 다툼이 있는 경우에 대한 법리를 정리해나갈 필요가 있는데, 필수적 의제조항의 경우에는 이를 독립하여 취소하는 것은 곧 전체 사업의 취소를 의미하는 것이나 다름없게 되는 것이므로 주된 인허가의 효력을 유지시키면서 그것만의 취소를 구하는 것이 가능하다고 볼 수 있을지는 의문의 소지가 있겠다.

3. 인허가 의제사항 중 부분적인 의제가 가능한지 여부

대법원은 인허가 의제 시 협의를 요하는 경우, 협의를 완료한 사항에 대하여만 부분적인 의제효과를 부여하는 것 또한 가능하다는 입장을 취하고 있는 것으로 사료된다.[149] 다만, 이와 같은 입장 또한 주로 인허가 의제조항들 대부분을 차지하는 '절차간소화 의제조항'을 전제한 논

---

148) 해당 판결은 "위 규정에 의하면 사업계획승인권자가 관계 행정기관의 장과 미리 협의한 사항에 한하여 승인 시에 그 인허가가 의제될 뿐이고, 해당 사업과 관련된 모든 인허가 의제사항에 관하여 일괄하여 사전 협의를 거쳐야 하는 것은 아니다(대법원 2012. 2. 9. 선고 2009두16305 판결 등 참조). 업무처리지침 제15조 제1항은 협의가 이루어지지 않은 인허가사항을 제외하고 일부만을 승인할 수 있다고 규정함으로써 이러한 취지를 명확히 하고 있다."라고 하여 절차간소화 의제조항의 경우를 전제하고 있다.

149) 대법원 2018. 10. 25. 선고 2018두43095 판결. "공항개발사업 실시계획의 승인권자가 관계 행정청과 미리 협의한 사항에 한하여 그 승인처분을 할 때에 인허가 등이 의제된다고 보아야 한다."

지로 보인다. 대법원 판결의 입장을 참조하면, 해양수산부장관은 항만 재개발사업의 실시계획 승인 시 관계 행정기관의 장과 협의가 완료되지 아니한 부분에 대하여는 명시적으로 인허가 의제효과를 배제한다는 취지를 표시하여 실시계획 승인처분을 할 수 있는 것으로 사료된다.

4. 주된 인허가의 변경과 의제된 인허가의 변경

대법원은 "인가관청이 구 국토계획법 제88조 제2항에 의하여 실시계획 인가를 하는 경우뿐만 아니라 같은 조 제4항에 의하여 실시계획 변경인가를 하는 경우에도 같은 법 제92조 제1항에 따라 산지전용허가 등 관련 인허가 등을 받은 것으로 보아야 할 것이다"라고 하여, 주된 인허가의 변경처분에 대하여도 최초의 인허가에 대한 의제조문의 효력이 그대로 적용되는 것으로 보고 있다.[150] 또한 법제처는 "실시계획의 변경승인도 사업시행자에게 일반산업단지개발사업을 실시할 수 있는 권한을 설정해 주는 처분이라는 점에서 최초의 승인과 다르지 않다"라고 설명하면서, 가사 최초의 실시계획 승인이 실효된 이후에도, '변경 승인'이 있고 그것이 새로운 승인으로서의 요건을 갖춘 경우에는 그에 기한 인허가 의제효과가 그 때로부터 다시 발생하는 것이라고 설명하고 있다. 즉, 그 명칭 여하에도 불구하고, 변경처분이 최초의 처분의 요건을 갖춘 것이라면 그에 대하여도 당연히 새로이 인허가 의제 효과를 부여할 수 있다는 것이다.[151] 이상의 논지들을 종합하면, 주된 인허가가 변경되는 경우에도 의제조항은 그대로 적용되는 것이고, 따라서 협의 등의 절차를 거치는 경우에는 주된 인허가 내용의 변경에 따라 의제되는 인허가의 내용도 변경되는 것이라 볼 여지가 있다.

---

150) 대법원 2015. 10. 29. 선고 2013다218248 판결.
151) 법제처 2018. 8. 29. 회신 18-0222 해석례.

최근 법제처는 "특화특구계획을 변경하면 특화특구계획 승인 시 의제된 도시·군관리계획의 결정 및 인허가등의 변경도 의제"된다는 견해를 명시적으로 밝힌 바 있다. 다만, 이는 「규제자유특구 및 지역특화발전특구에 관한 규제특례법」의 개정에 따라 "승인받은 특화특구토지이용계획을 변경하여 적용하려는 경우"라는 명시적인 문언이 신설되었고, 그와 같은 신설된 표현의 의미가 "특화특구토지이용계획이 포함된 특화특구계획의 변경 시에도 도시·군관리계획의 결정 및 인허가등의 의제를 적용하도록 하기 위한 것"에 해당함을 전제로 한 것이다.[152]

따라서, 이와 같은 법제처의 논지가 항만재개발사업에 대하여도 곧바로 적용될 수 있는 것인지는 신중하게 접근할 필요가 있겠으나, 법은 인허가 의제에 관한 제19조 제2항에서 "해양수산부장관은 제17조에 따라 실시계획을 승인하거나 변경승인하려는 경우", 동조 제4항에서 "제1항에 따른 인가·허가등의 의제(擬制)를 받으려면 실시계획의 승인 또는 변경승인을 신청할 때"라는 문언을 사용하여 변경승인의 경우에도 의제되는 인허가에 관한 서류를 제출하여 그에 대한 변경이 수반되어 같이 이루어질 수 있도록 정하고 있는바, 위 법제처 19-0450 해석례의 견해가 적용될 수 있을 것으로 판단된다.

---

152) 법제처 2019. 10. 16. 회신 19-0450 해석례.

실시계획의 변경

I. 실시계획 최초 승인에 관한 절차의 준용

법은 사업시행자가 승인받은 실시계획을 변경하려는 경우에도 당초의 실시계획 승인의 절차에 관한 규정을 준용하도록 정하고 있다(법 제17조 제6항). 따라서 해양수산부장관은 관계 지방자치단체장의 의견 청취 절차(동조 제3항), 변경되는 인허가 의제 사항에 대한 협의절차(법 제19조 제2항 내지 제4항) 등을 거쳐 실시계획 승인을 내어주어야 하고, 변경승인을 한 다음에는 고시 및 열람절차(법 제17조 제4항)를 거쳐야 한다.

당초의 실시계획 승인처분이 재량행위로서의 성질을 지니는 것으로 판단되는 점을 고려하면, 변경승인의 경우에도 재량행위로서의 성질을 동일하게 지니는 것으로 볼 수 있겠다.

II. 경미한 변경의 경우

법은 일정한 경미한 사항을 변경하는 경우에는 위와 같은 복잡한 절차를 거치지 아니할 수 있도록 정하고 있다. 경미한 변경사항에 해당하는 사항들에 대하여는 시행령(안) 제24조 제1항이 다음과 같이 정하고 있다.

제24조(실시계획의 경미한 변경) ① 법 제17조 제6항 단서에서 "대통령령으로
정하는 경미한 사항을 변경하는 경우"란 다음 각 호의 사항을 말한다.
1. 사업시행자의 성명 · 명칭 또는 주소
2. 사업시행지역의 변동이 없는 범위에서 측량 착오 등에 따른 시행면적의 정
정이 필요한 사항
3. 「국토의 계획 및 이용에 관한 법률」 제2조 제4호에 따른 도시 · 군관리계획
에서 결정된 사항
4. 그 밖에 해양수산부장관이 경미한 변경이라고 인정하는 사항

한편, 법 제17조 제6항 단서는 경미한 변경사항에 대하여 "그러하지
아니하다"라고만 규정하고 있는데, 이는 경미한 변경사항에 대하여는
해양수산부장관의 승인 등의 행위를 거칠 필요도 없이 사업시행자가
스스로 변경이 가능한 것이고, 사업시행자가 변경함에 따라 곧바로 변
경된 내용대로 효력이 발생하는 것이라 보아야 한다.[153]

관련하여, 시행령(안) 제24조 제2항은 사업시행자가 경미한 변경 사
항을 변경한 경우 그 내용을 지체없이 해양수산부장관에게 통보할 것
을 요구하고 있는데, 이와 같은 통보는 이미 경미한 변경사항에 대한 변
경효과가 발생한 다음 사후적으로 그 사실을 알리는 정도의 의미를 지
니는 것(사실적 통지)으로서의 성격을 지니는 것에 불과하고, 통지가
결여되었다고 하여 경미한 변경 사항의 변경효과가 발생하지 않는다고
볼 수는 없을 것이다.

다만, 시행령(안) 제24조 제1항 제4호의 "그 밖에 해양수산부장관이
경미한 변경이라고 인정하는 사항"의 경우에는 경미한 변경에 해당하

---

153) 경미한 변경 절차에 관련한 행정법학적 논의에 대하여는 김종보, 건설법의 이해, 제6
판, 피데스, 2018, 283면 참조.

는지 여부에 대하여 해양수산부장관의 판단이 선행하여 이루어져야 하므로, 이 경우에는 사업시행자가 자의적으로 해양수산부장관의 판단을 짐작하여 변경할 수는 없는 것이고, 해양수산부장관의 인정행위가 있고 그에 따라 변경이 이루지는 경우에 비로소 변경의 효력이 발생한다고 볼 수 있을 것으로 사료된다.

승인의 취소[제18조]

I. 의의

법은 실시계획 승인을 발급한 다음 일정한 사유가 인정되는 경우, 해양수산부장관은 ① 실시계획의 승인을 취소하거나 ② 공사의 중지·변경, 시설물 또는 물건의 개축·변경·이전·제거 또는 원상회복에 대한 명령이나 ③ 그 밖에 필요한 처분 등을 할 수 있도록 정하고 있다. 실시계획 승인이 발급된 이후에도 실시계획이나 승인, 그 밖에 사업에 관련한 어떠한 원시적·후발적인 하자가 발견되는 경우, 해양수산부장관은 이를 적절하게 교정할 필요가 있을 것인데, 법은 해양수산부장관에게 그와 같은 처분권한을 부여하기 위하여 법 제18조 제1항의 규정을 두고 있는 것이다.

법 제18조의 규정은 구 항만법상으로는 입법되어 있지 아니하였던 조문인데, 금번에 법 제정으로 인하여 다른 개발사업법령들을 참조하여 신설한 것이다.[154)

참고로, 법은 '그 밖의 필요한 처분'의 의미나 범위에 대하여는 특별한 규정을 두지 아니한 채 해양수산부령에 이를 포괄적으로 위임하고 있다. 처분이 침익적인 성격을 지니게 될 가능성이 높다는 점을 고려하

---

154) 국회 농림축산식품해양수산위원회, 항만 재개발 및 주변지역 발전에 관한 법률안 검토보고서, 2019. 3., 12면 참조.

면, 그 내용의 대강이나마 법률 수준에서 규정되는 것이 타당할 것으로 사료된다. 법 제18조 제1항 본문상으로는 취소, 원상회복 명령 등 구체적인 처분의 종류가 열거되어 있으므로, '그 밖의 필요한 처분'의 범위 또한 열거된 처분들과 유사한 것이 됨이 타당할 것으로 사료된다.

II. 처분의 사유

법은 1. 사업시행자가 거짓이나 그 밖의 부정한 방법으로 제17조에 따른 실시계획의 승인을 받은 경우, 2. 사업시행자가 제17조에 따라 승인받은 실시계획의 내용과 다르게 사업을 시행한 경우, 3. 천재지변 등 대통령령으로 정하는 사유로 항만재개발사업의 목적을 달성하기 어렵다고 인정되는 경우(중앙심의회의 심의를 거친 경우로 한정한다), 4. 사업시행자가 제28조에 따른 원형지 공급계획의 승인을 받지 아니하고 원형지를 공급한 경우 등을 처분 사유로 열거하고 있다. 제3호와 관련하여 시행령(안) 제25조는 "사업시행자가 파산 등 경영상의 이유 등으로 승인의 취소 등을 신청하는 경우"로 구체화하고 있다.

이와 같은 처분사유를 분류하여 보면 ① 실시계획 승인에 대하여 원시적인하자가 있었던 경우(제1호), ② 실시계획 승인 이후 후발적인 사유가 발생한 경우(제3호), ③ 승인받은 실시계획의 내용을 위반한 경우(제2호, 제4호) 등으로 구분할 수 있겠다.

III. 취소 등의 법적 성격

1. 법 제18조 제1항 제1호의 경우

법학적으로 본다면 법 제18조 제1항 제1호의 경우는 법이론상 '취소' 사유에 해당하는 것으로서 처분에 원시적인 하자가 존재하는 경우 이와 같은 근거조항이 별도로 마련되어 있지 아니하더라도 해양수산부장관은 취소를 할 수 있는 것이기는 하다. 다만, 법은 제1호 사유가 인정되는 경우에는 '필수적'으로 승인을 취소하도록 하고 있다는 점에서 그 의미를 찾을 수 있다(동항 단서).

관련하여, 법 제18조 제1항 단서의 규정에도 불구하고, 동항 제1호 사유가 존재함에도 승인을 취소하지 아니할 수 있는지 여부가 문제될 수 있다. 참고로, 이와 같이 '필요적 취소' 사유를 규정하여 일정한 경우 반드시 취소처분을 하도록 정하고 있는 항공사업법 제28조 제1항 단서와 관련하여, 항공사업법 소관부처인 국토교통부는 여러 제반사정을 고려하여 법률이 정한 필요적 취소사유에 해당한다고 할지라도 취소처분을 하지 않을 수 있다는 견해를 취한 바 있기는 하다.[155] 그러나, 이는 매우 예외적인 사례일 뿐만 아니라 그와 같은 견해가 적법·타당한 것이라 볼 수 있는지에 대하여는 의문의 소지가 많으므로 항만재개발사업에 대하여도 이와 같은 견해를 참고하기는 어려울 것으로 사료된다. 따라서, 법 제18조 제1항 제1호의 사유가 발견된다면 해양수산부장관으로서는 반드시 승인 처분을 취소하여야 할 것이다.

2. 법 제18조 제1항 제3호의 경우

법학적으로 보면, 법 제18조 제1항 제3호는 승인처분이 내려진 이후에 발생한 후발적인 사유를 원인으로 하여 승인처분을 취소하거나 그 밖에 다른 처분들을 내리는 것이다. 이 경우 '취소'는 법이론상 '철회'에 해당하는 것으로, 법이론상 취소와 철회는 처분이 소급하여 효력을 잃는 것인지 아니면 장래를 향하여 효력을 잃는 것인지를 두고 구분되는

---

155) 국토교통부, 진에어·에어인천 면허취소 않기로 결정, 2018. 8. 17.자 보도자료 참조.

것인데, 취소의 경우 "그 효력의 전부 또는 일부를 원칙적으로 그 행위 시에 소급하여 상실시키는 행위"를 의미하는 반면, 철회는 "하자 없이 적법하게 성립한 행정행위를 행정청이 후발적 사유에 기하여 원칙적으로 장래에 향하여 그 효력을 상실시키는 별개의 행정행위"를 의미한다.[156]

법 제18조 제1항 제3호와 같은 철회 사유의 경우, 대법원은 철회사유의 존재를 주장하는 자 – 즉, 철회처분을 내리는 행정청에게 그 입증책임이 있다고 판시한 바 있다.[157]

3. 법 제18조 제1항 제2호, 제4호의 경우

실시계획 승인처분은 그 자체로 재량행위로서의 성격이 강하므로, 승인받은 실시계획의 내용대로 사업을 시행하지 않는 등 승인처분의 취지나 내용에 반하는 행위를 하는 경우에 대하여 해양수산부장관은 부관의 형식으로 해당 사유가 발생할 경우 처분을 취소하는 등의 처분을 할 수 있다는 내용을 붙일 수도 있는 것이다.[158] 다만, 법은 이와 같은 경우를 명시적으로 법으로 정해놓음으로써 해양수산부장관의 권한을 명문화해놓고 있다.

이와 같은 경우에도 취소는 후발적 사유에 의한 별개의 행정행위라 보아야 할 것인바, 법이론상으로는 '철회'에 해당하는 것으로 사료된다.

---

156) 김동희, 행정법I, 제16판, 박영사, 2010, 343면, 352면에서 직접인용.

157) 대법원 2006. 3. 16. 선고 2006두330 전원합의체 판결.

158) 재량행위에 대하여 부관을 붙일 수 있다는 점에 대하여는 대법원 2007. 7. 12. 선고 2007두6663 판결 등 참조.

IV. 취소 등의 고시

　법 제18조 제3항은 동조 제1항에 따른 취소 혹은 그 밖의 처분 등을 한 경우에는 그 사실을 고시하도록 정하고 있다. 고시문에는 1. 항만재개발사업의 명칭, 2. 사업구역의 위치 및 면적, 3. 사업시행자의 성명 또는 명칭(소재지와 대표자의 성명을 포함한다), 4. 실시계획의 승인 취소 등 처분내용·처분일 및 처분 사유 등이 포함되어야 한다.

　다만, 이와 같은 처분은 처분당사자에 대한 개별적인 처분에 해당하는 것이므로, 처분사실을 통지함으로써 처분의 효력이 발생한다고 보아야 하고, 법 제18조 제3항에 의한 고시 절차는 그와 같은 처분의 사실을 사후적으로 알리는 것으로서의 의미를 지니는 것으로 보아야 할 것으로 사료된다.

제**6**편

항만재개발사업의 시행

제1장 항만재개발사업의 총괄관리 [제23조]

I. 의의

법은 항만재개발사업과 관련하여 해양수산부장관이 총괄사업관리자를 지정하여 당해 사업의 사업계획 수립부터 전반적인 시행 과정을 총괄하여 관리할 수 있도록 정하고 있다. 이는 대규모 사업경험이 풍부한 공공기관 등을 총괄사업관리자로 지정하여 시행자 지정 시 적합성의 분석, 항만재개발사업에 포함되는 개별 사업 간의 공정관리 및 조정방안 마련 등의 업무를 수행하도록 함으로써 항만재개발사업을 효율적으로 추진할 수 있도록 도모하기 위한 취지에서 도입된 제도로, 금번 분법 과정에서 최초로 도입된 것이다.

입법자료상으로는 이와 같은 항만재개발사업에 대한 총괄사업관리자 제도의 연원이 되는 유사입법례가 명확하게 기재되어 있지 아니하나, 「도시재정비 촉진을 위한 특별법」(도시재정비법)상으로 유사한 제도를 살펴볼 수 있는바 동법의 제정(2005. 12. 30.) 당시부터 총괄사업관리자 제도가 도입되어 현재까지 시행되어오고 있다(동법 제14조). 도시재정비법 또한 사업의 효율적인 추진을 위하여 재정비촉진계획 수립단계에서부터 한국토지주택공사나 주택사업을 시행하기 위하여 설립된 지방공사와 같은 공공기관을 총괄사업관리자로 지정할 수 있도록 할 수 있는바, 그 업무범위나 취지에 있어 항만재개발사업의 총괄사업관리자와 매우 유사하다.

다만, 도시재정비법상의 제도와 관련하여 총괄사업관리자가 실질적으로 하는 업무가 거의 없는 등 사업의 시행에 별다른 도움을 주지 않는다는 비판론이 존재하였던 바 있고, 실제로도 그 운영실적이 미미하였던 사례가 있다.[159] 이는 재정비촉진지구의 경우 실질적인 사업의 내용은 도시정비법상의 정비사업이라고 할 수 있는데, 이미 서울시를 기준으로 할 경우 관할 주무관청인 구청들이 사업의 전반적인 시행경과나 과정에 대한 충분한 경험이 축적되어 있던 상태였고, 때문에 구청의 역할과 별개로 총괄사업관리자를 굳이 지정하여두는 행위가 불필요한 예산의 지출이 될 수 있다는 비판적인 인식이 존재하였던 것으로 추측된다.

반면, 항만재개발사업의 경우 권한의 위임(시행령(안) 제44조)에 의하여 실시계획 승인 단계에서부터 본격적인 사업의 물리적 시행 단계에서는 지방해양수산청장이 주무관청으로서 역할을 담당하는데, 여전히 사업의 추진 사례가 축적되어 있지 아니한 상태이고, 지방해양수산청이 개발사업을 주로 담당하여왔던 전례가 잘 없는 상황이기 때문에 오히려 총괄사업관리자를 지정함으로써 스스로의 업무를 경감하는 효과를 도모할 여지는 있을 것으로 보이기는 한다. 다만, 장기적으로도 총괄사업관리자 제도가 효용이 있는 제도로 남을 수 있을 것인지는 경과를 지켜보아야 할 것으로 사료된다.

---

159) 하우징헤럴드, 총괄사업관리자 무용론 '솔솔', 2009. 7. 14.자 기사. 총괄사업관리자 제도가 도입된지 약 4년이 경과하였음에도 불구하고 당시 재정비촉진지구가 위치하여 있던 서울시 10개 구청 중 2곳만 총괄사업관리자를 지정하였다.

II. 총괄사업관리자의 지정 및 운영

1. 지정의 임의성

법은 총괄사업관리자의 지정을 의무사항으로 정하고 있지 않다. 따라서 해양수산부장관은 스스로의 판단에 따라 총괄사업관리자를 지정하거나 지정하지 아니할 수 있도록 되어 있다. 참고로, 총괄사업관리자 지정 권한은 지방해양수산청장에게 위임되어 있지 아니하므로 해양수산부장관이 직접 지정하여야 한다.

2. 지정의 시기

법은 총괄사업관리자의 지정 시기에 대하여도 달리 규정을 두고 있지 않다. 따라서, 해양수산부장관은 필요에 따라 사업의 진행 단계와 상관없이 총괄사업관리자를 지정할 수 있는 것이라 보아야 하고, 따라서 법 시행 이전부터 이미 시행되고 있는 항만재개발사업에 대하여도 총괄사업관리자를 지정할 수 있는 것으로 해석할 수 있을 것이다..

3. 지정의 대상 및 절차

법은 총괄사업관리자로 지정할 수 있는 대상을 항만공사, 공공기관, 지방공기업 등 공공주체로 제한하고 있다(법 제23조 제1항). 때문에 총괄사업관리자의 지정에 경쟁의 방식을 도입하지 아니하고 있고, 단순히 총괄사업관리자가 되려고 하는 자로부터 수행계획 제안서를 제출받은 뒤 이를 토대로 해양수산부장관이 결정하도록 정하고 있을 뿐이다(시행령(안) 제28조 제1항).

III. 총괄사업관리자의 업무 범위

법이 정하고 있는 총괄사업관리자의 업무범위는 다음과 같다. 대체로 해양수산부장관 또는 지방해양수산청장이 처분에 관한 의사결정을 하기 위한 기초자료를 제공하는 업무를 수행하게 된다. 법상 해양수산부장관이나 지방해양수산청장이 총괄사업관리자의 의견에 구속되도록 정하고 있는 조항이 없으므로, 이와 같은 총괄사업관리자의 견해는 의사결정에 있어 참고용으로만 기능하는 것이고, 해양수산부장관 등이 그와 반대되는 결정을 하는 것이 금지되어 있다거나 재량을 일탈하여 위법한 것이라 단정하기는 어려울 것으로 보인다.

[법령] 총괄사업관리자의 업무

> **법 제23조(항만재개발사업의 총괄관리)** ② 제1항에 따라 지정된 총괄사업관리자는 다음 각 호의 업무를 수행한다.
> 1. 사업구역에서의 항만재개발사업의 총괄관리
> 2. 사업계획 및 실시계획에 대한 검토
> 3. 사업시행자 지정 시 적합성 분석
> 4. 항만재개발사업에 포함되는 개별 사업 간의 공정관리 및 조정방안 마련
> 5. 용지조성 사업에 대한 사업성 분석
> 6. 토지의 공급에 관한 적합성 분석
> 7. 그 밖에 항만재개발사업의 효율적인 추진을 위하여 대통령령으로 정하는 사항

토지 등의 수용·사용 [제24조]

I. 의의

통상의 개발사업법령들은 사업시행자가 사업을 원활하게 시행할 수 있도록 하기 위하여 본조와 같이 토지수용권을 부여하는 조항을 마련하고 있다. 법들은 일정한 단계에 이르러 토지보상법상 사업인정을 의제하는 조항을 둔 다음, 재결신청의 기한에 대한 개별 사업별 특례조항을 마련해두고 있고, 그 외의 사항에 대하여는 전적으로 토지보상법상의 절차들을 준용하는 입장을 취하고 있다.

II. 사업인정 의제를 위한 사전 협의 - 공익성 협의

법은 사업구역의 지정, 고시가 있는 경우 토지보상법상 사업인정이 의제되도록 하고 있다(법 제24조 제2항). 토지보상법은 이와 같이 사업인정이 의제되는 지구지정 등의 행위를 할 경우 미리 중앙토지수용위원회의 협의절차를 거치도록 정하고 있는바(토지보상법 제21조), 이를 실무상 '공익성 협의'라고 명명한다. 공익성 협의와 관련하여 중앙토지수용위원회는 '동의', '조건부 동의', '부동의'의 3가지 형태로 의견을 낼 수 있고, '부동의'를 하는 경우 당해 사업의 시행자는 수용재결을 신청할 수 없게 된다. 다만 토지보상법 시행규칙 제9조의3은 공익성을 보완하여 재차 협의를 요청할 수 있도록 허용하고 있다.[160]

중앙토지수용위원회가 공익성을 판단하는 기준은 ① 형식적 심사기준과 ② 실질적 심사기준으로 구분될 수 있는데, 후자와 관련하여서는 다시 (a) 당해 토지수용사업의 공공성과 (b) 토지수용의 필요성으로 나누어 실질적인 내용을 판단하게 된다. (a) '공공성'과 관련하여서는 사업시행의 공공성, 사업의 공공기여도, 사업시행자의 유형, 사업재원의 공공성, 사업수행능력, 목적 및 상위계획 부합여부, 공익의 지속성, 시설의 대중성 등을 심사하고, (b) '필요성'과 관련하여서는 피해의 최소성, 방법의 적절성, 사업의 시급성 등을 심사하게 된다.[161]

III. 그 외 본조의 특징

1. 수용권 부여를 위한 토지확보비율 요건의 부존재

한편, 통상 타 개발사업법령들은 수용권을 부여하거나 혹은 사업시행자로 지정되기 위한 요건 중의 하나로 일정한 비율 이상의 사업구역 내 토지를 확보하거나, 일정 비율 이상의 토지등소유자들로부터 동의를 확보하도록 하고 있으나[162], 항만재개발사업의 경우 그와 같은 조항이 마련되어 있지 않다.

항만재개발사업의 경우 항만구역뿐만 아니라 그 주변지역까지를 포함하는 것이므로 일견 일정 비율 이상의 확보율이나 동의율을 요하는 것이 타당하지 않은지에 대한 의문이 제기될 수도 있으나, 법 스스로 주변지역의 포함 비율 전체 사업구역의 1/3 이하로 제한하고 있고 항만구역의 경우에는 통상 기반시설로서 국공유재산에 해당할 가능성이 높으

---

160) 국토교통부 중앙토지수용위원회, 토지수용 업무편람, 2020, 38면 참조.
161) 이상 국토교통부 중앙토지수용위원회, 토지수용 업무편람, 2020, 39면의 논의를 요약한 것이다.
162) 예컨대 도시개발법 제11조 제1항 제5호, 제6호 등 참조.

므로 이와 같은 확보비율을 요구하지 않는다고 하더라도 큰 쟁점이 되지 아니하는 것으로 사료된다.

참고로, 토지보상법상 공익성 협의를 하는 경우 중앙토지수용위원회에서는 '사업구역 내 토지 등의 취득 및 사용에 대한 동의 비율'을 '방법의 적절성'과 관련한 항목으로 검토하고는 있다.[163)

2. 수용권 부여 및 행사의 시기

앞서 법 제21조, 제22조에 대한 논의에서 살펴본 바와 같이, 본조의 경우 사업시행자가 구체적으로 지정되지 아니한 상태에서 사업구역을 지정하는 단계에서 수용권을 인정하는 입법태도를 취하고 있다.

다만, 법은 수용권의 행사시기를 당해 항만재개발사업의 시행기간 내로 정하고 있고(법 제24조 제3항), 사업시행기간은 사업시행자가 지정된 후 그가 작성한 실시계획의 단계에서 비로소 확정되는 것이므로, 수용권의 행사 시기가 사실상 사업의 구체적인 시행을 위한 인허가의 발급 단계에 이르러야만 한다는 점에 있어서는 큰 차이가 없게 된다.

---

163) 국토교통부 중앙토지수용위원회, 토지수용 업무편람, 2020, 45면

토지소유자에 대한 환지
[제25조]

제3장

법 제25조(토지소유자에 대한 환지) ① 사업시행자는 사업구역에 토지를 소유하고 있는 자가 사업계획에서 정하는 바에 따라 해당 토지를 사용하려는 경우 해당 토지를 포함하여 항만재개발사업을 시행하고 해당 사업이 완료된 후 대통령령으로 정하는 바에 따라 해당 토지소유자에게 환지(換地)하여 줄 수 있다.

I. 의의

환지방식은 2014. 3. 24. 개정법에서 처음 도입되었다. 도시개발법에 근거하여 시행되는 도시개발사업의 경우 사업구역 내 기존 토지소유자(조합원)들에 대하여 기존 토지를 조성 후의 토지로 변환하여주는 방식의 사업구조를 마련하고 있고, 이를 '환지방식' 사업이라고 한다. 반면, 기존 토지소유자에게 분배, 변환할 것을 예정하지 아니하고, 사업시행자가 구역 내 토지를 모두 수용하는 등으로 취득하여 개발한 후, 이를 분양 등의 방법으로 매각하는 것을 '수용방식' 사업이라고 한다. 도시개발사업을 제외하면 대부분의 공익사업들은 '수용방식'으로 진행되며, 항만재개발사업 또한 기본적으로 '수용방식'을 근간으로 하여 시행되어 왔다고 볼 수 있다.

2014. 3. 24. 개정법이 '환지방식'을 새로이 도입한 취지는 "환지 방식에 의한 개발을 할 수 있도록 함으로써 사업이 보다 효율적으로 추진될 수 있도록" 하는 것에 있다. 즉, "원칙적으로 기존 토지 소유자에 대한

권리를 인정하기 때문에 토지소유자와 사업시행자 간 토지 매수・매도에 따른 갈등과 분쟁을 줄일 수 있고, 특히 사업시행자의 경우 토지 매입의 필요가 없으므로 사업 시행 시의 비용이 감소하는 장점이 있"다는 것이 입법자료상 발견되는 취지이다.[164]

다만, 도시정비법의 사례와 같이 주택재개발사업에 대하여 환지방식에 관한 근거규정을 마련하고 있음에도 불구하고, 현실적으로 해당 조문이 사용되는 경우는 거의 드문 경우들이 존재하는바, 이와 같은 개정법의 조문이 실질적으로 사업의 추진방식에 어떠한 영향을 미칠 수 있을지는 의문이 있다.

II. 도시개발법의 준용

> 법 제25조(토지소유자에 대한 환지) ② 제1항에 따른 환지에 관하여는 「도시개발법」 제4조 제4항부터 제7항까지, 제28조부터 제32조까지, 제32조의2, 제32조의3, 제33조부터 제36조까지, 제36조의2 및 제37조부터 제49조까지의 규정을 준용한다. 다만, 사업시행자가 「도시개발법」 제28조 제1항에 따른 환지 계획을 포함하여 실시계획의 승인을 받은 경우에는 같은 법 제29조에 따른 환지 계획의 인가를 받은 것으로 본다.

현재, 환지방식으로 진행된 항만재개발사업의 사례가 발견되지 아니하므로, 구체적인 사업의 시행방식이나 절차 등에 대하여는 환지방식 사업의 대표격이라 할 수 있는 도시개발사업의 사례를 참조할 수밖에 없을 것으로 보인다. 법 또한 환지방식 사업시행절차 등에 관하여 전적으로 도시개발법상의 각종 조문을 준용하는 태도를 보이고 있다.

구체적으로 법이 준용하고 있는 도시개발법의 조문의 범위를 살펴보

---

164) 이상 국회 농림수산식품해양위원회, 항만법 일부개정법률안 심사보고서, 2014. 2., 51 내지 52면에서 직접 인용.

면, 개발계획의 수립 및 토지소유자 동의 등에 관한 제4조(개발계획의 수립 및 변경) 제4항 내지 제7항과 함께, 환지방식 도시개발사업의 시행에 관한 "제3절 환지 방식에 의한 사업 시행"에 수록된 조문 전체를 포괄적으로 모두 준용하고 있다.

III. 환지방식 사업을 위한 요건 및 절차

1. 사업시행절차의 개관

도시개발법상 환지방식의 사업은 크게 ① 환지계획[165]의 작성 및 인가 ② 환지예정지[166]의 지정 ③ 환지처분 ④ 등기촉탁신청 ⑤ 청산금의 징수 및 교부 등의 절차를 거쳐 진행된다.[167] 쉽게 말해 사업시행자가 사업구역 내 토지들을 어떻게 재배치할 것인지의 계획을 수립하여 관할 행정관청의 인가를 받고, 그에 따라 토지를 배정받은 자들이 사업의 완료 이전에 미리 배정받을 토지를 사용할 수 있도록 '환지예정지'를 지정하여주었다가, 최종적으로 환지처분을 통하여 환지계획의 내용대로 각 소유자들에게 토지를 배정하여 주고, 이를 토대로 권리관계를 정리하면서 토지의 증감에 따른 차액 및 사업시행에 소요된 비용을 정산하

---

165) 환지계획이란 "사업계획에 의해 정해진 공공시설의 배치에 맞추어 개개의 대지를 어떻게 재배치 할 것인가를 정하는 청사진이자 환지처분에 의해 발생하는 관계 권리자 상호간의 불균형을 시정하기 위한 청산금의 징수·교부계획"을 말한다. 김동근·윤승현, 도시개발법, 제2판, 진원사, 2018, 320면에서 직접 인용.

166) 환지방식 도시개발사업의 경우 사업시행기간이 수십년에 이르는 경우도 있는데, 이 경우 토지소유자들의 토지이용에 상당한 제약이 가하여질 수 있다. 이에 도시개발법은 종전 토지소유자들이 사용할 수 있는 구역(통상은 환지계획에 따라 해당 토지소유자가 환지받을 토지가 됨)을 환지예정지로 지정하여 이를 사용할 수 있도록 허락하고 있다. 관련하여 김동근·윤승현, 도시개발법, 제2판, 진원사, 2018, 361 내지 362면 참조.

167) 김동근·윤승현, 도시개발법, 제2판, 진원사, 2018, 248 내지 249면 참조.

는 방식으로 사업을 시행하는 것이다.

항만재개발사업의 경우, 법은 항만재개발사업계획의 내용으로 사업의 시행방식을 정하도록 하고 있고(법 제9조 제3항 제6호), 실시계획 승인을 도시개발법상의 환지계획 인가로 의제하고 있다(법 제25조 제2항). 따라서 환지할 토지의 명세, 위치 등을 기재한 내용을 사업시행자가 실시계획의 내용으로 작성하여 인가를 받으면, 이후 그 내용에 기초하여 환지예정지를 지정하고, 환지처분을 하여 최종적으로 준공 및 청산에 이르는 과정으로 사업을 시행할 수 있을 것으로 사료된다.

2. 도시개발법 준용에 따른 절차적 쟁점

가. 토지소유자의 동의 요건

도시개발법은 환지방식으로 사업을 시행하기 위해서는, 당해 사업의 개발계획 수립 시 환지 방식이 적용되는 지역의 토지면적의 3분의 2 이상에 해당하는 토지 소유자와 그 지역의 토지 소유자 총수의 2분의 1 이상의 동의를 받을 것을 요건으로 하고 있다(도시개발법 제4조 제4항). 항만재개발사업에 관하여 법 제25조 제2항은 위와 같은 도시개발법 조문을 준용하고 있으므로, 항만재개발사업의 경우에도 환지방식으로 시행하고자 하는 지역을 기준으로 하여 위와 같은 동의 요건을 충족하여야 한다.

후술할 바와 같이 이와 같은 요건은 '실시계획 승인 단계'에 이르러서 충족하여야 하는 것으로 사료된다.

나. 별도의 개발계획 수립이 필요한지 여부

한편, 법은 실시계획 승인에 관하여 도시개발법상 환지계획의 인가를 의제하고 있으면서도(법 제25조 제2항 단서), 위와 같은 동의율 요건이 요구되는 대상인 도시개발법상 개발계획에 대응하는 행정계획이 무엇인지에 대하여는 별다른 언급을 하고 있지 않다. 다만, 법은 실시계획 승인 시 의제되는 인허가의 대상 중의 하나로 도시개발사업의 시행 시 요구되는 구역지정부터 실시계획 인가까지의 모든 인허가를 열거하고 있고(법 제19조 제1항 제10호), 개발계획 또한 실시계획 승인 시의 인허가 의제 대상에 포함되어 있을 뿐이다.

사업시행의 순서나 체계를 고려한다면 환지방식과 같은 사업의 시행방식을 정하게 되는 항만재개발사업계획 단계가 도시개발법상 개발계획의 수립 단계와 유사하다고 볼 수 있고[168], 따라서 그 단계에서부터 토지소유자의 동의 요건의 충족을 요구하여야 하는 것은 아닌지 논란의 소지가 존재할 수 있다.

그러나, 법이 명시적으로 항만재개발사업계획과 개발계획을 의제관계 등으로 연관짓고 있지 아니한 이상, 항만재개발사업계획의 수립 당시부터 개발계획의 요건 등에 관한 도시개발법 제4조 제4항 등을 요구하는 것은 근거를 찾기가 어려워 보인다. 그렇다고 하여 실시계획 승인 시 개발계획이 의제되는 이상, 그와 별도로 전단계에서 도시개발법 제4조에 따른 개발계획을 부가적으로 수립하는 것 또한 법 체계에 맞지 아니한 해석인 것으로 사료된다. 종합하면, 환지방식으로 항만재개발사업을 시행하려는 경우에는 ① 우선 항만재개발사업계획의 단계에서 환지방식을 도입할 수 있다는 사실을 기재[169]함으로써 그 가능성을 공고한

---

168) 후술할 바와 같이 시행령(안) 또한 환지방식으로 사업을 시행하려는 경우에는 항만재개발사업계획의 내용으로 환지의 방법 및 절차에 관한 사항을 포함하여야 한다고 정하고 있다(제29조 제1항).

169) 아울러 시행령(안) 제29조 제1항이 정하고 있는 바와 같이 환지의 방법 및 절차에 관한 내용을 사업계획에 포함하여야 한다.

다음, ② 실시계획 승인 단계에 이르러 도시개발법 제4조 제4항 등이 요구하는 토지소유자의 동의에 관한 요건을 갖추는 등의 방식에 따라야 할 것으로 사료된다.

즉, 환지방식으로 사업을 시행하려는 경우, 도시개발법 제4조 제4항의 동의율 요건은 그 자체로 실시계획 승인(법 제17조)의 요건이 된다고 보는 것이 적절할 것으로 보인다.

다. 준공확인과 별도의 환지처분이 필요한지 여부

도시개발법에 의하면 환지방식 도시개발사업의 경우 환지계획인가 이후 공사를 거쳐 환지처분(도시개발법 제40조)을 한 다음 준공검사를 하도록 정하고 있다. 반면 법은 항만재개발사업의 경우에도 준공확인 절차를 정하고 있으나, 그 이전 단계의 환지처분 등의 절차에 대하여는 달리 규정을 두고 있지 아니하고, 전적으로 도시개발법상의 조문들을 준용하는 방식을 취하고 있다.

따라서, 환지방식으로 항만재개발사업을 시행하는 경우에는 실시계획 승인(환지계획 인가가 의제)을 받은 다음, 필요한 경우 환지예정지 지정처분을 거쳐서 공사를 완료하여 환지처분을 한 후, 비로소 준공확인을 거치는 절차로 사업을 시행하여야 할 것이다.

3. 시행령(안) 제29조의 내용

가. 항만재개발사업계획의 내용에 관한 규정[제1항]

시행령(안)은 사업시행자가 환지방식으로 사업을 시행하려는 경우에는 다음과 같은 환지의 방법이나 절차에 관한 다음의 사항들을 항만재개발사업계획의 내용으로 정하여야 한다고 규정하고 있다.

1. 환지의 대상이 되는 종전 토지의 가액은 보상공고 시 사업시행자가 제시한 협의를 위한 금액으로 하고, 환지의 가액은 해당 항만재개발사업으로 조성된 토지의 분양가격을 기준으로 할 것
2. 환지면적은 종전의 토지 면적을 기준으로 하되, 지역 여건 및 항만재개발사업의 토지 수급 상황 등을 고려하여 그 면적을 늘리거나 줄일 것
3. 종전의 토지가액과 환지가액 간의 차액은 현금으로 정산할 것

앞서 살펴본 바와 같이 사업계획은 사업시행자가 지정되기 이전 단계에서 이미 해양무산부장관에 의하여 수립되어 있는 것으로(법 제9조 제1항), 사업시행자자가 직접 수립하거나 결정할 수 있는 계획에 해당하지 않는다. 다만, 실무상 사업계획의 수립과 동시에 혹은 대략적인 수준의 사업계획을 수립하여 놓은 다음에 사업시행자의 지정을 위한 절차를 밟게 되고, 해당 절차에서 사업계획의 수립 또는 변경에 대한 사항을 제출하거나 제안하게 되는 경우가 많다.

따라서, 시행령(안)이 사업시행자에 대하여 항만재개발사업계획에 환지의 방법 및 절차에 관한 사항을 반영토록 한 것은, 사업시행자로 지정되려거나 지정된 이후 실시계획을 받기 이전에 미리 해당 내용을 사업계획에 반영하는 방식으로 변경할 것을 해양수산부장관에게 제안하는 절차를 거칠 것을 요구하는 것으로 해석할 수 있겠다.

나. 환지에 관한 사업시행자의 공고[제2항]

시행령(안)은 사업시행자가 환지방식으로 사업을 시행하려는 경우에는 환지의 조건이나 신청 및 협의 기간 등을 공고할 것을 요구하고 있다(시행령(안) 제29조 제2항).

① 법은 실시계획 승인에 환지계획 인가를 의제하고 있고(법 제25조 제2항 단서), ② 환지계획의 내용에는 '필지별로 된 환지 명세' 및 '필지별과

권리별로 된 청산 대상 토지 명세'(도시개발법 제28조 제1항 제2호 내지 제3호) - 곧, 누가 어떠한 위치의 환지를 배정받을 것인지 또는 배정받지 아니하고 현금으로 청산될 것인지에 대한 구체적인 계획이 포함되어야 하므로, 실시계획을 작성하여 승인을 신청하기 이전 단계에 이미 환지에 관한 권리의무관계에 대한 토지소유자와의 의사합치가 이루어져야 한다.

이를 고려하면, 시행령(안) 제29조 제2항에 따른 공고는 사업시행자가 지정된 후 실시계획을 작성하기 이전 단계에 이루어져야 하는 것으로 볼 수 있고, 이와 같은 공고 및 신청, 협의 등의 절차를 완료하여 환지에 관한 명세서를 작성한 다음 이를 실시계획에 반영하여 승인을 받는 방식으로 사업을 시행하여야 할 것으로 사료된다.

다. 환지 신청 및 협의 절차[제2항 내지 제4항]

(1) 의의

'환지 신청'이라는 절차는 도시개발법상 환지방식 도시개발사업에는 없는[170] 항만재개발사업 특유의 절차라고 할 수 있다.[171] 도시개발사업의 경우에는 환지방식 사업의 원칙적인 사업시행자를 당해 사업구역 내의 토지소유자나 그들이 구성원이 되는 조합 등으로 정하고 있으므로[172], 환지계획의 작성 등에 관한 각종 의사결정에 토지소유자들이 사

---

170) 도시개발법 및 그 하위법령은 '입체 환지'를 받는 경우에 관한 신청에 관한 조문이나 (도시개발법 제32조 및 동법 시행규칙 제27조 제4항), 환지를 받지 아니하기 위한 (즉 환지대상에서 제외해달라는 취지의) 신청에 관한 조문(도시개발법 제30조), 그 외 공유지분 등 특이한 형태의 환지 신청에 대한 조문(도시개발법 시행규칙 제27조 제8항 등)을 두고 있을 뿐, 환지 방식의 시행사실을 공고하고 그 신청을 일괄하여 받은 뒤 협의하는 절차를 거칠 것을 요구하고 있지는 않다.

171) 참고로, 환지방식에 관한 조문을 도입하고 있는 도시정비법의 경우에도 이와 유사한 조문을 찾을 수 없다.

172) 김동근·윤승현, 도시개발법, 제2판, 진원사, 2018, 317면 참조.

업시행자 혹은 조합원으로 참여할 수밖에 없는 것이어서 별도로 환지에 관련한 공고나 협의 절차를 거치도록 요구하고 있지 아니하는 것이다.

반면, 항만재개발사업의 경우에는 당해 사업구역 내 토지소유자가 사업시행자가 되는 경우를 상정하지 아니하고 있고, 사업시행자는 원칙적으로 소유관계와 상관이 없는 자이므로(법 제15조 제1항 각 호), 환지계획 혹은 그 내용이 포함되는 항만재개발사업계획이나 실시계획 등의 작성 및 의사결정에 참여할 수 없는 문제가 발생한다. 이 때문에 시행령(안)은 사업시행자에게 항만재개발사업의 시행절차와 별도로 환지의 신청 및 협의 절차를 이행하도록 함으로써, 도시개발사업과의 차이에 따른 공백을 메우려고 하는 것으로 사료된다.

(2) 환지를 신청한 경우 반드시 환지를 배정하여야 하는지 여부

특이한 것은, 시행령(안)은 토지소유자가 환지를 신청한다고 하여 곧바로 환지를 배정받을 수 있는 것이 아니라, 사업시행자와의 협의 절차를 거치도록 정하고 있다는 점이다. 종래 도시개발법상 환지방식의 개발사업에서 통상 문제되었던 분쟁의 유형은 사업시행자인 조합정관이나 도시개발업무지침 등이 정하고 있는 환지의 기준(종전 토지의 평가방법이나 감보율 등)에 위배되는 방식으로 과소한 환지를 배정받거나 환지 대상에서 제외되는 자가 환지계획 또는 이를 인가한 처분이 위법하다고 하여 그 취소를 구하거나, 그 후속절차(환지예정지지정 또는 환지처분) 등의 취소를 구하는 경우가 많았다.[173]

이는 기본적으로는 일정한 요건을 갖춘 이상 토지소유자는 곧 환지를 받을 수 있는 법적인 지위를 지니고 있음을 전제하고 있기 때문

---

173) 예컨대 대법원 1999. 8. 20. 선고 97누6889 판결[환지계획등 무효확인 및 취소]: 대법원 1999. 10. 8. 선고 99두6873 판결 [환지예정지등 지정처분취소] 등.

에[174], 이를 침해하거나 박탈하는 경우에 대한 쟁송이 일어날 수 있었던 것이다. 반면, 항만재개발사업의 경우에도 구역 내 토지소유자들이 환지를 신청한다고 하여 곧바로 혹은 반드시 사업시행자가 그에 대하여 환지를 배정하여 주어야 한다고 보기는 어려운 것으로 사료된다. 따라서 사견이기는 하나, 협의절차를 통하여 환지의 조건[175]을 조율하여 보고 의사합치가 이루어지지 아니하는 경우에는 환지를 배정하지 아니하고 청산대상으로 하거나 혹은 환지방식의 사업방식을 적용하는 지리적 범주 내에서 완전히 제외하는 것 또한 가능할 여지가 있을 것이라 사료된다. 다만, 항만재개발사업을 포함하여 개별 개발사업법들이 환지방식을 도입하면서 도시개발법 조항을 준용하는 경우에 대하여, 양자간의 관계나 그 경우 토지소유자의 지위 등에 대하여 법적인 논의가 달리 진행되어온 바 없고, 해양수산부의 견해가 표명된 바도 없으므로 추후 이는 논의의 경과를 지켜보아야 할 것으로 판단된다.

---

174) 대표적으로 토지소유자는 조합원으로서 사업의 시행에 참여하게 되므로, 그로 인한 과실(果實)까지도 향유할 수 있다고 전제하는 것이다.

175) 결국 도시개발사업의 경우와 같이 가장 중요한 조건은 ① 토지소유자의 종전 토지의 가치를 어떻게 평가하여, ② 어느 정도의 면적의 환지를 제공할 것인지의 점에 있을 것이다. 물론, 시행령(안)은 환지의 방식이나 기준 등을 사업계획에 포함토록 하고 있으므로, 이를 벗어나는 방식으로 과도한 협의를 하는 것은 적절하지 않다.

토지매수업무 등의 위탁
[제26조]

I. 의의

　법은 항만재개발사업을 위한 토지매수업무, 손실보상업무 및 이주대책업무 등을 관할 지방자치단체 또는 대통령령으로 정하는 공공기관에 위탁할 수 있다고 정하고 있다. 이는 2007. 5. 11. 제정된 항만과 그 주변지역의 개발 및 이용에 관한 법률 제27조로 처음 도입된 것인데, 동조가 위탁의 대상으로 삼고 있는 업무인 토지 매수 및 보상, 원주민에 대한 이주대책 수립 등의 업무는 그 자체로 보상액 산정, 이주지 선정 등을 둘러싸고 이해관계가 첨예하게 대립되는 분야에 해당하는 것이므로, 사업시행자가 직접 이를 수행하기 보다는 보다 전문적으로 수행할 수 있는 다른 공적인 주체에게 맡김으로써 사업을 효율적으로 추진할 수 있도록 하기 위하여 도입된 것이다.[176]

II. 위탁의 상대방

　사업시행자로부터 토지매수업무, 손실보상업무 및 이주대책업무 등을 위탁받을 수 있는 상대방은 ① 당해 항만재개발사업이 시행되는 곳의 관할 지방자치단체(법과 시행령(안)은 위탁받을 수 있는 지방자치

---

176) 국회 농림해양수산위원회, 항만과 그 주변지역의 개발 및 이용에 관한 법률안(정부제출) 검토보고서, 2007. 2., 24면.

단체의 급을 별도로 명시하지 않고 있다), ② 대통령령이 정하는 공공기관 등임. 후자와 관련하여 시행령(안)은 1. 한국감정원, 2. 한국농어촌공사, 3. 한국수자원공사, 4. 한국토지주택공사 등을 열거하고 있다(제30조 제3항).

한편, 법은 위탁의 대상으로 삼고 있는 업무 모두를 어느 한 주체에 대하여 포괄하여 위탁하여야 한다는 등의 제한을 두고 있지 아니하므로, 각 업무별로 구분하여 서로 다른 기관에게 위탁하는 것 또한 가능하다고 해석할 수 있을 것으로 사료된다.

III. 위탁의 절차

사업시행자는 위탁기관을 정함에 있어 다음과 같은 사항을 포함한 '협약'을 체결하여야 하고, 그 사실을 인터넷 홈페이지에 공고하여야 한다(시행령(안) 제30조 제1항 내지 제2항).

시행령(안) 제30조(토지매수업무 등의 위탁) ① 사업시행자는 법 제26조 제1항에 따라 토지매수업무, 손실보상업무 및 이주대책업무 등을 위탁하려는 경우에는 다음 각 호의 사항에 대하여 협약을 체결하여야 한다.
  1. 위탁사업의 사업지
  2. 위탁사업의 종류·규모·금액 및 기간
  3. 위탁사업에 필요한 비용의 지급방법과 그 자금의 관리에 관한 사항
  4. 위탁자가 부동산·기자재 또는 노무자(勞務者)를 제공하는 경우에는 그 관리에 관한 사항
  5. 위험부담에 관한 사항
  6. 제1호부터 제5호까지에서 규정한 사항 외에 위탁사업의 내용을 명백히 하는 데에 필요한 사항

선수금[제27조]

I. 의의

법은 사업시행자가 항만재개발사업으로 조성된 토지 등을 공급받거나 이용하려는 자로부터 대금의 전부 또는 일부를 미리 받을 수 있도록 허용하고 있는바 이를 '선수금' 제도라고 한다.

이는 2014. 3. 24. 항만법 개정 시 신설된 제도인데, 입법자료를 살펴보면 이는 "토지 등을 공급받을 자 등으로부터 사업에 소요되는 재원을 미리 받을 수 있도록 함으로써 사업시행자의 초기 부담을 줄이고자 하는 취지"에서 입법된 것으로 "보다 많은 투자자들을 사업에 참여하게 하여 사업시행자의 초기 사업비 부담을 완화함으로써 항만재개발사업 등이 원활히 이루어지는 데 기여"토록 하기 위하여 도입된 것이다.[177] 이와 같이 구 항만법은 '선수금' 제도를 도입함으로써 사업시행자가 조성이 완료되기도 전에 토지 등을 매각하는 것을 명문의 규정으로 허용하고 있는 것으로 볼 수 있고, 나아가 준공 전에 이미 개별 토지의 처분 상대방 및 사용주체가 사전에 결정될 수 있다는 점을 법률 스스로가 인정하고 있는 것이라 볼 수 있다.

즉, 선수금 제도 자체가 '규제완화' 및 '사업시행절차의 유연화'뿐만

---

177) 이상 국회 농림축산식품해양수산위원회, 항만법 일부개장법률안 심사보고서, 2014. 2., 26 내지 27면에서 인용. 참고로 이는 도시개발법, 산업입지법, 택지개발촉진법 등의 입법례를 참조한 것이다.

아니라, 사업의 초기 단계에서부터 조성될 토지 등의 사용주체를 정하여 참여시킬 수 있도록 하기 위하여 도입된 제도에 해당되는바, 관련한 조문의 해석이나 선수금 제도의 적용 대상이 되는 토지의 이용관계 등을 규명함에 있어서는 그와 같은 제도 완화의 취지를 잘 참작하는 것이 필요할 것이다.

참고로, 다른 법령상의 선수금 제도의 경우에는 사업시행자가 사업부지 내 일정한 비율 이상의 소유권을 확보하였을 것 등을 정하고 있는 경우가 있으나[178], 본조의 경우에는 그와 같은 제한을 달리 두고 있지 않다.

II. 선수금 계약관계의 형성

1. 법률관계의 성질

선수금을 납부받는다는 것은 사업시행자가 조성하여 추후 처분할 예정인 토지를 미리 정하여 그 대금을 납부받는다는 것을 의미하므로, 이는 사업시행자와 선수금을 납부하는 매수인 사이에 일종의 토지매매계약 혹은 그 예약의 법률관계를 형성하는 것을 의미한다. 그리고 사업시행자는 그와 같은 법률관계에 근거하여 매수인으로부터 미리 대금을 선수금 명목으로 지급받는 것이라 볼 수 있다.

---

178) 예컨대, 택지개발촉진법의 경우는 당해 택지개발예정지구 면적의 50% 이상을, 도시개발법은 공적주체가 사업시행자인 경우 25% 이상을 확보할 것을 요구하고 있고, 민간주체가 도시개발사업을 시행하는 경우에는 전체 소유권을 확보하고 10% 이상의 공사를 진행하였을 것을 요구하고 있다. 관련하여 김종하, 원형지 선수공급방식에 의한 도시개발사업, 토지공법연구, 2012. 11., 117면 참조.

2. 매매목적물의 특정 가부

항만재개발사업의 경우 사업시행자가 조성토지를 처분함에 있어 분양·임대계획서를 작성하는 것 이외에는(시행령(안) 제40조 제1항)[179] 별다른 제한을 가하고 있지 아니하여 조성토지의 처분 시기나 방법 등이 전적으로 사업시행자의 권한에 맡겨져 있는 문제임을 고려하면[180], 선수금과 관련한 계약관계를 형성할 당시에 매매대상으로 할 토지를 특정하여두는 것 또한 얼마든지 가능한 것으로 보아야 할 것으로 사료된다.

이에, 법상으로는 특별한 언급이 없으나, 시행령(안) 제31조 제2항의 경우 선수금을 받으려는 경우 조성토지등의 가격·면적·위치·상태·이용방법 등에 대하여 해당 조성토지등을 공급받거나 이용하려는 자와 미리 협의하여야 한다고 정함으로서, 선수금과 관련하여 미리 매매대상이 되는 토지 등을 특정할 수 있음을 전제하고 있다는 점을 확인할 수 있다.

III. 선수금 계약을 체결한 자의 토지사용가능 시기

한편, 선수금을 납부한 매수인(혹은 수분양자)에 대하여, 전체 항만재개발사업의 준공 이전이라고 하더라도 매수인이 매수하기로 한 부분만에 대하여 준공 전 사용신고(법 제35조 제5항 단서)를 받아 사용토록 할 수 있는지 여부가 쟁점이 될 수 있다. 특히 법 제35조 제5항 본문은 준공확인을 받기 이전에 항만재개발사업으로 조성된 토지 등을 이용하지

---

179) 이와 같이 작성된 분양·임대계획서에 대하여 법이나 시행령(안)은 달리 행정청의 인가, 승인 등을 받도록 요구하고 있지 아니하고, 심지어는 이를 행정청에게 제출할 것을 요하지도 않는다.
180) 참고로 도시개발법의 경우에는 공장부지 등 특정한 용도의 원형지를 공급하여 선수계약을 체결하는 경우 경쟁입찰의 방식에 의하도록 하고 있다(동법 시행령 제55조의2 제6항).

못하도록 금지하고 있고, 그에 대하여 벌칙규정을 마련하고 있으므로 (법 제47조 제3호), 선수금 납부자에 대한 준공 전 사용신고가 가능한지 여부에 대한 판단 여하에 따라 그와 같은 금지규정을 회피할 가능성이 있는지 여부에 대한 결론이 달라질 수 있는 것이다.

결론적으로는 항만재개발사업의 내용·절차, 법의 체계 및 입법경과, 유사입법 사례 등을 종합적으로 고려하면, 동법 제35조 제5항 단서의 '준공 전 사용신고'의 경우 신고의 대상이 되는 당해 토지 등을 사업시행자 이외의 제3자가 사용하는 경우까지도 허용하는 것으로 해석하는 것이 타당할 것으로 사료된다. 따라서 선수금을 납부한 자에 대하여도 준공 전 사용신고 제도를 이용하여 매매대상이 되는 토지를 사용하여 그가 추진하는 사업을 시행할 수 있도록 하는 것이 타당하다.

왜냐하면, 선수금 제도 자체가 '규제완화' 및 '사업시행절차의 유연화' 뿐만 아니라, 사업의 초기 단계에서부터 조성될 토지 등의 사용주체를 정하여 참여시킬 수 있도록 하기 위하여 도입된 제도에 해당되는바, 동일한 취지에서 준공 전 사용신고 제도 또한 준공 전 단계에서도 그와 같은 제3자의 토지 등 이용이 가능하도록 허용하고 있는 것으로 해석하는 것이 법의 다른 조문들과의 조화롭고 체계적인 해석에 부합하는 것이기 때문이다.

특히 도시개발법이나 역세권법, 지역개발지원법 등 유사입법례상의 선수금 관련 조문을 살펴보면, 사업시행자가 주체가 되어 준공 전 토지 사용허가를 신청하는 경우에도 선수공급계약을 통해 토지 등을 분양받은 수분양자가 해당 토지 등을 사용하는 내용으로 준공 전 토지 사용허가를 신청하는 것을 허용하고 있음을 알 수 있다. 해당 법령들은 공통적으로 준공 전 '선수금'을 지급받아 부지를 공급하는 것과 관련하여 그 요건을 상세하게 정하면서 "선수금을 납부한 자가 법 제50조에 따른 준공검사 또는 법 제53조에 따른 준공 전 사용허가를 받아 해당 토지를 사용하게 되는 경우"라고 규정하여(「도시개발법 시행령」 제55조 제1항 제2호 가목 2), 「역세권법 시행령」 제29조 제1항 제2호 가목 2), 「지역개발지원법 시행령」 제37조 제1항 제3호 가목 2) 참조[181]), 사업시행자가 아닌 조성토지의 수분양자가 준공 전 사용허가(신고)에 따라 토지를 사용하는 것을 명시적으로 인정하는 것을 전제로 한 규정을 두고 있다.

---

181) '선수금을 납부한 자가 법 제50조에 따른 준공검사 또는 법 제53조에 따른 준공 전 사용허가를 받아 해당 토지를 사용하게 되는 경우에는 토지소유자 및 저당권자는 지체 없이 소유권을 이전하고, 저당권을 말소할 것'(「도시개발법 시행령」 제55조 제1항 제2호 가목 2)),
'선수금을 납부한 자가 법 제21조에 따른 준공검사 또는 준공 전 사용 허가를 받아 해당 토지를 사용하게 되는 경우에는 토지소유자 및 저당권자는 지체 없이 소유권을 이전하고, 저당권을 말소할 것'(「역세권법 시행령」 제29조 제1항 제2호 가목 2)),
'선수금을 납부한 자가 법 제38조에 따른 준공검사 또는 법 제41조에 따른 준공 전 사용허가를 받아 해당 토지를 사용하게 되는 경우에는 토지소유자 및 저당권자는 지체 없이 소유권을 이전하고, 저당권을 말소할 것'(「지역개발지원법 시행령」 제37조 제1항 제3호 가목 2)).

원형지의 공급과 개발
[제28조]

I. 의의

법은 사업시행자가 사업구역의 일부를 개발함에 있어서 해양수산부장관의 승인을 받은 경우 국가기관, 지방자치단체 등에 대해 원형지를 공급하여 개발하게 할 수 있도록 허용하고 있다. 원형지란 '조성되지 아니한 상태의 토지'를 의미하는 것으로, 원형지를 공급한다는 것의 의미는 사업시행자가 조성하지 아니한 원형 그대로의 토지를 수요자에게 공급한 뒤, 수요자가 그 스스로의 개발방향에 대한 구상에 따라 인허가를 취득하여 건물 또는 시설물 등을 설치하는 방식으로 직접 토지를 이용하도록 한다는 것을 뜻한다. 이와 같은 원형지 공급에 관한 제도는 택지개발촉진법에서 처음 등장하였고[182], 이후 도시개발법 등을 거쳐서 항만재개발사업에도 도입된 것이다.

법은 원형지 공급이 가능한 경우 혹은 공급의 취지를 ① 사업구역의 일부를 자연친화적으로 개발하거나 ② 입체적으로 개발하기 위한 경우로 설명하고 있다.

---

182) 김종하, 원형지 선수공급방식에 의한 도시개발사업, 토지공법연구, 2012. 11., 116면. 해당 문헌에 의하면 당초 택지개발촉진법상 원형지 개발 방식이 도입된 배경은 자연경관, 환경 그 자체를 살리는 방식으로 '단독주택'을 개발하고자 하는 취지였으나, 이후 대규모 개발사업(세종시 등)과 관련한 법령에 원형지 개발방식이 도입되면서부터는 공동주택단지를 개발하기 위한 사업으로 변형되어왔다고 한다.

II. 선수금 제도와의 관계

원형지 공급에 관한 조문 또한 전술한 선수금 제도와 함께 2014. 3. 24. 개정 항만법에서 처음 도입된 것이다. 이와 같이 원형지 공급과 선수금 제도는 사실상 그 맥락을 같이하는 것이나 다름 없는데, 때문에 문헌 중에서는 '원형지 선수공급방식'과 같은 용어를 사용하여[183], 양자가 사실상 함께 적용되는 제도라고 보고 있는 문헌도 발견된다. 즉, 사업을 완료하기 이전에 원형지를 미리 공급하면서, 그 대금으로서 선수금을 납부받는 것이라는 방식으로 양 제도를 연관지어 설명하는 것이다.

다만, 이와 같이 양 제도가 연원이나 맥락을 공유하는 제도임이 분명함에도 불구하고, 법상으로는 양 제도를 반드시 동시에 함께 적용하여야 한다는 제한은 따로 발견되지 아니하므로, 원형지를 공급하지 아니하는 경우에도 선수금을 지급받는 등의 경우도 허용되어 있다고 해석하여야 할 것이라 판단된다.

더욱이, 다른 법령상의 규정과 달리, 항만재개발사업의 경우에는 원형지를 공급받을 수 있는 주체가 공적인 주체로 한정되어 있으므로, 원형지 공급제도와 선수금 제도를 반드시 결부시켜야 한다고 볼 경우에는 선수금 제도의 적용 범위가 지나치게 축소되는 문제가 발생할 우려가 있다.

III. 원형지 공급의 제한

1. 공적주체에 대한 공급으로 제한

법은 원형지를 공급할 수 있는 상대방을 1. 국가기관, 2. 지방자치단

---

183) 김종하, 원형지 선수공급방식에 의한 도시개발사업, 토지공법연구, 2012. 11, 116면 참조.

체, 3. 항만공사, 4. 지방공기업, 5. 대통령령으로 정하는 공공기관[184] 등으로 한정하고 있다(법 제28조 제1항). 즉, 항만재개발사업에서의 원형지는 사업시행자가 공공주체에 한정하여서만 공급할 수 있는 것으로, 이를 반대해석하면 그 이외의 사적 주체에 대하여는 원형지를 공급할 수 없는 것으로 되어 있다. 만일 법 제28조 제1항이 열거하고 있는 대상 이외의 자에 대하여도 원형지 공급이 가능하다고 보게 될 경우 동항을 형해화할 우려가 있기 때문이다.

다만, 법 제28조 제1항이 규율하고 있는 바는 '원형지'에 대한 것이므로, '원형지'의 상태가 아닌 토지 – 곧, 이미 '대지(垈地)'를 조성하는 정도 수준의 공사는 끝난 상태에서 이를 사적 주체에게 공급하거나, 혹은 대지조성공사 수준의 공사는 사업시행자가 시행할 것임을 조건 또는 전제로 하여 이를 사적 주체에게 공급하는 것 등은 가능하다고 볼 수 있을 것으로 사료된다.

2. 면적의 제한

법은 원형지로 공급할 수 있는 면적을 전체 사업구역의 3분의 1 이내로 한정하고 있는바(법 제28조 제1항), 이는 사업시행자가 사실상 사업구역의 대부분을 원형지 형태로 공급함으로써, 스스로 항만재개발사업을 시행하지 아니하여 사업시행자로서의 역할을 형해화하는 것을 방지하기 위함인 것으로 사료된다.

---

184) 시행령(안) 제32조 제3항 및 제16조 제1항은 1. 제주국제자유도시개발센터(제주특별자치도에서 시행하는 항만재개발사업으로 한정), 2. 한국관광공사, 3. 한국농어촌공사, 4. 한국수자원공사, 5. 한국철도공사, 6. 한국토지주택공사 등으로 열거하고 있다.

3. 재매각의 제한

법은 원형지를 공급받은 자가 이를 재매각하는 것을 원칙적으로 엄격하게 제한하고 있다. 원형지개발자는 10년의 범위에서 대통령령으로 정하는 기간 동안에는 원형지를 제3자에게 매각할 수 없는데, 시행령(안)은 법 제36조에 따른 공사완료 공고일부터 5년, 또는 원형지 공급계약일부터 10년의 기간들 중 먼저 끝나는 기간까지 재매각을 제한하고 있다. 이를 위반할 경우 해양수산부장관과 사업시행자는 원형지 공급계약을 해제하는 제재를 가할 수 있다.

법은 재매각 제한에 대한 몇 가지 예외를 정하고 있는데, 첫째 국가기관 및 지방자치단체가 원형지를 공급받은 자인 경우에는 자유로이 재매각을 할 수 있도록 정하고 있다.

둘째, 국가기관 및 지방자치단체 이외의 자라 하더라도 이주용 주택이나 공공시설 등 대통령령으로 정하는 용도로 사용하려는 경우로서 미리 해양수산부장관의 승인을 받은 등의 요건을 갖춘 경우에는 재매각이 가능하다. 이 때 '대통령령으로 정한 용도'란 1. 임대주택 용지, 2. 기반시설 용지, 3. 그 밖에 원형지개발자가 직접 조성하거나 운영하기 어려운 시설의 설치를 위한 용지를 의미한다(시행령(안) 제32조 제5항).

IV. 원형지 개발의 절차

1. 사업계획의 수립

원형지 공급에 관하여 가장 먼저 등장하는 법적 규율은 항만재개발사업계획에 관한 법 제9조 제3항 제12호이다. 동호는 원형지를 공급하려는 경우에는 원형지로 공급할 대상 토지 및 개발방향에 관한 내용을 사업계획의 내용으로 수록하도록 정하고 있다. 항만재개발사업계획은 사업시행자가 아닌 해양수산부장관에 의하여 수립되는 것이므로(법 제9조 제1항), 만일 당초 사업계획에 원형지 공급에 관한 내용이 수록되지 아니한 상태에서 추후 사업시행자가 원형지 공급에 나서고자 하는 경우에는 가급적이면 사업계획을 변경하는 절차를 거친 다음 이후의 절차를 진행하는 것이 바람직할 것으로 보인다.

사업계획의 변경이나 원형지 공급계획의 승인 모두 해양수산부장관의 권한으로 되어 있고, 법상 명시적으로 사업계획과 그 이후의 실시계획 및 원형지 공급계획 간의 관계나 상호간의 구속력 등에 대한 언급이 없으므로[185], 사업계획이 변경되지 아니한 상태에서 원형지 공급계획에 대한 해양수산부장관의 승인을 받아 추후 절차를 진행한다고 하더라도 원형지 공급 자체가 위법하다고 판단할 수 있는지 여부가 쟁점이 될 수는 있겠다. 그러나, 원형지 공급에 관한 사항은 사업계획의 주요 내용을 이루는 것이고, 사업계획의 수립 및 변경에 대하여는 중앙항만정책심의회의 심의를 거쳐야 하는 것이므로, 그와 같은 법정된 의사결정절차를 가급적이면 충실히 이행하는 것이 상당할 것이기는 하다. 더욱이, 이와 같은 문제를 보완하기 위하여 시행령(안) 제32조 제2항은 해양수산부장관이 원형지 공급계획을 승인하려는 경우에는 사업계획의 내용에 부합하는지 여부를 심사하도록 하고 있으므로, 원형지 공급에 관한 사항이 사업계획에 포함되어 있지 아니한 경우에는 이를 반영한 다음 이후의 절차를 진행하는 것이 타당할 것으로 사료된다.

---

185) 즉, 법상으로 본다면 사업계획과 실시계획 승인, 원형지 공급계획의 승인 등의 각 처분이 선행처분과 후행처분의 관계에 놓여있는 것인지 자체가 다툼의 소지가 큰 상황이므로, 사업계획의 내용으로 원형지 공급에 관한 내용이 결여되어있다는 하자가 후행하는 각 처분에 대하여 영향을 미치는지 – 곧, 승계되는 하자라고 보기는 어려울 것으로 사료된다.

2. 원형지 공급계획의 수립

법은 원형지를 공급하려는 경우, 사업시행자로 하여금 원형지를 공급 받아 개발하는 자(원형지개발자)에 관한 사항, 원형지 공급의 내용 등을 포함한 공급계획을 작성하도록 하고 있고, 해양수산부장관의 승인을 받도록 정하고 있다(법 제28조 제1항, 제2항).

이 때 원형지 공급계획 내지 해양수산부장관에 대한 승인신청서의 내용에는 다음과 같은 사항이 포함되어야 한다.

[법령] 시행령(안) 제32조 제1항 각 호

> 1. 공급대상 원형지의 위치·면적 및 공급 목적
> 2. 원형지를 공급받아 개발하는 자(이하 이 조에서 "원형지개발자"라 한다)에 관한 사항
> 3. 원형지 인구수용계획, 토지이용계획, 교통처리계획, 환경보전계획, 주요 기반시설의 설치계획 및 그 밖의 원형지 사용계획 등을 포함하는 원형지 개발계획
> 4. 원형지 사용조건

3. 해양수산부장관의 승인

해양수산부장관은 사업시행자가 작성하여 제출한 원형지 공급계획을 승인할 권한을 지니며, 그 승인에 용적률 등 개발밀도, 토지용도별 면적 및 배치, 교통처리계획 및 기반시설의 설치 등에 관한 이행조건 — 곧, 부관을 붙일 수 있는 권한을 부여받고 있다(법 제28조 제4항). 원형지 공급이라는 것이 사업시행자나 원형지개발자에 대하여 편의를 제공하는 제도가 될 수 있는 반면, 다른 한편으로는 사업시행자라는 사업의 책임주체로서의 지위를 형해화할 우려가 있고 그로 인해 사업 자체에 대한 해양수산부장관의 관리감독권한이 저해될 우려가 있으므로, 이와 같은 단점을 방지하기 위하여 개발의 구체적인 방향이나 내용에 대하여

까지 해양수산부장관이 개입할 수 있는 명시적인 법적 근거를 마련하여 둔 것이다.

법은 해양수산부장관이 위와 같은 승인의 조건을 붙인 경우, 이를 원형지 공급계약의 내용으로 반영할 의무를 부과하고 있다(법 제28조 제4항).

4. 원형지 공급계약의 체결

위와 같이 원형지 공급계획을 작성하여 해양수산부장관의 승인을 받은 다음, 사업시행자는 원형지개발자와의 사이에서 공급계약을 체결하게 된다. 전술한 바와 같이 그 내용에는 해양수산부장관이 부여한 승인의 조건들을 반영하여야 한다. 법은 원형지 공급계약의 내용으로 법 제9조 제3항 제12호 - 곧, 사업계획의 내용에 따른 원형지의 개발방향, 법 제28조 제1항에 따른 원형지 공급계획의 내용 등을 반영할 것을 요구하고 있다(법 제28조 제5항 각 호).

이와 같은 원형지 공급계약의 체결은 수의계약의 방식으로 하고(시행령(안) 제32조 제7항), 공급가격은 원형지의 감정가격에 사업시행자가 원형지에 설치한 기반시설 등의 공사비를 더한 금액을 기준으로 사업시행자와 원형지개발자가 협의하여 결정한다(동조 제8항). 그 이외에 시행령(안)은 사업시행자와 원형지개발자 간 업무분담 내용에 대하여도 공급계약으로 정하도록 하고 있는데, 허가 등의 신청 등 관계 법령에 따른 업무는 사업시행자가 담당한다(동조 제9항).

5. 실시계획에의 반영

법은 사업시행자와 원형지개발자 사이에 공급계약을 체결한 다음, 원형지개발자로부터 개발을 위한 공사의 착수 기한, 공사의 준공예정일, 사업기간 등의 사항이 포함된 세부계획을 제출받은 뒤, 그 내용을 실시계획의 내용으로 반영하여야 한다. 이 경우 실시계획 변경에 따른 변경 승인 절차가 필요할 것이다.

원형지개발자가 세부계획의 제출을 해태하는 것만으로는 후술할 원형지 공급계획 승인의 취소나 계약 해제와 같은 제재의 사유가 된다고 보기는 어려울 것으로 사료된다. 이와 같은 침익적 행위들의 요건은 가급적 문언의 내용 그대로 엄격하게 해석되어야 하는데[186], 후술할 법 제28조 제7항이나 제8항 각 호는 원형지개발자가 세부계획을 제출하였음을 전제로, 그 계획의 내용을 위반한 경우를 제재사유로 삼고 있을 뿐 세부계획의 제출 여부 사실 자체에 대하여는 별다른 언급을 하고 있지 않다. 다만, 세부계획의 제출을 지연·해태하는 것은 그 자체로 그 후속 절차를 지연하거나 무단으로 이행하는 것에 해당할 가능성이 있는바, 궁극적으로는 계약의 내용에 부합하지 않는 등으로 간접적인 문제가 발생할 소지가 크다. 사업시행자의 입장에서는 가급적이면 세부계획의 제출 기한 등을 계약의 내용으로 포함시켜두는 것이 필요할 것이고, 이를 위반할 경우에는 법 제28조 제8항 제4호 등을 근거로 계약해제 등의 제재를 가할 수 있는 근거를 마련해두어야 할 것으로 사료된다.

사업시행자가 원형지개발자로부터 세부계획을 제출받았음에도 불구하고 이를 실시계획에 반영하는 후속절차의 이행을 해태·지연한다고 하더라도, 그로 인하여 원형지 공급계약에 하자가 발생한다고 보기는 어렵다. 법상 실시계획에 그 내용을 반영하는 것은 계약의 중요한 절차가 이행된 다음, 그 내용을 사후적으로 반영하는 정도의 수준에 그치는 것으로 보이는바, 이를 사업시행자가 해태하였다는 것만으로 공급계약의 지위를 불안하게 하는 것은 부적절하기 때문이다.

---

186) 대법원 2018. 2. 28. 선고 2016두64982 판결 등 다수.

V. 원형지 공급의 취소 및 해제

1. 해양수산부장관의 원형지 공급계획 승인 취소 및 계약 해제

법은 일정한 사유가 인정되는 경우 해양수산부장관이 원형지 공급계획 자체를 취소하거나, 사업시행자로 하여금 그 이행의 촉구, 원상회복 또는 손해배상의 청구, 원형지 공급계약의 해제 등 필요한 조치를 할 것을 요구할 수 있도록 정하고 있다(법 제28조 제7항). 법은 이와 같은 제재적 성격의 처분 또는 조치를 기속행위로 정하고 있지는 않고 있는바, 어떠한 종류의 처분을 부과할 것인지는 해양수산부장관의 재량에 속한 사항인 것으로 사료된다.

법이 정하고 있는 제재사유는 다음과 같다.

법 제28조(원형지의 공급과 개발) ⑦ 해양수산부장관은 다음 각 호의 어느 하나에 해당하는 경우에는 원형지 공급계획의 승인을 취소하거나 사업시행자로 하여금 그 이행의 촉구, 원상회복 또는 손해배상의 청구, 원형지 공급계약의 해제 등 필요한 조치를 할 것을 요구할 수 있다.
1. 사업시행자가 제1항에 따른 원형지 공급계획에 따라 원형지를 공급하지 아니한 경우
2. 사업시행자 또는 원형지개발자가 제4항에 따른 이행조건을 이행하지 아니한 경우
3. 원형지개발자가 제8항 각 호의 어느 하나에 해당하는 경우
⑧ 사업시행자는 원형지개발자가 다음 각 호의 어느 하나에 해당하는 경우에는 대통령령으로 정하는 바에 따라 원형지 공급계약을 해제할 수 있다.
1. 제5항에 따른 세부계획에서 정한 착수 기한까지 공사에 착수하지 아니한 경우
2. 개발을 위한 공사에 착수한 후 제5항에 따른 세부계획에서 정한 사업기간 이내에 원형지 개발을 위한 사업을 완료하지 아니한 경우
3. 제6항을 위반하여 공급받은 원형지의 전부나 일부를 제3자에게 매각한 경우
4. 그 밖에 원형지를 공급계약에서 정하는 목적대로 사용하지 아니하는 등 제5항에 따른 원형지 공급계약의 내용을 위반하는 경우

---

2. 사업시행자의 계약 해제

해양수산부장관의 제재와 별도로, 법 제28조 제8항 각 호의 사유가 인정되는 경우에는 사업시행자 스스로도 원형지 공급계약을 해제할 수 있다. 다만, 시행령(안)은 법 제28조 제8항 각 호의 어느 하나에 해당하는 사유가 발생하였다고 하더라도 곧바로 계약을 해제할 수 있는 것은 아니고, 원형지개발자에게 2회 이상 시정을 요구한 다음, 그럼에도 불구하고 원형지개발자가 시정하지 아니하는 경우에 한하여 원형지 공급계약을 해제할 수 있도록 정하고 있다(제32조 제6항). 이 경우 원형지개발자는 사업시행자의 시정 요구에 대하여 의견을 제시할 수 있다.

한편, 해양수산부장관이 법 제28조 제7항에 따라 공급계약의 해제 조치를 요구하는 경우에도 위와 같은 '2회의 시정요구 절차'를 거쳐야 하는 것인지가 쟁점이 될 수 있다. 법 제28조 제7항 또한 사업시행자로 하여금 공급계약의 해제를 요구하는 것인만큼, 사업시행자가 계약 해제에 이르기 위한 요건이 충족되어 그와 같은 권리를 행사할 것이 전제되어 있는 경우를 의미한다고 해석하는 것이 타당할 것으로 보이는바, 동조 제8항 각 호에 의한 사유로 인하여 해양수산부장관이 계약해제의 조치를 요구하는 경우에도 시정요구의 절차를 거치는 것이 타당할 것으로 사료된다.

3. 사업시행자에 대한 제재

가. 사업시행자 지정의 취소

법은 원형지 공급과 관련하여 문제가 발생하는 경우 원형지개발자에 대하여 어떠한 조치를 취할 수 있도록 하는 것과 별개로, 사업시행자에 대하여도 일정한 제재적인 처분을 가할 수 있도록 정하고 있다. 법 제15

조 제2항 제7호는 사업시행자가 법 제28조에 따른 원형지 공급계획의 승인을 받지 아니하고 원형지를 공급한 경우 사업시행자의 지정을 취소하거나 공사의 중지·변경, 시설물 또는 물건의 개축·변경·이전·제거 또는 원상회복에 대한 명령이나 그 밖에 필요한 처분 등을 할 수 있다고 정하고 있다.

나. 실시계획 승인의 취소

법은 사업시행자가 법 제28조에 따른 원형지 공급계획의 승인을 받지 아니하고 원형지를 공급한 경우, 해양수산부장관은 실시계획의 승인을 취소하거나 공사의 중지·변경, 시설물 또는 물건의 개축·변경·이전·제거 또는 원상회복에 대한 명령이나 그 밖에 필요한 처분 등을 할 수 있도록 정하고 있다.

국공유재산 관련 특례

제1절 의의

　항만재개발사업은 원칙적으로 항만구역을 사업구역 면적의 3분의 2 이상 포함하도록 되어 있으므로, 국공유지가 사업구역 내에 포함되어 있을 가능성이 매우 높다. 때문에, 사업시행자가 국공유지를 어떠한 방식으로 원활하게 이용할 수 있도록 할 것인지가 사업의 시행과 관련하여 문제가 될 수 있는데, 법은 이를 위해 ① 사업구역내 국공유지에 대하여 실시계획에서 정한 목적 외의 용도로 처분을 금지하는 제한을 가함으로써 사업의 시행을 저해하는 것을 막는 한편, ② 국가나 지방자치단체로 하여금 사업시행자에게 사업완료를 조건으로 국공유재산의 수의매각 예약을 할 수 있도록 하거나 ③ 국유재산법상 임대기간의 제약과 상관없이, 국가가 사업시행자에게 사업구역내 국유재산을 20년 범위에서 임대할 수 있도록 하는 등의 특례를 마련하고 있다.

I. 의의

법은 사업구역 내에 있는 국공유지에 대하여 국가나 지방자치단체가 항만재개발사업의 실시계획의 내용에 반하는 방향으로 처분하는 등으로 사업의 원활한 시행을 저해하는 행위를 금지하는 한편, 필요한 경우에는 이를 사업시행자에게 수의의 방식으로 매각할 수 있도록 정하고 있다.

II. 처분의 제한

법 제29조 제1항은 사업구역에 있는 국가 또는 지방자치단체 소유의 토지로서 항만재개발사업에 필요한 토지는 해당 실시계획에서 정한 목적 외의 용도로 처분할 수 없다고 정하고 있다. 이와 같은 조항은 강행규정이자 효력규정의 성격을 지니는 것으로 보아야 할 것으로 사료되는바, 동항에 위배되는 방식으로 국가나 지방자치단체가 국공유지를 처분한 경우에는 당해 처분행위(계약 등)는 위법하여 무효가 되는 것으로 보아야 할 것으로 판단된다.

III. 사업시행자에 대한 수의매각

본래 국유재산법이나 공유재산 및 물품관리법 등은 국공유재산의 사용 및 처분방법과 관련하여 원칙적으로 경쟁에 의한 방식으로 매각하도록 정하고 있고, 수의계약의 방식으로 매각할 수 있는 경우를 매우 제한적으로 열거하는 태도를 취하고 있다. 이는 국공유재산을 관리하는 관리청 혹은 지방자치단체와 개인 또는 단체 간의 유착관계를 원인으로 하여 특정인에게 이를 독점적으로 사용하게 하거나 처분하는 것을 방지하고자 하는 취지로[187], 국유재산법 스스로도 국유재산 관리 처분의 기본원칙으로 "투명하고 효율적인 절차를 따를 것"을 정하고 있다는 점에서도 그 취지를 확인할 수 있다(동법 제3조 제4호).

그럼에도 불구하고, 법은 국공유지를 사업시행자에게 수의계약의 방법으로 처분할 수 있도록 하는 명시적인 근거를 마련해두고 있는바, 법은 "항만재개발사업에 필요한 재산"에 해당하는 경우에는 수의계약으로 처분할 수 있도록 함으로써, 국유재산법 제9조에 따른 국유재산의 관리·처분에 관한 계획 및 공유재산 및 물품 관리법 제10조에 따른 공유재산 관리계획과 국유재산법 제43조 및 공유재산 및 물품 관리법 제29조에 따른 계약의 방법 등에 대한 특례조항을 마련해두고 있다.

다만, 이와 같은 조문의 내용이 사업시행자에게 국가나 지방자치단체에 대하여 수의계약으로 당해 국공유지를 팔 것을 신청할 수 있는 권리를 부여한 것인지는 해석상 논란의 소지가 있다. 즉, 법 제29조 제2항이 사업시행자에 대하여도 일정한 지위나 권리를 수여·보장하는 조문이라 볼 수 있을지는 의문이 있다는 것이다. 참고로, 택지개발사업의 원활화를 위하여 택지개발사업에 협조한 주택건설업자에 대하여 시행자가 해당 업자에게 수의계약으로 택지를 공급할 수 있도록 정하고 있는 구 택지개발촉진법 시행령 제13조의2 제5항 제5호와 관련하여 대법원은 이를 근거로 해당 주택건설업자에게 수의계약으로 공급을 신청할 권리가 인정된다고 본[188] 바 있으므로, 이와 같은 대법원 판결의 논지를 항

---

187) 이원우, 주석 국유재산법, 법제처, 2006, 100면 참조.
188) 대법원 2007. 12. 13. 선고 2006두19068 판결. "단순히 택지개발사업의 시행자로 하여금 그러한 대상자들에게 수의계약에 의한 택지공급을 할 수 있는 권능을 부여하는 데 그치는 것이 아니라 그와 같은 요건을 갖추기 위하여 공공사업에 협력한 자에게 수의

만재개발사업에 대하여도 참조할 수 있겠다.

　이와 같이 수의계약의 방식으로 사업시행자에게 처분하는 경우, 국유재산의 용도폐지(행정재산인 경우만 해당한다) 또는 처분에 관하여는 해양수산부장관이 미리 관계 중앙행정기관의 장과 협의하여야 하고, 이와 같은 협조요청을 받은 관계 중앙행정기관의 장은 그 요청을 받은 날부터 30일 이내에 협의에 필요한 조치를 하여야 한다.

　　계약에 의한 택지공급의 기회를 요구할 수 있는 법적인 이익을 부여하고 있는 것이라고 보아야 하므로, 그들에게는 위와 같은 법령에 근거하여 수의계약에 의한 택지공급 신청권(택지공급을 받을 권리와는 다른 개념)이 인정된다고 해석하여야 한다"

　이상과 같이 법 제29조 제2항에 따른 수의계약으로 처분할 수 있는
재산 – 곧, 사업구역 내 국공유지로서 사업의 시행에 필요한 것에 해당
하는 재산에 대하여 국가 또는 지방자치단체는 항만재개발사업의 완료
를 조건으로 해당 재산을 수의계약으로 처분할 수 있는 매각을 예약을
할 수 있도록 정하고 있다. 이 경우 예약된 재산의 사용·수익, 예약의
해지 또는 해제 등에 관하여는 국유재산법 제45조 제2항부터 제5항까
지의 규정이 준용되는데, 동조는 개척·매립·간척 또는 조림 사업을
시행하기 위하여 그 사업의 완성을 조건으로 국유재산을 대부·매각
또는 양여를 예약하는 경우에 관한 조문이다. 이와 같은 준용관계를 고
려하면, 대체로 법 제30조는 항만재개발사업구역에 속하는 공유수면 등
에 대하여 이를 매립하는 경우를 염두에 둔 조문으로 사료된다.

　참고로, 종래 부산 북항 재개발사업과 관련하여 실시계획 승인 당시
사업시행자인 부산항만공사가 매립지를 포함한 전체 조성부지를 취득
하는 조건이 부기되었음에도 불구하고, 법적으로 국가가 아닌 사업시행
자가 매립지 소유권을 취득할 수 있는 것인지에 대한 논란이 있었고, 이
때문에 사업의 시행이 다소 차질을 빚게 된 바가 있었다.[189]

　한편, 법 제30조에 의하여 준용되는 국유재산법 제45조의 규정에 의
하여, 국가·지방자치단체와 사업의 시행이 완료되기 이전까지도 사업
시행자는 예약된 재산 또는 사업의 기성부분(既成部分)을 무상으로 사
용하거나 수익할 수 있다(국유재산법 제45조 제2항).

---

189) 중앙일보, 부산 북항재개발사업 '매립지소유권'문제로 중단 위기, 2013. 10. 24.자 기
　　사 참조.

I. 의의

국유재산법이나 공유재산 및 물품관리법 등은 국공유재산의 사용과 관련하여 특정인에게 특혜를 부여하는 등으로 공정성과 투명성을 훼손하는 것을 방지하고자 하는 태도를 취하고 있을 뿐만 아니라, 특히 행정목적으로 사용되는 재산의 경우에는 그 현상을 영구적으로 변경함으로써 당초의 용도나 목적을 저해하는 것을 예방하려는 태도를 취하고 있다. 이와 같은 취지들이 구체화된 것이 국공유재산 사용허가의 기간을 제한하는 것이나(예컨대 국유재산법 제35조), 영구축조물의 설치를 원칙적으로 금지(예컨대 국유재산법 제18조)하는 등의 조문에 해당한다.

그런데, 항만구역을 사업구역의 다수로 하면서 사업기간 또한 장기간으로 할 수밖에 없는 항만재개발사업의 경우에는 국공유재산의 사용허가 기간에 제약이 가해지거나 그 형상을 영구적으로 변경하는 것이 금지되는 경우에는 사실상 사업의 정상적인 시행에 장애물로 작용할 수밖에 없게 된다. 따라서, 법은 항만재개발사업의 이와 같은 특성을 고려하여 국공유지의 사용관계에 대한 특례규정을 마련하고 있는 바 그것이 법 제31조이다.

II. 사용허가 및 대부 기간에 대한 특례

국유재산법을 예로 들면, 동법은 행정재산[190]의 사용허가 기간을 원

---

190) 국유재산법이나 공유재산 및 물품관리법 등은 국공유재산을 행정재산과 일반재산으로 구분하는데(국유재산법 제6조 제1항 등 참조), ① 행정재산이란 국가나 지방자치단체가 소유하는 재산들 중에서도 공용재산, 공공용재산 기업용재산, 보존용재산 등

칙적으로 '5년 이내'로 하고 있고, 수의의 방법으로 사용허가를 할 수 있는 경우가 아니라면 원칙적으로 5년의 범위에서 1회까지만 갱신할 수 있도록 하고 있다(국유재산법 제35조). 즉, 수의의 방식으로 사용허가를 할 수 있는 매우 예외적인 사유들(국유재산법 시행령 제27조 제3항)에 해당하지 않는 이상, 연장하는 경우까지 합하여 사용허가를 받을 수 있는 최대 기간은 10년에 불과한 것이다. 이와 같은 기간의 제한은 일반재산을 대부하는 경우에도 유사하게 존재하나, 행정재산의 사용허가와 비교하여서는 기간이 장기간인 경우가 존재한다(국유재산법 제46조 제1항 참조).

그러나, 항만재개발사업과 같은 대규모 대단위의 개발사업의 경우에는 사업의 규모를 고려할 때 최소 10년 이상의 사업기간이 소요되는 경우가 절대 다수이므로, 5년을 기준으로 하여 사업구역 내 국공유지의 사용허가를 규율하는 것은 그 자체로 불필요한 행정력의 낭비일 뿐만 아니라, 사업의 효율적 시행을 저해할 수 있다.

때문에 법 제31조 제1항과 제2항은 국공유재산의 사용허가나 대부관계에 관한 이상과 같은 제한에 대하여 특례를 마련하여, 원칙적으로 사용허가나 대부 기간을 20년으로 규정한 다음 1회에 한정하여 최초 사용허가 및 대부 기간의 범위 내에서 연장을 허용함으로써, 최장 40년까지 사용허가나 대부가 가능하도록 정하고 있다.

과 같이 공적이 목적으로 사용하려는 재산을 의미하고, ② 일반재산(종래의 잡종재산)은 위와 같은 목적으로 사용되는 것 이외에 국가나 지방자치단체가 보유한 재산을 말하는 것이다. 행정재산의 경우 공적인 용도나 목적이 전제되어 있는 것이므로, 그 사용관계 등에 대한 규율이 대체로 보다 엄격한 편이다.
참고로, 대법원은 행정재산에 속하는 재산의 사용허가의 법적 성질을 법이론상 '특허'라고 보아 행정청이 사인에게 행하는 고권적인 관계로 보고 있을 뿐만 아니라, 행정청의 재량을 인정하고 있다(대법원 2006. 3. 9. 선고 2004다31074 판결 등 참조).

III. 영구시설물 축조에 관한 특례

국유재산법 제18조 등은 국유재산에 대하여 원칙적으로 영구시설물의 축조를 금지하고 있는바, 이는 국공유재산이 특정인에 의하여 사실상 배타적으로 사용되는 등으로 그 형상이나 용도가 변경되는 것을 방지하고자 하는 취지에서 비롯된 것으로 사료된다. 항만재개발사업과 관련하여 법은 이에 대한 특례를 마련하여 사업의 시행에 필요한 영구시설물의 설치를 원칙적이고 전면적으로 허용하고 있으나(법 제31조 제3항), 다만 해당 시설물의 종류 등을 고려하여 사용허가 또는 대부 기간이 끝나는 때에 이를 국가에 기부하거나 원상회복하여 반환하는 조건을 붙이도록 정하고 있다.

제8장 비용의 부담[제32조]

I. 본조의 의의

항만재개발사업으로 인하여 조성되는 토지 등의 결과물은 사업시행자가 처분할 수 있는 것이므로(법 제38조), 그와 같은 처분 이익을 향유하게 되는 사업시행자가 당해 사업에 소요되는 비용을 부담하는 것이 원칙적인 모습이다(법 제32조 제1항).

그러나, 항만재개발사업이 지니는 공익사업으로서의 성격을 고려하면, 국가나 지방자치단체가 가능한 범위에서는 사업에 대한 지원을 할 수 있도록 하는 것도 바람직할 것이다. 다만, 국가[191]나 지방자치단체[192]의 성격상 그 재원을 지출하기 위해서는 법적인 근거를 명확히 해 두는 것이 바람직하므로, 법 제32조 제2항과 제3항은 그와 같은 측면에서 의의를 지닌다고 볼 수 있다.

---

[191] 국가의 경우에는 예산법률주의의 적용을 받으므로, 명문의 근거 규정이 없다고 하더라도 예산상의 근거만으로도 보조금의 지원이 가능하기는 하다. 홍정선, 행정법특강, 제10판, 박영사, 2011, 1183면.

[192] 지방자치단체의 경우 지방재정법의 적용을 받게 되는데, 동법은 지방자치단체가 기부 또는 보조를 할 수 있는 경우나 출자 또는 출연을 할 수 있는 경우를 제한하고 있다(동법 제17조, 제18조). 그런데, 지방자치단체가 이와 같은 지출을 할 수 있는 대표적인 사유가 법률에 규정이 있는 경우이므로, 법 제32조 제3항은 그와 같은 근거가 되어줄 수 있는 것이다.

II. 국가와 지방자치단체의 지원

1. 국가의 보조 및 융자

법은 국가에 대하여는 대통령령으로 정하는 바에 따라 예산의 범위에서 사업시행자에게 항만재개발사업의 시행에 필요한 비용의 일부를 보조하거나 융자할 수 있도록 정하고 있다. 본래 항만구역은 국가의 기간시설로서의 의미가 강하였고, 따라서 전통적으로는 국가가 주도하여 공간을 형성하고 개발하여왔던 것이나, 차츰 이를 민간에게 이양하는 방식으로 법체계가 정비되어왔다. 따라서, 법은 국가에 대하여 가급적이면 예산의 사정이 허락하는 한도 내에서 일정한 종류의 비용들을 보조하거나 융자할 수 있도록 정하고 있는 것으로 판단된다.

시행령(안)은 국가가 보조하거나 융자할 수 있는 비용의 범주를 다음과 같이 특정하고 있다.

시행령(안) 제33조(비용의 보조 등) ① 법 제32조 제2항에 따라 보조 또는 융자할 수 있는 비용은 다음 각 호와 같다.
1. 간선도로의 건설비
2. 녹지의 건설비
3. 이주대책사업비
4. 항만시설용지의 조성비 및 매입비
5. 도로·통신시설 등 기반시설 중 사업시행자의 부담으로 하기에 적당하지 아니한 시설의 설치비용
6. 사업구역 밖의 간선도로·광역상수도시설 등 항만재개발사업을 추진하기 위하여 필요한 시설 중 사업시행자의 부담으로 하기에 적당하지 아니한 시설의 설치비용
7. 제1호부터 제6호까지의 비용 외에 항만재개발사업을 위하여 특히 필요한 공공시설의 설치비용

---

2. 국가나 지방자치단체의 기반시설 설치 지원

법 제32조 제3항은 일정한 종류의 기반시설에 대하여는 우선적으로 그 설치비용을 지원하도록 정하고 있다. 이 때 '지원'의 의미가 반드시 재정적인 형태의 지원만을 의미하는 것인지 아니면 그 이외의 형태로의 유·무형적 지원행위가 포함되는 것인지 모호한 측면이 있으나, 동항이 반드시 '비용'의 지원에 국한하지 않고 있는 점을 고려하면 행정적인 지원을 하는 것 또한 동항에 의한 지원에 해당한다고 볼 수 있을 것으로 사료된다. 참고로, 법제처 해석례들 중에서는 개별 법령에서 사용되는 '지원'이라는 단어의 의미에 대하여 '행정적 지원'과 '재정적 지원' 등으로 세분하는 사례가 발견되는바[193], 법 스스로 지원의 의미를 '금전' 혹은 '비용'의 지원행위로 한정하고 있지 아니한 이상 '지원'의 의미를 재정적인 것으로만 한정하여 국가나 지방자치단체에 대하여 그 우선적 비용지원의무를 인정하는 것은 적절하지 아니한 것으로 사료된다.

법 제32조 제3항과 그 위임을 받은 시행령(안) 제33조 제2항은 지원의 대상이 되는 기반시설의 범위를 다음과 같이 열거하고 있다.

시행령(안) 제33조(비용의 보조 등) ② 법 제32조 제3항에 따라 국가나 지방자치단체가 우선적으로 설치를 지원하는 기반시설은 다음 각 호와 같다.
  1. 도로 및 철도
  2. 용수공급시설 및 통신시설
  3. 하수도시설, 폐수종말처리시설 및 폐기물처리시설
  4. 사업구역 안의 공동구(共同溝)
  5. 집단 에너지공급시설
  6. 제1호부터 제5호까지의 시설 외에 항만재개발사업을 위하여 특히 필요한 공공시설로서 해양수산부령으로 정하는 시설

---

193) 법제처 2016. 6. 7. 회신 16-0115 해석례 참조.

III. 도시개발법 제55조의 준용

1. 조문의 취지

항만재개발사업이나 도시개발사업과 같이 대규모, 대단위의 개발사업을 시행하는 경우, 그로 인하여 건설되는 각종의 기반시설들은 사업시행자가 조성하는 사업부지뿐만 아니라, 그 인근의 다른 토지 및 건물 등의 경우에도 이익을 함께 영위하는 경우가 발생할 수 있다. 때문에 도시개발법 제55조는 필수적 공공재를 공급하기 위한 사회간접자본의 성격을 갖는 대규모 간선시설의 설치와 관련하여 그 설치 및 비용부담을 전부 시행자에게 맡길 경우 그 사업의 수행이 상당히 곤란해질 수 있음을 고려하여, 시설의 설치 및 비용부담의 주체를 명확히 법정하여 이를 둘러싼 분쟁을 사전에 예방함으로써 적기에 그와 같은 필요적 공공재의 공급을 가능하게 하고자 하는 취지에서 입법된 것이다.[194] 법은 이와 같은 도시개발법 제55조를 그대로 준용하여 항만재개발사업에 대하여도 적용하고 있다.

2. 설치 및 비용부담의 주체

도로와 상하수도시설의 설치는 지방자치단체가 시행하고, 그 비용을 부담함(도시개발법 제55조 제1항 제1호, 동조 제2항). 통신시설의 설치는 해당 지역에 통신서비스를 제공하는 자가 시행하며 그 비용을 부담한다(동항 제3호).

전기시설·가스공급시설 또는 지역 난방시설의 설치는 해당 지역에 전기·가스 또는 난방을 공급하는 자가 시행하고 그 비용을 부담하는

---

194) 헌법재판소 2009. 5. 28. 선고 2006헌바86 결정: 서울남부지방법원 2012. 6. 21. 선고 2011가합17466 판결 등 참조.

것이 원칙이나(동항 제2호), 도시개발법은 그 중에서도 전기시설을 '지중선로'로 설치하는 경우에 대하여는 예외적인 규정을 마련해두고 있는데, ① 전기를 공급하는 자와 지중에 설치할 것을 요청하는 자가 각각 2분의 1의 비율로 그 설치비용을 부담하되, ② 만일 당해 사업의 시행방식을 전부 환지 방식으로 하는 경우에는 전기시설을 공급하는 자가 3분의 2, 지중에 설치할 것을 요청하는 자가 3분의 1의 비율로 부담하도록 정하고 있다. 다만, 항만재개발사업의 특성상 전부 환지 방식으로 사업이 시행될 가능성은 극히 낮을 것으로 사료되는바 후자(②)보다는 전자(①)에 의하여 비용이 분담될 것으로 판단된다.

이와 같은 시설의 설치는 특별한 사유가 없는 이상 항만재개발사업의 준공검사 신청일 이전까지 완료하여야 한다(도시개발법 제55조 제3항).

3. 시설의 설치범위(도시개발법 시행령 제71조)

도시개발법 시행규칙 제71조는 시설의 종류별 설치 범위를 다음과 같이 정하고 있는바, 아래 규정에서 도시개발사업은 항만재개발사업으로 도시개발구역은 항만재개발사업구역 등으로 이해하면 될 것이다.

기반시설의 종류	내 용
도로	다음 각 목의 요건에 모두 해당하는 도로 가. 도시개발구역지정 이전부터 「국토의 계획 및 이용에 관한 법률」에 따른 도시·군계획도로 또는 「도로법」에 따른 도로구역으로 결정된 도로일 것 나. 지방자치단체가 설치하여야 하는 「도로법」상의 국도·지방도 및 국가지원 지방도일 것
상하수도시설	도시개발구역의 상하수도관로와 연결되지 아니하고 통과하는 상하수도관로

기반시설의 종류	내 용
전기시설	도시개발구역 밖의 기간이 되는 시설로부터 도시개발구역의 토지이용계획 또는 환지계획상의 6미터 이상인 도시·군계획도로에 접하는 개별필지(이하 "개별필지"라 한다)의 경계선까지의 전기시설
가스공급시설	도시개발구역 밖의 기간이 되는 가스공급시설로부터 개별필지의 경계선까지의 가스공급시설. 다만, 취사 또는 개별난방용(중앙집중식난방용은 제외한다)으로 가스를 공급하기 위하여 도시개발구역의 개별필지에 정압조정실을 설치하는 경우에는 그 정압조정실까지의 가스공급시설
통신시설	관로시설은 도시개발구역 밖의 기간이 되는 시설로부터 도시개발구역의 개별필지의 경계선까지의 관로시설 및 도시개발구역 밖의 기간이 되는 시설로부터 도시개발구역의 개별필지의 최초 단자까지의 케이블시설
지역난방시설	도시개발구역 밖의 기간이 되는 열수송관의 분기점으로부터 도시개발구역의 개별필지의 각 기계실입구 차단밸브까지의 열수송관

4. 지방자치단체의 설치 대행

시설의 종류별 설치 범위 중 지방자치단체의 설치 의무 범위에 속하지 아니하는 도로 또는 상하수도시설로서 시행자가 그 설치비용을 부담하려는 경우에는 시행자의 요청에 따라 지방자치단체가 그 도로 설치 사업이나 상하수도 설치 사업을 대행할 수 있다(도시개발법 제55조 제5항). 사업시행자와 비교하여 상대적으로 도로와 상하수도와 같은 기반시설의 설치 시행 경험이 많은 지방자치단체에게 해당 설치업무를 대행할 수 있도록 함으로써 사업을 효율적으로 추진할 수 있게 허용한 것이다.

항운노동조합원의 생계지원

제1절　의의

　　항운노동조합은 항만에서 하역이나 운수 산업에 종사하는 부두 근로자들이 주축이 되는 노동조합이다. 항만재개발사업은 노후화되고 유휴 상태로 있는 항만에 대하여 항만으로서의 기능을 확대하거나 강화하기 위한 목적과는 거리가 있고, 항만을 항만으로서 재개발하는 것이라기보다는 기존의 항만공간과 그 주변지역의 공간을 재편·정비하여 항만으로서의 기능은 줄이거나 극단적인 경우에는 제거하는 것을 내용으로 하는 사업이다.[195] 때문에, 항만에서의 하역이나 운수 작업에 종사하던 근로자들로서는 항만재개발사업의 시행으로 일터를 잃게 되는 결과가 초래되는바, 그에 대한 적절한 지원의 근거를 마련하기 위하여 2012. 2. 22. 개정 항만법에서 관련 규정이 새로이 신설되었다.

　　그 이전에도 부산 북항 재개발사업의 경우 사업시행자이던 부산항만공사가 항운노조원에 대하여 보상을 행하여 온 바 있기는 하나, 2009.

---

195) 대표적으로, 군산항 내항의 경우 이미 지속적인 퇴적으로 인하여 만조위 일부 시기를 제외하고는 사실상 항만으로서의 기능을 상실한 상태이므로, 제1차 항만재개발사업 기본계획에서는 항만기능을 삭제하되 기존에 명목상 남아있던 소규모 어선접안시설을 "근대화를 느낄 수 있는 역사의 장"으로 보존하는 등으로 계획을 수립하고 있다. 국토해양부, 제1차 항만재개발 기본계획 수정계획(2011~2020), 2012. 4., 209면.

10. 5. 감사원의 감사 결과 그와 같은 보상에 대한 법적인 근거가 부재하다는 지적이 있었고, 이에 2012. 2. 22. 항만법 개정을 통하여 그와 같은 문제를 해소하게 된 것이다.[196)]

법은 항운노조원에 대한 사업시행자의 생계지원금 지급에 관한 근거를 마련하는 한편(법 제33조), 지원금 이외의 생계대책과 관련하여 항운노조원들과 협의를 할 수 있는 협의체를 구성하는 것에 관한 근거 규정을 마련하고 있다(법 제34조).

---

196) 국회 국토해양위원회, 항만법 일부개정법률안(정부제출) 검토보고서, 2011. 3., 2면 참조.

생계지원금의 지급[제33조]

 사업시행자는 항만재개발사업의 시행으로 영위하던 작업장이 소멸된 「항만인력공급체제의 개편을 위한 지원특별법」 제2조 제2호에 따른 항운노동조합 소속 조합원에게 생계지원금을 예산의 범위에서 지급할 수 있다. 법은 "지급할 수 있다"라는 문언을 사용하고 있어 이와 같은 생계지원금 지급을 사업시행자의 의무사항으로 정하고 있지는 않은 것으로 사료된다.

 이 때 생계지원금은 1. 항운노동조합의 퇴직 여부, 2. 다른 작업장으로의 이전 여부, 3. 「근로기준법」 제2조 제6호에 따른 평균임금 등을 고려하여 산정하였다. 법은 자세한 생계지원금의 산정 방법에 관하여는 시행령(안)으로 정하도록 위임하고 있는바, 시행령(안) 별표 1에서 해당 내용을 정하고 있다.

생계대책협의회의 구성 및 운영[제34조]

I. 의의

항만재개발사업이 시행되는 해당 항만을 관할하는 해양수산부 소속 기관의 장 또는 시·도지사는 항만재개발사업에 따른 항운노동조합 소속 조합원의 생계안정 등과 관련하여 ① 생계지원금 지급을 위한 사전 의견수렴, ② 항운노동조합 소속 조합원의 작업장 이전에 관한 사항, ③ 그 외 생계대책 마련을 위하여 필요한 사항 등을 협의하기 위한 회의체 (생계대책협의회)를 구성·운영할 수 있도록 정하고 있다.

법 제34조 제1항 단서는 일정한 경우에는 생계대책협의회의 구성 및 운영을 선택적인 것이 아닌 기속적인 것으로 정하고 있는데, 시행령 (안)에 의하면 항만재개발사업의 사업면적이 30만제곱미터 이상인 경우가 그에 해당한다(제35조 제1항).

법에 의하여 생계대책협의회의 구성이 강제되지 아니하는 경우라 하더라도, 해당 항만의 항운노동조합이나 항만운송사업자(「항만인력공급체제의 개편을 위한 지원특별법」 제2조 제3호), 사업시행자 등은 해양수산부 소속기관의 장 또는 시·도지사에게 생계대책협의회 구성을 요청할 수 있도록 규정되어 있다.

II. 생계대책협의회의 구성 및 운영

생계대책협의회의 위원장은 해당 항만이 국가관리무역항인 경우에는 해양수산부 소속기관의 장이, 지방관리무역항인 경우에는 시·도지사가 역임하게 된다.

생계대책협의회는 위원장 1명을 포함하여 11명 이내의 위원으로 구성되는데, 위원으로는 ① 사업시행자가 추천한 사람 1명 ② 항운노동조합이 추천한 사람 1명 ③ 「항만인력공급체제의 개편을 위한 지원특별법」 제2조 제3호에 따른 항만운송사업자등이 추천한 사람 1명 ④ 변호사, 공인노무사 및 항만의 개발·운영 등에 대한 학식과 경험이 풍부한 사람 중에서 생계대책협의회의 위원장이 위촉하는 사람 등으로 구성된다(시행령(안) 제35조 제3항 각 호).

생계대책협의회의 회의는 재적위원 과반수의 출석으로 개의하고, 출석위원 과반수의 찬성으로 의결한다.

제 **7** 편

준공확인 등

준공확인 및 공사완료의 공고

제1장

제1절 준공확인의 의의

I. 제도의 의의

법은 사업시행자가 항만재개발사업을 끝냈을 때에는 지체없이 해양수산부장관으로부터 준공확인을 신청하여 이를 받도록 정하고 있다.

통상의 개발사업법령들은 인허가를 받아 공사를 수행하여 완료한 다음, 완공된 토지나 건물 등을 사용하기 이전에 인허가의 내용대로 제대로 공사가 이행된 것인지를 인허가권자로부터 확인받는 절차를 거치게 되는데, 개별 법령상 이는 사용승인(건축법 제22조), 준공검사[197](공공주택특별법 제31조, 도시개발법 제50조 등), 준공확인(공항시설법 제20조, 사회기반시설에 대한 민간투자법 제22조 등)과 같이 다양한 명칭으로 규정되어 있다. 이와 같은 사용승인, 준공검사, 준공확인 등을 거친 다음에야 비로소 토지대장이나 건축물대장 등의 편성이 가능하고, 이를 기초로 하여 등기에 이를 수 있다.

항만재개발사업의 경우에도 준공확인은 승인받은 실시계획의 내용대로 시행된 것인지를 확인하는 절차로서 의미를 지니는 것이고(법 제35

---

197) 1995년 개정 이전의 건축법 또한 현행법상의 사용승인이라는 용어 대신에 준공검사라는 용어를 사용하였다.

조 제2항), 준공확인을 거쳐야만 비로소 각종 공부에의 등록, 등기 절차나, 조성된 토지 및 시설을 합법적으로 사용할 수 있게 되는 지위를 얻게 된다.

II. 준공확인의 법적 성질

준공확인은 법이론상 '확인'에 해당하는 것으로 준법률적 행정행위에 속한다.[198] 법은 "항만재개발사업이 승인된 실시계획의 내용대로 시행되었다고 인정되는 경우에는 준공확인증명서를 사업시행자에게 내주어야 한다"라고 하여, 준공확인 제도가 실시계획의 내용대로 공사가 된 것인지를 확인하는 성격을 지니는 것이라는 점을 명확히 하고 있다. 유사한 제도인 건축법상 사용승인에 대하여도 대법원은 "건축허가를 받아 건축된 건물이 건축허가사항대로 건축행정목적에 적합한가의 여부를 확인하고 준공검사필증을 교부하여 줌으로써 허가받은 자로 하여금 건축한 건물을 사용, 수익할 수 있게 하는 법률효과를 발생시키는 것"이라고 하여[199] 확인적 성격을 지니는 제도임을 인정하고 있다.

법이론상 '확인'은 일정한 사실이나 법률관계의 존부 혹은 정당성 등이 객관적으로 확인되는 경우에는, 행정청으로서는 확인을 하여야 하는 것이므로, 그 자체로 '기속행위'로서의 성질을 지니게 된다.[200] 따라서, 행정청은 확인의 대상이 되는 것 이외의 사항을 이유로 하여 확인을 거부하는 등의 행위를 할 수 없는 것이고[201], 기속행위이면서 확인행위

---

198) 도시개발법상 준공검사 또한 준법률행위로서 '확인'의 법적 성격을 지닌다. 관련하여 로앤비, 온주 도시개발법, 2020. 1. 16., 제50조 부분 참조.

199) 대법원 1993. 11. 9. 선고 93누13988 판결

200) 김동희, 행정법I, 제16판, 2010, 291면.

201) "허가관청은 특단의 사정이 없는 한 건축허가내용대로 완공된 건축물의 준공을 거부할 수 없다" 대법원 1992. 4. 10. 선고 91누5358 판결.

자체로 어떠한 법률효과가 바로 발생하는 것이기 때문에 그에 대하여 부관을 붙일 수도 없게 된다.[202]

III. 준공확인의 신청서류

시행령(안) 제36조 제1항은 사업시행자가 준공확인을 신청하려는 경우 제출하여야 할 서류로 다음의 것들을 열거하고 있다. 대체로 실시계획의 내용대로 준공된 것인지를 확인할 수 있는 도면이나 사업비의 지출내역 등을 보여줄 수 있는 자료들을 열거하고 있다.

[법령] 준공확인시 제출하여야 할 서류

---

1. 준공조서(준공설계도서와 준공사진을 포함한다)
2. 시장·군수·구청장이 발행하는 지적측량성과도
3. 토지의 용도별 면적조서 및 평면도
4. 공공시설 등의 귀속조서 및 도면
5. 신·구지적대조도 및 시설의 대비표
6. 총사업비 명세서

IV. 준공확인을 위한 업무의 의뢰

시행령(안)은 준공확인을 하려는 경우 해양수산부장관이 직접 그 확인을 실시하지 아니하고, 전문기관이나 단체에게 의뢰하여 준공검사를 실시할 수 있도록 정하고 있다(제36조 제2항). 이는 타 법령상으로도 일반적으로 인정되고 있는 바로, 실무적으로 건축법상 사용승인의 경우에도 각 시·군·구청장이 건축사 등에게 위탁하여 현장점검 및 관계 서류의 확인 등 사용승인 업무에 필요한 제반사항의 판단을 위한 업무를 수행함에 있어 조력을 받고 있는 상황이다.

---

202) 김동희, 행정법I, 제16판, 2010, 291면.

V. 부분적 준공확인

   법은 당해 항만재개발사업의 전체가 완공되지 아니한 상태라 하더라
도 사업의 효율적 시행을 위해 필요한 경우 실시계획의 범위에서 단계
별로 또는 시설별로 구분하여 준공확인을 신청할 수 있도록 정하고 있
다(법 제35조 제1항 후문). 항만재개발사업과 같은 대규모·대단위의 개발
사업의 경우 전체 준공에 이르기 이전에 부분적으로나마 먼저 조성된
토지 등을 이용할 수 있도록 하는 것이 사업의 효율적이고 원활한 시행
을 위하여 필요한 경우가 많으므로, 법은 명시적으로 부분적인 준공확
인의 신청과 발급을 허용하고 있는 것이다.

준공확인의 효과

I. 각종 공부의 편성

　준공확인을 거쳐야만 비로소 이를 근거로 하여 토지대장의 등록전환을 신청할 수 있고[「공간정보의 구축 및 관리 등에 관한 법률」(공간정보관리법) 시행령 제82조 제1항[203])], 그에 따라 지적 공부가 새로이 편성될 수 있게 된다. 만일, 공간정보관리법 제86조에 따른 토지의 이동 절차에 의하여 항만재개발사업의 준공에 따른 지적공부의 정리를 행한다고 한다면, 먼저 준공확인 절차가 완료될 것이 전제·선행되어야 하는 것이다.[204]) 이와 같이 지적공부가 편성, 정리되어야만 비로소 이를 등기의 신청정보로 하여 등기를 신청할 수 있게 된다(부동산등기규칙 제43조 제1항 제1호 가목 등 참조).

　참고로 공간정보관리법은 도시개발사업이나 항만법 및 신항만건설촉진법상의 항만개발사업의 경우에는 사업의 착수, 변경, 완료 사실을 지적소관청에 신고하도록 의무를 부과하고 있고(동법 제86조 제1항), 당해 사업이 준공된 때 토지의 이동이 이루어지는 것으로 보는 등의 효력을 인정하는 조문을 두고 있다(동조 제3항). 그러나, 항만재개발사업의 경우는 동법 제86조의 적용대상에 명시적으로 포함되어 있지 아니하므로, 항만재개발사업의 시행자가 그 착수, 변경, 완료 사실 등을 신고하여야

---

203) 제82조(등록전환신청) ① 영 제64조 제3항에 따라 토지의 등록전환을 신청하려는 경우에는 관계 법령에 따라 토지의 형질변경 등의 공사가 준공되었음을 증명하는 서류의 사본을 첨부하여야 한다.

204) 관련하여, 산업입지법의 경우에도 준공인가를 받은 단계에 이르러야 비로소 지적공부 정리를 위한 '토지의 이동'의 요건인 '토지의 형질변경 등의 공사가 준공된 때'가 충족되었다고 본 법제처 2019. 9. 6. 회신 19-0087 해석례 참조.

한다는 등의 의무는 인정되기 어려울 것으로 사료된다. 다만, 항만재개발사업과 도시개발사업의 유사성을 고려하면 추후 항만재개발사업도 공간정보관리법 제86조의 적용대상으로 편입될 가능성도 있을 것으로 예상된다.

II. 조성된 토지 및 시설의 사용

1. 원칙

법은 준공확인증명서를 받기 전에는 항만재개발사업으로 조성되거나 설치된 토지 또는 시설을 사용해서는 아니 된다고 하여(법 제35조 제5항), 준공확인절차를 거친 다음에야 비로소 항만재개발사업으로 조성된 토지 및 시설을 적법하게 사용할 수 있는 지위가 부여되는 것이라 보고 있다. 이를 위반한 경우에 대하여는 형사처벌 조항이 마련되어 있다(법 제47조 제3호).

2. 예외적인 경우 1(준공전 사용신고)

다만, 법은 예외적으로 해양수산부장관에게 준공전 사용신고를 함으로써 준공확인증명서를 교부받지 아니하였다고 하더라도 신고를 한 토지 또는 시설을 사용하는 것이 가능하도록 정하고 있다(법 제35조 제5항 단서). 이와 같은 준공전 사용신고는 수리를 요하는 신고로 보아야 할 것으로 사료되고, 해양수산부장관의 수리행위를 거친 다음에야 비로소 사용이 가능하다고 보아야 할 것으로 판단된다.

법이나 시행령(안)은 준공전 사용신고의 사유를 전혀 제한하고 있지 아니하므로, 해양수산부장관은 스스로의 판단에 따라 필요하다고 인정된다면 준공전 사용신고를 얼마든지 수리할 수 있다고 보아야 할 것으로 사료된다. 참고로, 전술한 바와 같이 선수금을 지급받은 매매대상 토지나, 원형지의 경우 이와 같은 준공전 사용신고를 받음으로써 전체 사업의 준공 전이라고 하더라도 사업시행자로부터 이를 매수한 자(수분양자)가 이를 사용할 수 있을 것이다.

시행령(안)은 준공전 사용신고를 신청하는 경우 제출하여야 하는 서류를 다음과 같이 열거하고 있다.

> **시행령(안) 제37조(준공 전 사용의 신고)** 사업시행자가 법 제35조 제5항 단서에 따라 준공 전 사용의 신고를 하려는 경우에는 다음 각 호의 서류를 첨부하여 해양수산부장관에게 제출하여야 한다.
> 1. 사용하려는 토지 또는 시설의 공정 현황이 포함된 사용계획서
> 2. 사용하려는 토지 또는 시설의 사용가능 여부 및 안정성 등에 관한 공사감리자의 의견서
> 3. 해당 토지 또는 시설의 완성단계 도면 및 사진

3. 예외적인 경우 2(환지예정지의 경우)

법은 항만재개발사업에 대하여도 환지방식의 사업시행을 인정하고 있는데, 도시개발법상 환지예정지에 관한 조문 또한 준용의 대상에 포함시키고 있다(법 제25조 제2항).

그런데, 도시개발법상 환지예정지의 사용에 대하여 주무부처인 국토교통부는 환지예정지를 사용·수익함에 있어서는 별도의 준공전 사용허가가 필요하지 아니하고, 환지예정지를 지정하면 곧바로 그 효력이 발생하여 사용수익권이 발생한다고 보고 있으므로[205], 그 체계를 같이 하는 항만재개발사업의 경우에도 환지예정지로 지정된 곳에 대하여는 동일한 법리가 적용될 수 있을 것으로 판단된다.

---

205) 국토교통부 도시재생과-2586, 2010. 12. 10.; 국토교통부 도시재생과-2680, 2010. 12. 30. 등

III. 의제된 인허가에 따른 준공검사 등의 의제

법은 항만재개발사업에 대하여 법 제35조 제2항에 따른 준공확인 절차를 거쳐 증명서를 발급한 경우, 법 제19조에 따라 의제받은 인허가 사항과 관련하여 요구되는 각종의 준공검사 또는 준공인가 등의 절차 또한 받은 것으로 의제하도록 정하고 있다. 법령에 따라 준공검사 또는 준공인가 혹은 제3의 명칭을 사용하는 경우가 있으므로, 준공검사나 준공인가라는 문언에 국한하여 이와 같은 의제의 효력을 한정할 것은 아닐 것으로 사료되고, 의제되는 인허가에 대응하여 그에 따른 공사의 완료 단계에 이르러 확인적 절차를 거치도록 하고 있는 각종의 인허가들에 대하여도 이와 같은 의제 효과가 발생한다고 보는 것이 타당할 것으로 보인다.

법은 해양수산부장관이 준공확인증명서를 내어준 경우에는 공사완료의 공고를 하도록 정하고 있다(법 제36조). 이와 같은 공사완료의 공고는 준공확인 절차가 완료된 다음에 사후적으로 행하여지는 절차에 불과하므로, 공사완료의 공고가 지연되거나 미필되었다고 하더라도 준공확인의 효력에는 영향이 없는 것으로 보아야 할 것이다.

공공시설의 귀속[제37조]

I. 의의

개발사업을 시행하는 경우 당해 사업구역 내·외에 사업시행자가 새로이 공공시설을 설치하는 경우가 있고, 혹은 개발사업으로 인하여 기존에 존재하던 공공시설을 철거하는 등으로 폐지하는 경우가 있다. 이와 같이 개발사업과 관련한 공공시설의 개폐(改廢)가 있는 경우 그 소유권의 귀속에 대하여 정할 필요가 있고, 아울러 새로이 공공시설을 설치한 자에 대하여 그 적절한 반대급부 - 곧 무상귀속을 허락할 수 있도록 하는 법적 근거를 마련할 필요가 있는데, 그에 대하여 일반적으로 규율하고 있는 것이 국토계획법 제65조(개발행위에 따른 공공시설 등의 귀속)이고, 대부분의 개발사업법령들은 이를 준용하는 방식으로 공공시설의 개폐에 따른 귀속 문제를 해결하고 있다.

국토계획법 제65조는 그 자체로 "공공의 이익 및 목적에 제공하는 공공시설의 효율적 유지·관리, 공공시설인 국·공유지 취득 절차의 간소화를 위한 규정"으로 금전적인 차원에서 국유재산법 등에 대한 특례규정이라 할 수 있다는 것이 주무부처인 국토교통부의 견해이다.[206]

---

206) 국토교통부, 국토의 계획 및 이용에 관한 법률 해설집, 2018, 225면 직접 인용.

II. 국토계획법 제65조의 개관[207]

1. 공공시설의 개념

국토계획법 제65조에 따라 귀속이 결정되는 '공공시설'의 범위에 관하여는 동법 제2조 제13호와 그 위임을 받은 동법 시행령 제4조에서 자세히 정하고 있다. 국토계획법 제2조 제13호는 '공공시설'을 "도로·공원·철도·수도, 그 밖에 대통령령으로 정하는 공공용 시설"로 정의하고 있고, 동법 시행령 제4조는 공공시설의 범주를 다음과 같이 열거하고 있다.[208] 이 때 공공시설인지 여부는 "실시계획의 승인 시점을 기준으로" 하여 그 현실적인 이용상황을 고려하여 판단하여야 한다.[209]

주의할 것은, 법 제37조 제1항 및 시행령(안) 제39조는 항만법 제15조 제1항 단서 및 항만법 시행령 제24조 제1항 각 호에 따른 항만시설의 경우에는 이와 같은 무상귀속에 관한 국토계획법 제65조의 적용대상에서 제외하고 있다는 점이다.

---

207) 이하 편의상 '개발행위허가를 받은 자'는 '사업시행자'로 대체하기로 함. 엄밀하게 말하면 사업시행자로서 실시계획 승인을 받은 자가 이에 해당할 것이나 편의상 사업시행자로만 지칭한다.

208) 한편, 국토계획법은 공공시설과 별개로 기반시설이라는 용어를 사용하고 있는데(제2조 제6호), 기반시설과 공공시설의 관계나 개념적 공통점 및 차이점 등에 대하여는 법리적으로 검토의 필요성이 있다. 다만, 이는 본서의 논의 범위를 초과하는 것으로 보이므로 별도로 언급하지 아니한다. 문언적으로만 본다면 국토계획법 제65조에 따라 귀속이 결정되는 시설의 범주는 동법 시행령 제4조에 의하여만 정하여지는 것이다.

209) 대법원 2004. 5. 28. 선고 2002다59863 판결 참조.

> **국토계획법 시행령 제4조(공공시설)** 법 제2조 제13호에서 "대통령령으로 정하는 공공용시설"이란 다음 각 호의 시설을 말한다.
> 1. 항만ㆍ공항ㆍ광장ㆍ녹지ㆍ공공공지ㆍ공동구ㆍ하천ㆍ유수지ㆍ방화설비ㆍ방풍설비ㆍ방수설비ㆍ사방설비ㆍ방조설비ㆍ하수도ㆍ구거
> 2. 행정청이 설치하는 시설로서 주차장, 저수지 및 그 밖에 국토교통부령으로 정하는 시설
> 3. 「스마트도시 조성 및 산업진흥 등에 관한 법률」 제2조 제3호 다목에 따른 시설

2. 귀속의 요건

가. 공통요건 – 대체시설 설치의 필요 여부

국토계획법 제65조의 해석과 관련하여, 사업시행자가 신설하는 공공시설이 관리청에 무상귀속되기 위한 요건으로, 대체시설 설치가 반드시 필요한지 여부가 문제될 수 있다. 관련하여, 국토교통부는 국토계획법 제65조 제1항과 제2항을 적용함에 있어, 관리청에 신설되는 공공시설의 소유권이 무상귀속되기 위한 요건으로, 대체시설 설치 여부는 상관이 없다는 입장을 취하고 있다.[210]

반면, 후술할 바와 같이 동조에 의하여 사업시행자에게 무상으로 귀속되는 공공시설의 범위를 판단함에 있어서는 대체시설의 설치 여부나 가액 등이 주요한 요건으로 고려된다.

나. 설치자가 행정청인 경우(제65조 제1항)

사업시행자가 행정청인 경우 그가 새로 공공시설을 설치하거나 기존의 공공시설에 대체되는 공공시설을 설치한 경우에는 국유재산법과 공유재산 및 물품 관리법에도 불구하고 새로 설치된 공공시설은 그 시설

---

210) 국토교통부, 국토의 계획 및 이용에 관한 법률 해설집, 2018, 225면 참조.

을 관리할 관리청에 무상으로 귀속되고, 종래의 공공시설은 개발행위허가를 받은 자에게 무상으로 귀속된다.

사업시행자가 신설하는 공공시설의 경우에는 설치비용이나 대체시설의 설치 여부에 관계 없이 관리청에게 귀속 되어야만 하는 것이고, 이와 같은 규정은 강행규정의 성격을 지니는 것이다.[211]

사업시행자가 신설하는 공공시설과 대체관계에 있어 폐지되는 종래의 공공시설이 있는 경우에는, 종래의 공공시설의 소유권은 사업시행자에게 무상귀속된다. 후술할 바와 같이 사업시행자가 행정청인 경우와 그렇지 않은 경우 요건에 있어서 차이가 있는데, 전자의 경우 대체시설의 가액을 고려하지 아니하는 반면, 후자의 경우에는 대체시설의 가액이 동등한 수준까지만 사업시행자에게 무상귀속을 허용하고 있다.

한편, 대법원은 국토계획법 제65조 제1항의 적용과 관련하여 "국가나 지방자치단체가 종래의 공공시설에 필요한 토지의 소유권을 취득하고 있는 경우에 한하여 적용되는 것"이라는 입장을 취하고 있다.[212]

다. 설치자가 행정청이 아닌 경우(제65조 제2항)

사업시행자가 행정청이 아닌 경우 그가 새로 설치한 공공시설은 그 시설을 관리할 관리청에 무상으로 귀속되고, 개발행위로 용도가 폐지되는 공공시설은 국유재산법과 공유재산 및 물품관리법에도 불구하고 새로 설치한 공공시설의 설치비용에 상당하는 범위에서 개발행위허가를 받은 자에게 무상으로 양도할 수 있다.

국토계획법 제65조 제1항과 마찬가지로, 사업시행자가 신설하는 공공시설의 경우에는 설치비용이나 대체시설의 설치 여부에 관계 없이

---

211) 국토교통부, 국토의 계획 및 이용에 관한 법률 해설집, 2018, 225면 내지 226면 참조.
212) 대법원 2015. 1. 29. 선고 2013다204386 판결.

관리청에게 귀속 되어야만 하는 것이다.

반대로, 사업시행자에 무상귀속되는 종래의 공공시설의 범위와 관련하여서 동법 제65조 제2항은 제1항과 달리 "(사업시행자) 새로 설치한 공공시설의 설치비용에 상당하는 범위에서"라는 요건을 추가하고 있는바, 사업시행자가 지출한 경제적 가치에 상응하는 수준에서만 무상양도의 특례를 부여함으로써 과도한 특혜 시비를 차단하려는 취지인 것으로 사료된다.

참고로, 국토계획법 제65조 제2항의 경우 제1항과 달리 "무상으로 양도할 수 있다"라는 표현을 사용하고 있으므로, 그 귀속 여부를 관리청이 선택할 수 있는지 여부가 문제될 수 있으나, 대법원은 "특별한 사정이 없는 한 종래의 공공시설은 여전히 사업시행자에게 무상으로 귀속된다고 할 것"이라고 하여[213] 요건이 갖추어진다면 특별한 사정이 없는 이상 사업시행자에게 귀속되는 것으로 보고 있는 것으로 판단된다.

3. 귀속의 시기

사업시행자가 행정청인 경우 개발행위가 끝나 준공검사를 마친 때에는 해당 시설의 관리청에 공공시설의 종류와 토지의 세목(細目)을 통지하여야 한다. 이 경우 공공시설은 "그 통지한 날"에 해당 시설을 관리할 관리청과 개발행위허가를 받은 자에게 각각 귀속된 것으로 보게 된다.

한편, 사업시행자가 행정청이 아닌 경우 관리청에 귀속되거나 그에게 양도될 공공시설에 관하여 개발행위가 끝나기 전에 그 시설의 관리청에 그 종류와 토지의 세목을 통지하여야 하고, 준공검사를 한 지방자치단체장은 그 내용을 해당 시설의 관리청에 통보하여야 한다. 이 경우 공

---

213) 대법원 2004. 5. 28. 선고 2002다59863 판결 참조.

공시설은 "준공검사를 받음으로써" 그 시설을 관리할 관리청과 사업시행자에게 각각 귀속되거나 양도된 것으로 보게 된다.

4. 개발행위허가를 위한 관리청의 의견 청취

해양수산부장관은 공공시설의 귀속에 관한 사항이 포함된 실시계획 승인을 하려면 미리 해당 공공시설이 속한 관리청의 의견을 들어야 한다. 다만, 관리청이 지정되지 아니한 경우에는 관리청이 지정된 후 준공되기 전에 관리청의 의견을 들어야 하며, 관리청이 불분명한 경우에는 도로·하천 등에 대하여는 국토교통부장관을 관리청으로 보고, 그 외의 재산에 대하여는 기획재정부장관을 관리청으로 보게 된다.

이와 같이 관리청의 의견을 듣고 실시계획 승인에 나아간 경우에는, 사업시행자는 그에 포함된 공공시설의 점용 및 사용에 관하여 관계 법률에 따른 승인·허가 등을 받은 것으로 보아 개발행위를 할 수 있다. 이 경우 해당 공공시설의 점용 또는 사용에 따른 점용료 또는 사용료는 면제된 것으로 보게 된다(국토계획법 제65조 제4항).

III. 등기를 위한 특칙

법 제37조 제2항은 국토계획법 제65조를 준용하여 그 귀속이 결정되는 공공시설등을 등기할 때에는 실시계획 승인서와 법 제35조 제2항에 따른 준공확인증명서로 부동산등기법상의 등기원인을 증명하는 서면을 갈음할 수 있도록 특칙을 마련하고 있다. 부동산등기법상 등기를 신청하려면 그 신청의 원인이 되는 정보(신청정보)를 등기관에게 제출하여야 하는데(부동산등기법 제24조), 실시계획 승인서나 준공확인증명서로 해당 서류를 대체할 수 있도록 허용하고 있는 것이다.

조성토지의 처분[제38조]

I. 의의 – 처분에 대한 규제의 완화

법 제38조 제1항은 "사업시행자는 항만재개발사업으로 조성하여 취득한 토지를 실시계획에 따라 직접 사용하거나 분양 또는 임대하여야 한다"라고만 하여 사업시행자가 조성토지 등을 처분하기 위하여 준수하여야 하는 요건으로 실시계획의 내용만을 언급하고 있다. 그 외에는 명시적인 제한이나 발견되지 않는다.

이와 같은 법의 태도는 다른 개발사업법령들과 비교하여 보더라도 비교적 사업시행자에 대하여 조성토지를 처분함에 있어 규제를 완화하여 주는 것이라 볼 수 있는데, 예컨대 ① 물류시설법 제50조 및 동법 시행령 제39조, 제40조의 경우에는 사업시행자가 조성한 물류단지시설용지 등의 분양가격이나 임대가격 등을 정하는 상세한 기준을 정하고 있고, ② 산업입지법 제38조 및 동법 시행령 제38조 내지 제42조의3의 경우에는 사업시행자가 개발한 토지, 시설 등을 처분하는 경우 처분계획 작성 및 협의 절차, 분양 및 임대가격, 분양절차 등에 대하여 상세하게 정하고 있다. 반면, 법과 시행령(안)의 경우에는 실시계획의 내용[214] 대로 조성토지를 처분하도록 하는 한편, 사업시행자가 작성하게 되는

---

214) 물론 실시계획 또한 해양수산부장관으로부터 승인을 받아야 하는 것이기는 하나(법 제17조), 실시계획의 내용 자체는 사업시행자가 작성하는 것이라는 점에서도 규제완화의 여지가 있는 것이다.

분양 · 임대계획서의 내용이나 그 작성 절차 등에 대하여는 달리 규정을 두고 있지 아니하므로, 타 입법례에 비하여 비교적 법령이 정하고 있는 규제의 수준이 낮은 것이라 볼 수 있다.

II. 처분의 절차

1. 분양 · 임대계획서의 작성

사업시행자는 조성되는 토지(조성토지)를 분양 또는 임대하려는 경우에는 다음 사항을 적은 분양 · 임대계획서를 작성하여야 한다(시행령(안) 제40조 제1항). 다만, 법이나 시행령(안)은 이와 같은 계획서의 작성을 요구하는 것 이외에 해당 계획서에 관하여 해양수산부장관의 인가 등을 받아야 한다거나, 협의를 거쳐야 한다는 등의 절차를 요구하고 있지 않다.

---

1. 분양 또는 임대하려는 조성토지의 위치 · 면적 및 용도
2. 분양 또는 임대 대상자의 자격 요건 및 선정 방법
3. 분양 또는 임대의 시기 · 방법 및 조건
4. 조성토지의 가격결정 기준
5. 조성토지의 분양 또는 임대와 관련된 공고의 방법 및 공고 사항
6. 그 밖에 조성토지의 원활한 분양 또는 임대를 위하여 해양수산부장관이 필요하다고 인정하는 사항

사업시행자는 조성토지와 관련된 항만재개발사업의 목적, 사업계획 및 분양 · 임대계획서에 따라 조성토지를 분양 또는 임대하여야 한다(시행령(안) 제40조 제2항).

2. 일반경쟁입찰에 의하는 경우 – 공고절차

법이나 시행령(안)은 조성토지를 분양, 임대하려는 경우 경쟁입찰에 의하여야 한다는 의무규정을 두고 있지 아니하므로, 어떠한 방식으로 조성토지를 분양, 임대할 것인지는 사업시행자가 분양·임대계획서를 작성하면서 선택할 수 있는 사항에 해당하는 것으로 사료된다.

다만, 사업시행자가 일반경쟁입찰의 방식으로 조성토지를 분양하거나 임대하려는 경우에는 일정한 사항을 미리 공고하도록 정하고 있다(시행령(안) 제40조 제3항).

---

1. 사업시행자의 성명(법인인 경우에는 법인의 명칭 및 대표자의 성명)·주소
2. 조성토지의 위치·면적 및 용도(용도에 대한 금지 또는 제한이 있는 경우에는 그 금지 또는 제한의 내용을 포함한다)
3. 분양 또는 임대의 시기·방법 및 조건
4. 분양 또는 임대 가격
5. 분양 또는 임대 신청의 기간 및 장소
6. 분양 또는 임대 신청 자격
7. 분양 또는 임대 신청 시의 구비서류

개발이익의 재투자[제39조]

I. 본조의 의의

법 제39조는 사업시행자가 항만재개발사업을 통하여 얻게 되는 개발이익의 일정 부분을 해당 사업구역 내의 일정한 용처에 재투자할 것을 의무화하고 있다. 이는 2014. 3. 24. 개정 항만법에서 처음으로 도입된 것인데, 개발이익을 일정 부분 환수함과 아울러 임대료 인하 등을 통해 사업의 활성화에도 도움이 될 수 있도록 하는 취지에서 도입된 것이다.[215]

법은 이와 같은 개발이익 재투자의 실효성을 위하여 발생된 개발이익을 구분하여 회계처리하는 등 필요한 조치를 하도록 정하고 있다(법 제39조 제2항).

II. 재투자가 요구되는 개발이익의 범위

1. 개발이익의 정의

법은 개발이익의 산정방법에 대하여 전적으로 「개발이익 환수에 관한 법률」(개발이익환수법)이 정하고 있는 개발이익의 산정방식을 준용하고 있다. 개발이익환수법은 토지에 대한 각종의 개발사업에 대하여

---

215) 국회 농림축산식품해양수산위원회, 항만법 일부개정법률안 심사보고서, 2014. 2., 45면에서 인용.

그로 인하여 발생하는 개발이익을 일정부분 '개발부담금'의 형식으로 환수하고자 제정된 법이다.

'개발이익'은 「개발이익 = 부과종료시점의 지가 - (개시시점의 지가 + 정상지가상승분 + 개발비용)」의 산식, 곧 종료시점지가에서 (i) 개시시점지가, (ii) 개시시점과 종료시점 사이의 정상지가상승분, (iii) 개발비용 등을 뺀 것으로 계산한다(개발이익환수법 제8조, 제11조, 동법 시행령 제12조 등).

일정기간 동안의 '토지 가액의 증가분'이 개발이익이 되는 것이므로, 시점과 종점 간 토지 가액의 차액에, 개발사업이 없었더라도 상승하였을 정상지가상승분을 공제하고, 부과대상자가 개발에 투입한 비용을 빼주는 방식으로 이를 산정하게 되는 것이다. 이 때 각 항목('종료시점지가', '개시시점지가', '정상지가상승분', '개발비용' 등)의 산정방법에 대하여는 개발이익환수법 제9조 내지 제12조 등에서 상세하게 정하고 있다.

2. 각 항목의 산정방법

가. 종료시점지가의 산정방법

개발이익환수법은 개별 사업마다 지가의 산정방식이 천차만별이 되어서는 아니되기 때문에, ① 원칙적으로는 대상토지와 가장 상황이 유사한 표준지[216]의 공시지가[217]를 기준으로 「부동산 가격공시에 관한

---

216) 대법원은 표준지의 선정 기준에 대하여 "종료시점지가를 결정하기 위한 표준지로는 대상 토지와 이용상황이 가장 유사한 표준지, 즉 용도지역, 지목, 토지용도(실제용도), 주위환경, 위치, 기타 자연적·사회적 조건이 가장 유사한 인근 지역 소재 표준지를 선정하여야 하며, 대상토지에 대한 표준지 선정의 적정 여부를 판단하는 데에는 그 표준지에 의거하여 결정된 개별공시지가가 인근 유사토지들의 개별공시지가와 균형을 유지하고 있는지의 여부도 참작할 수 있다고 할 것이다"라고 설시하고 있다(대법원 1997. 4. 11. 선고 96누9096 판결, 대법원 2009. 11. 12. 선고 2009두13771 판결 등 참조).

법률」제3조 제7항에 따른 표준지와 지가산정 대상토지의 지가형성 요인에 관한 표준적인 비교표에 따라 산정한 가액(價額)에 해당 연도 1월 1일부터 부과 종료 시점까지의 정상지가상승분을 합한 가액으로 정하고 있다. 이와 같이 산출된 가액에 대하여는 감정평가업자의 검증을 받아야 한다. ② 다만, 동법은 예외적으로 공동주택과 같이 처분 시 그 가격에 대하여 행정청의 인가 등의 처분을 거치게 되는 경우에는, 그 가격을 종료시점지가로 할 수 있도록 허용하고 있다(개발이익환수법 제10조 제1항, 제2항).

참고로 개발부담금 부과기준이 되는 개시시점지가를 실제 매입가액을 기준으로 산정하였다고 하더라도, 종료시점지가도 반드시 처분가격으로 산정하여야 한다고 할 수는 없는 것이고, 이 경우에도 개발이익환수법 제10조 제1항에 따른 원칙으로 돌아가 종료시점지가를 적용하는 것이 가능하다.[218]

나. 개시시점지가의 산정방법

개발이익환수법 제10조 제3항은 부과 개시 시점이 속한 연도의 부과 대상 토지의 개별공시지가[219](부과 개시 시점으로부터 가장 최근에 공시된 지가를 말한다)에 그 공시지가의 기준일부터 부과 개시 시점까지의 정상지가상승분을 합한 가액을 개시시점지가로 한다고 정하고 있다.

---

217) ① 개시시점지가 및 종료시점지가를 산정할 때 부과 대상 토지의 개별공시지가가 없는 경우나 ② 종료시점지가를 산정할 때 법 제10조 제3항 단서에 따라 매입가격으로 개시시점지가를 산정한 경우에는 「감정평가 및 감정평가사에 관한 법률」에 따른 둘 이상의 감정평가업자가 감정평가한 가액을 산술평균한 가액으로 해당 지가를 산정하여야 한다(개발이익환수법 시행규칙 제8조 제2항).

218) 대법원 1998. 9. 22. 선고 98두5859 판결 참조.

219) 종료시점지가와 마찬가지로 개별공시지가가 없는 경우 등에는 2인 이상의 감정평가업자가 감정한 금액의 산술평균 금액으로 이를 산정하여야 한다.

다만, 동항은 예외적으로 1. 국가·지방자치단체 또는 국토교통부령으로 정하는 기관으로부터 매입한 경우, 2. 경매나 입찰로 매입한 경우 3. 지방자치단체나 동법 제7조 제2항 제2호에 따른 공공기관이 매입한 경우, 4. 토지보상법에 따른 협의 또는 수용(收用)에 의하여 취득한 경우, 5. 실제로 매입한 가액이 정상적인 거래 가격이라고 객관적으로 인정되는 경우로서 대통령령으로 정하는 경우 중 어느 하나에 해당하는 때[220]에는, 그 "실제의 매입 가액이나 취득 가액"에 그 매입일이나 취득일부터 부과 개시 시점까지의 정상지가상승분을 더하거나 뺀 가액을 개시시점지가로 할 수 있다고 정하고 있다.

대법원은 예외적으로 실제 매입가액을 기준으로 개시시점지가를 적용하기 위해서는 "실제로 매입한 가액을 기준으로 개시시점지가를 산정하기 위하여는 부과 개시 시점 이전에 매입한 경우로서 그 매입가격이 취득세 또는 등록세의 과세표준이 될 뿐만 아니라 매입가격이 개발이익이 포함되지 아니한 정상적인 거래가격이라고 객관적으로 인정될 수 있어야 한다"라고 설시하고 있다.[221]

다. 기부채납 대상 토지나 국공유지의 제외

개발이익환수법은 종료시점지가와 개시시점지가를 산정할 때 부과 대상 토지에 국가나 지방자치단체에 기부하는 토지나 국공유지가 포함되어 있으면 그 부분은 종료시점지가와 개시시점지가 양자 모두의 산정 면적에서 제외하도록 하고 있다(제10조 제4항). 당해 토지들은 사업시

---

220) 개발이익환수법 제10조 제6항에 의할 때, 위 각 어느 하나에 사유에 해당한다는 사실을 증명하는 자료를 부담금 예정통지를 받은 날부터 15일 이내에 해양수산부장관에게 제출하여야 한다.

221) 대법원 2010. 7. 22. 선고 2009두4623 판결, 대법원 2012. 1. 27. 선고 2010두23774 판결 등 참조.

행자에게 귀속되는 것이 아니므로, 사업시행자가 그 이익을 향유한다고 볼 수 없으므로, 개발이익의 논의에서 아예 제외하여 주는 것이다.

라. 정상지가상승분의 산정방법

정상지가상승분은 금융기관의 정기예금 이자율 또는 「부동산 거래신고 등에 관한 법률」 제19조에 따라 국토교통부장관이 조사한 평균지가 변동률(그 개발사업 대상 토지가 속하는 해당 시 · 군 · 자치구의 평균지가변동률을 말한다) 등을 고려하여 개발이익환수법 시행령 제2조로 정하는 기준에 따라 산정된다(개발이익환수법 제2조 제3호). 즉 이는 법령이 정하고, 국토교통부장관이 고시한 이자율 등에 따라 기계적으로 산출되는 금액에 해당한다.

마. 개발비용의 산정방법

개발비용은 개발이익환수법 제11조에서 다음과 같은 항목들을 포함하여 산정하도록 정하고 있다. 간략하게만 살펴보면, 1. 순(純) 공사비, 조사비, 설계비 및 일반관리비, 2. 해당 사업과 관련하여 인허가 조건으로 기부채납한 토지 등의 가액이나 그와 관련하여 부담한 각종의 부담금, 3. 해당 토지의 개량비, 제세공과금, 보상비 및 그 밖에 대통령령으로 정하는 금액 등이 개발비용으로서 개발이익에서 공제된다.

동법은 부과 개시 시점 후 개발부담금을 부과하기 전에 개발부담금 부과 대상 토지를 양도하여 발생한 소득에 대하여 양도소득세 또는 법인세가 부과된 경우에는 해당 세액 중 부과 개시 시점부터 양도시점까지에 상당하는 세액을 같은 조에 따른 개발비용에 계상함으로써, 이를 개발이익에서 공제할 수 있도록 정하고 있다(동법 제12조). 해당 기간 동안의 구체적인 세액의 계산방법에 대하여는 동법 시행령 제13조에서 자세히 정하고 있다.

3. 재투자의 범위

법은 산정된 개발이익의 25%의 범위 내에서 재투자를 하여야 하는 개발이익의 범위를 대통령령으로 정할 수 있도록 하고 있고, 그 위임을 받은 시행령(안) 제41조는 현재 25% 모두를 재투자하도록 정하고 있다.

III. 재투자의 용도

법 제39조는 개발이익의 25%에 해당하는 금액을 1. 해당 사업구역의 항만시설용지 등의 분양가격이나 임대료의 인하, 2. 해당 사업구역의 기반시설이나 공공시설의 설치비용에의 충당, 3. 해당 사업구역의 「중소기업창업 지원법」 제2조 제7호에 따른 창업보육센터 등 항만물류 산업의 일자리 창출을 위한 시설의 설치비용에의 충당 등의 용도 중 어느 하나로 사용하도록 정하고 있다.

제8편

보 칙

제1장 입주자협의회[제40조]

I. 의의

법 제40조는 항만재개발사업의 결과 조성되는 토지 등에 입주하는 입주자 및 입주예정자들을 구성원으로 하는 입주자협의회를 구성하여 사업구역을 효율적으로 관리할 수 있도록 정하고 있는데, 이는 2014. 3. 24.자 개정 항만법에서 처음으로 도입된 제도이다. 이는 물류시설법 제53조, 산업집적법 제31조 등의 사례를 참조한 것이다.

법 제40조 제1항은 "해당 사업구역의 입주자 및 입주예정자는 사업구역의 효율적인 관리를 위하여 입주자협의회를 구성할 수 있다"라고 하여 입주자협의회의 구성주체를 입주자 및 입주예정자로 정하는 한편, 그 구성을 강제하고 있지 않고 있다. 즉, 이는 임의적 단체로 보이고, 입주자 및 입주예정자가 반드시 입주자협의회를 구성하여야 할 의무를 부담하는 것은 아닌 것으로 사료된다.

II. 입주자협의회의 구성과 운영

1. 입주자협의회의 구성 요건

시행령(안) 제42조 제1항에 의하면 입주자협의회를 구성하기 위해서는 그 구성 당시 해당 사업구역의 입주자 및 입주예정자의 75% 이상이 회원으로 가입하여야 한다. 이와 같은 요건을 갖추지 못하는 경우에는 법이 정하고 있는 입주자협의회로서 성립하였다고 보기 어렵다. 다만, 법과 시행령(안)상으로 입주자협의회가 구성된다고 하여 특별한 권한이 부여되거나 법적 지위가 인정되는 바는 달리 없는 상황이어서, 75% 이하의 입주자 및 입주예정자가 구성한 임의의 비법인 사단이 있다고 하더라도 특별히 그 결정행위나 존재가 위법하다고 보기는 어려울 것이다.

2. 회의의 운영

입주자협의회는 매 사업연도 개시일부터 2개월 이내에 정기총회를 개최하여야 하고, 필요한 경우에는 임시총회를 개최할 수 있다(시행령(안) 제42조 제2항).

3. 의결방법

입주자협의회의 회의는 규약에 다른 규정이 있는 경우를 제외하고는 재적회원 과반수의 출석으로 개의(開議)하고, 출석회원 과반수의 찬성으로 의결한다(시행령(안) 제42조 제3항).

4. 규약의 제정

입주자협의회의 구성 및 운영에 관하여 필요한 사항은 입주자협의회의 규약으로 정할 수 있다.

다만, 현재 법이나 시행령(안)상으로 입주자협의회의 구체적인 기능이나 역할, 권한 등이 특별히 규정된 바는 없는 상황이어서, 그 단체 내부에서 운용할 수 있는 사항들에 대하여 자유로이 규약을 정하면 될 것으로 보인다. 그러나, 이와 같은 규약의 내용 및 그 규약에 따른 의사표시가 입주자협의회에 가입하지 아니한 입주자에 대하여도 대외적인 효력을 미친다고 보기는 어려울 것으로 사료된다.

부동산 가격 안정을 위한 조치[제41조]

제 **2** 장

I. 의의

항만재개발사업으로 인하여 항만구역 전반이 재정비되고 기반시설이 확충되는 경우, 그 자체만으로 상당한 지가상승요인이 될 수 있다. 특히, 부산이나 인천의 경우 항만구역은 그 자체로 과거의 도심지에 해당하거나 그에 인접한 곳이어서 개발에 따라 당해 사업구역 뿐만 아니라 그 인접한 토지 및 주택 등의 지가 또한 동반하여 상승할 가능성도 배제하기 어렵다.

이에 법은 항만재개발사업으로 인하여 촉발될 수 있는 지가상승을 예방하고 적절히 관리하고자 해양수산부장관, 관계 행정기관의 장 및 관할 시·도지사에게 필요한 조치를 할 것을 의무적으로 요구하고 있다(법 제41조 제1항). 다만, 동항은 필요한 조치의 내용에 대하여 구체적으로 규정하고 있지 아니하고, 동조 제2항 또한 3가지의 제도 이외에도 필요한 조치의 내용을 포괄적으로 정하고 있으므로, 이와 같은 조문의 내용만으로 해양수산부장관 등에게 구체화된 의무를 인정할 수 있는 것인지는 다소 의문의 소지가 있고, 되려 이는 정책적인 노력을 촉구하는 프로그램적 규정으로 해석될 소지도 다분하다.

II. 관할 시 · 도지사가 요청할 수 있는 각 사항의 내용

법 제41조 제2항은 당해 항만재개발사업 구역이 위치한 곳의 관할 시 · 도지사로 하여금 부동산투기 또는 부동산 가격의 급등이 우려되는 지역에 대하여 관계 중앙행정기관의 장에게 일련의 조치를 취할 것을 요구하여야 하도록 정하고 있다. 이 때 요구의 대상이 되는 지리적 범위는 항만재개발사업 구역에 한정되지 아니하고, 그로 인하여 지가급등이 촉발될 개연성 및 우려가 있는 곳이라면 그와 같은 조치의 대상으로 포함될 수 있다.

다만, 이와 같은 관할 시 · 도지사의 요청이 있다고 하더라도, 법은 그 요청을 받은 각 중앙행정기관의 장이 반드시 요청의 내용대로 조치를 취하여야 할 의무를 부과하고 있지 않으므로, 시 · 도지사의 요청에 응하여 관련된 조치를 취할 것인 지 여부의 권한은 여전히 중앙행정기관의 장에게 맡겨져 있는 것으로 보아야 할 것이다.

1. 소득세법 제104조의2 제1항에 따른 지정지역의 지정

소득세법은 '부동산 가격 상승률이 전국 소비자물가 상승률보다 높은 지역으로서 전국 부동산 가격 상승률 등을 고려할 때 그 지역의 부동산 가격이 급등하였거나 급등할 우려가 있는' 지역을 '지정지역'으로 정할 수 있도록 하고 있다(소득세법 제104조의2 제1항). 지정지역의 구체적인 요건에 대하여는 소득세법 시행령 제168조의3에서 상세하게 정하고 있다.

지정지역으로 될 경우 가장 중요한 효과는 세율이 10%까지 인상된다는 점에 있다(소득세법 제104조 제4항 제3호). 소득세법은 지정지역에 있는 부동산으로서 동법 제104조의3에 따른 비사업용 토지(주로 농지, 임야, 목장용지 등이 해당)를 양도하는 경우에는 동법 제55조 제1항에서 정한 세율에 100분의 10을 더한 것을 세율로 적용하도록 정하고 있다.

보유기간이 2년 미만인 경우에는 ① 10%를 더한 세율을 적용하여 산출한 세액과 ② 소득세법 제104조 제1항 제2호 또는 제3호의 세율을 적용하여 계산한 양도소득 산출세액 중 큰 것을 산출세액으로 하도록 정하고 있다. 다만, 이 경우 지정지역의 공고가 있은 날 이전에 토지를 양도하기 위하여 매매계약을 체결하고 계약금을 지급받은 사실이 증빙서류에 의하여 확인되는 경우는 이와 같은 세율의 가산 대상에서 제외된다.

2. 주택법 제63조에 따른 투기과열지구의 지정

국토교통부장관 또는 시 · 도지사는 주택가격의 안정을 위하여 필요한 경우에는 주거정책심의위원회(시 · 도지사의 경우에는 「주거기본법」 제9조에 따른 시 · 도 주거정책심의위원회)의 심의를 거쳐 일정한 지역을 투기과열지구로 지정할 수 있다(주택법 제63조 제1항). 투기과열지구로 지정하기 위한 요건은 주택법 시행규칙 제25조에서 상세히 정하고 있다.

투기과열지구로 지정될 경우에는 ① 청약 1순위 자격의 제한, ② 민영주택 재당첨의 제한, ③ 재건축 조합원당 재건축 주택공급수 제한, ④ 소유권등기시점까지 전매 제한, ⑤ 재건축 조합원 지위양도의 금지, ⑥ 민간택지 분양가상한제 적용 주택의 분양가 공시, ⑦ LTV · DTI 40% 적용 등의 각종 제한이 가하여지게 된다.[222] 투기과열지구에 대한 규제의 내용은 정책적으로 수시로 변경가능성이 있으므로 확인을 요한다.

---

222) 금융위원회 금융감독원, 「주택시장 안정화 방안(8.2)」에 따른 금융규제 강화방안, 2017. 8. 2., 4면 참조.

3. 부동산 거래신고 등에 관한 법률 제10조에 따른 토지거래계약에 관한 허가구역의 지정

부동산 거래신고 등에 관한 법률은 종래 국토계획법에 수록되어있던 토지거래허가제도에 관한 조문을 별도의 법률로 분법하여 제정한 것이다.[223] 국토교통부장관 또는 시·도지사는 국토의 이용 및 관리에 관한 계획의 원활한 수립과 집행, 합리적인 토지 이용 등을 위하여 토지의 투기적인 거래가 성행하거나 지가(地價)가 급격히 상승하는 지역과 그러한 우려가 있는 지역으로서 5년 이내의 기간을 정하여 토지거래계약에 관한 허가구역을 지정할 수 있다. 그 구체적인 지정 요건에 대하여는 동법 시행령 제7조 제1항에서 상세하게 정하고 있다.

허가구역으로 지정되는 경우, 허가구역 내에서 토지에 관한 소유권·지상권(소유권·지상권의 취득을 목적으로 하는 권리를 포함)을 대가를 받고 이전하거나 설정하는 계약 또는 예약을 체결하려는 경우, 시장·군수 또는 구청장의 허가를 받아야 한다(동법 제11조 제1항). 이와 같은 허가를 받지 아니한 허가구역 내 토지에 대한 매매계약의 효력과 관련하여 대법원은 ① 처음부터 위 허가를 배제하거나 잠탈하는 내용의 계약일 경우에는 확정적으로 무효로서 유효화 될 여지가 없다고 보는 반면, ② 허가받을 것을 전제로 한 계약일 경우에는 허가를 받을 때까지는 법률상의 미완성의 법률행위로 있다가, 허가를 받으면 소급하여 유효한 계약이 된다는(이른바 '유동적 무효') 입장을 취하고 있다.[224]

---

223) 부동산 거래신고 등에 관한 법률 제정이유 참조.
224) 대법원 1995. 4. 28. 선고 93다26397 판결.

4. 그 밖에 부동산 가격의 안정을 위하여 필요한 조치

법 제41조 제4호는 그 이외에도 부동산 가격 안정을 위해 필요한 조치를 중앙행정기관의 장에게 요청할 수 있다고 정하고 있으나, 그 구체적인 조치의 내용에 대하여는 달리 언급을 하고 있지 않다.

청문[제42조]

　행정절차법은 침익적 처분을 하려는 경우에는 개별 법령이 정하는 바에 따라 의견진술의 기회를 보장하고자 하는 취지에서 청문절차를 실시할 수 있도록 정하고 있는데, 법은 ① 법 제15조 제2항에 따른 사업시행자의 지정 취소 ② 법 제18조에 따른 실시계획 승인의 취소의 처분을 하는 경우에 대하여 필요적으로 청문절차를 거치도록 하고 있다.

　법 제42조의 규정에도 불구하고 청문절차를 거치지 아니하거나, 청문절차를 거쳤다고 하더라도 그 절차적 요건을 제대로 준수하지 아니한 경우에는 위 각 처분은 위법하여 취소를 면치 못하게 된다.[225]

---

225) 대법원 1991. 7. 9. 선고 91누971 판결 참조.

권리의무의 이전[제43조]

　본래 행정절차법은 처분당사자의 지위가 승계되거나 양도되는 경우 처분의 승계에 관련한 일반적인 조문을 두고는 있다(행정절차법 제10조). 따라서 처분당사자가 처분에 관한 권리 또는 이익을 사실상 양수한 자는 행정청의 승인을 받아 당사자등의 지위를 승계할 수 있는 것이다(동조 제4항). 다만, 실무적으로는 이와 같은 처분당사자 지위승계에 관한 행정절차법 제10조 제4항을 근거로 하여 사업시행자의 지위 또한 양도되거나 승계될 수 있는 것인지에 대하여 명확하고 확립된 견해가 발견되지는 아니하는 상태이다. 행정절차법의 일반법으로서의 성격을 고려하면 해당 조문을 근거로 한 지위의 승계가 당연히 가능하다고 봄이 타당할 것이기는 하나, 그 적용문제가 가시적인 쟁점화 된 판례나 해석례가 명시적으로 발견되지는 않는다.

　이에 법은 이상과 같은 행정절차법 제10조의 적용가부에 대한 논란과 별개로, 권리의무의 이전에 대한 명시적인 근거를 마련하고 있으므로, 항만재개발사업에 관한 각종의 공법상 권리의무는 법 제43조에 근거하여 이전이 가능하게 되어있다. 상속 등의 사유를 제외하고는, 법에 따른 허가나 승인으로 발생한 권리나 의무를 이전하려면 해양수산부령으로 정하는 바에 따라 해양수산부장관의 인가를 받아야 하고, 이와 같은 인가를 받은 날부터 지위 이전의 효력이 발생한다.

권한의 위임[제44조]

I. 의의

해양수산부장관은 법에 따른 권한의 일부를 대통령령으로 정하는 바에 따라 소속기관의 장 또는 시·도지사에게 위임할 수 있다. 참고로 시행령(안) 제44조는 지방해양수산청장에게만 권한을 위임하고 있을 뿐, 시·도지사에 대하여는 달리 위임사무를 규정하고 있지는 않다.

이와 같이 권한을 위임한 경우 해양수산부장관은 위임한 권한을 스스로 행사할 수는 없고[226], 단지 수임사무에 대하여 소속기관의 장이나 시·도지사에 대한 지휘감독 권한을 행사할 수 있을 뿐이다. 만일 수임사무를 위법 또는 부당하게 처리하는 경우 해양수산부장관은 이를 취소하거나 중지시킬 수 있다(행정권한의 위임 위탁에 관한 규정 제6조, 제14조).[227]

II. 지방해양수산청장에게 위임한 업무

시행령(안) 제44조는 다음과 같은 권한을 지방해양수산청장에게 위임하고 있다. 대체로 해양수산부장관이 사업시행자를 지정한 이후 '실시계획 승인 절차부터'는 지방해양수산청장이 그 권한을 위임받아 행사하게 된다.

---

226) 홍정선, 행정법특강, 제10판, 박영사, 2011, 831면. 해당 문헌은 그 근거로 대법원 1982. 3. 9. 선고 80누334 판결을 들고 있다.
227) 홍정선, 행정법특강, 제10판, 박영사, 2011, 832면.

전술한 바와 같이 현재 시행령(안)상으로는 시·도지사에게 위임된 권한은 달리 없는 상황이다.

1. 법 제17조 제1항·제3항·제4항 및 제6항에 따른 실시계획의 승인·변경승인, 의견 청취 및 고시
2. 법 제18조 제1항 및 제3항에 따른 실시계획 승인의 취소, 공사의 중지·변경, 시설물 또는 물건의 개축·변경·이전·제거 또는 원상회복에 대한 명령이나 그 밖에 필요한 처분 및 고시
3. 법 제19조 제2항에 따른 관계 행정기관의 장과의 협의
4. 법 제20조에 따른 일괄협의회의 개최
5. 법 제21조에 따른 타인의 토지에의 출입
6. 법 제22조에 따른 타인의 토지 출입 등에 따른 손실보상
7. 법 제24조에 따른 토지 등의 수용·사용
8. 법 제28조에 따른 원형지 공급계획의 승인 및 변경승인
9. 법 제35조에 따른 준공확인, 준공확인증명서 발급, 보완시공 등 필요한 조치의 명령 및 준공 전 사용신고의 수리
10. 법 제36조에 따른 공사완료의 공고
11. 법 제37조에 따른 공공시설 등의 귀속
12. 법 제41조에 따른 부동산 가격 안정을 위한 조치
13. 법 제42조에 따른 청문(권한이 위임된 사항에만 해당한다)
14. 법 제43조에 따른 권리·의무 이전의 인가(권한이 위임된 사항에만 해당한다)
15. 법 제49조에 따른 과태료의 부과 및 징수

제 9 편

벌칙 및 과태료

벌칙 규정

제1절 벌칙규정의 내용

I. 법 제45조

법상 처벌이 가장 강력하게 규정되어 있는 행위는 사업시행자 지정과 실시계획 승인에 관한 것이다. 법 제45조는 1. 거짓이나 그 밖의 부정한 방법으로 제15조에 따른 사업시행자의 지정을 받은 자, 2. 거짓이나 그 밖의 부정한 방법으로 제17조에 따른 실시계획의 승인을 받은 자에 대하여 3년 이하의 징역 또는 3천만 원 이하의 벌금의 법정형을 규정하고 있다.

관련하여 몇 가지 제기 가능한 쟁점들에 대하여 검토하면 다음과 같다.

1. '거짓이나 그 밖의 부정한 방법'의 의미

대법원은 동일한 문언을 형벌의 구성요건적 요소로 정하고 있는 타 법령과 관련하여, ① "'거짓이나 그 밖의 부정한 방법'이란 정상적인 절차에 의하여는 보조금을 지급받을 수 없음에도 위계 기타 사회통념상 부정이라고 인정되는 행위로서 보조금 교부에 관한 의사결정에 영향을 미칠 수 있는 적극적 및 소극적 행위를 하는 것을 뜻한다"[228]라고 판시

---

228) 대법원 2016. 12. 29. 선고 2015도3394 판결 [사기, 영유아보육법 위반]

하거나, "'거짓 그 밖의 부정한 방법으로 주택을 공급받거나 받게 하는 행위'라 함은 같은 법에 의하여 공급되는 주택을 공급받을 자격이 없는 자가(또는 그러한 자격이 없는 자에게) 그 자격이 있는 것으로 가장하는 등 정당성이 결여된 부정한 방법으로 주택을 공급받는(또는 공급받게 하는) 행위로서 사회통념상 거짓, 부정으로 인정되는 모든 행위를 말하며 적극적 행위(작위)뿐만 아니라 소극적 행위(부작위)도 포함한다"[229]라고 판시하고 있다.

이를 참조하면, 법 제45조 각 호에서 말하는 '거짓이나 그 밖의 부정한 방법'이란 정상적인 절차에 의하여는 사업시행자로 지정되거나 실시계획 승인을 받을 수 없음에도 사회통념상 거짓, 부정으로 인정되는 소극적 또는 적극적인 모든 행위로서 이를 지정, 승인 받는 경우를 의미하는 것으로 볼 수 있을 것으로 사료된다.

2. 사업시행자 지위를 승계한 자의 경우

대법원은 법 제45조와 유사한 구성요건적 요소를 정하고 있는 폐기물관리법 제64조 제6호와 관련하여, 동호가 정한 '거짓이나 그 밖의 부정한 방법으로 제25조 제3항에 따른 폐기물처리업 허가를 받은 자'에는 이미 허가를 받은 기존의 폐기물처리업을 양수하여 그 권리·의무의 승계를 신고하는 자는 포함되지 않는다고 판시[230]한 바 있으므로 이를 참조할 수 있겠다.

---

229) 대법원 2005. 10. 7. 선고 2005도2652 판결 [주택법 위반]
230) 대법원 2019. 8. 14. 선고 2019도3653 판결 [폐기물관리법 위반·국가기술자격법 위반·사기]

II. 법 제46조

법 제46조는 1. 거짓이나 그 밖의 부정한 방법[231]으로 제14조 제1항에 따른 행위허가 또는 변경 허가를 받은 자, 2. 제17조에 따른 실시계획의 승인을 받지 아니하고 사업을 시행한 자에 대하여 2년 이하의 징역 또는 2천만 원 이하의 벌금형을 정하고 있다.

III. 법 제47조

법 제47조는 다음과 같은 행위들에 대하여 1년 이하의 징역 또는 1천만 원 이하의 벌금에 처하도록 규정하고 있다.

1. 사업구역에서 제14조 제1항에 따른 허가 또는 변경 허가를 받지 아니하고 같은 항에 따른 행위를 한 자 : 법은 사업구역 내에서 해양수산부장관 또는 지방자치단체장의 행위허가를 받은 다음 일정한 행위를 할 수 있도록 제한하고 있는데, 이를 위반한 경우에 대한 처벌 규정이다.
2. 제15조 제2항 및 제18조 제1항에 따른 공사의 중지·변경, 시설물 또는 물건의 개축·변경·이전·제거 또는 원상회복에 대한 명령 또는 그 밖에 필요한 처분 등을 위반한 자 : 법은 사업시행자 지정이나 실시계획 승인에 문제가 있는 경우 등에 대하여 이를 취소하거나 필요한 조치를 취할 수 있도록 정하고 있는데, 그와 같은 해양수산부장관의 처분을 위반한 경우에 대한 제재 규정이다.
3. 제35조 제5항 단서에 따른 사용신고를 하지 아니하고 조성되거나 설치된 토지 또는 시설을 사용한 자 : 준공확인 제도의 실효성 확보를 위하여 사용신고 조차 하지 아니하고 무단으로 조성된 토지 등을 사용한 경우에 대하여 처벌하고 있는 조문이다.

---

231) 그 의미에 대하여는 상론한 법 제45조에 대한 논의를 참조.

　법 제48조는 법인의 대표자나 법인 또는 개인의 대리인, 사용인, 그 밖의 종업원이 그 법인 또는 개인의 업무에 관하여 법 제45조부터 제47조까지의 어느 하나에 해당하는 위반행위를 하는 경우, ① 그 행위자를 벌하는 것과 별개로 ② 그 법인 또는 개인에게도 해당 조문의 벌금형을 과하도록 정하고 있는바, 이를 양벌규정이라고 한다.

　다만, 법은 법인 또는 개인이 그 위반행위를 방지하기 위하여 해당 업무에 관하여 상당한 주의와 감독을 게을리하지 아니한 경우에는, 그 법인이나 개인을 처벌하지 않도록 하고 있다. 이 때 "상당한 주의와 감독을 게을리하지 아니한 경우"라는 문언의 판단 기준에 관하여 대법원은 "구체적인 사안에서 법인이 상당한 주의 또는 감독을 게을리하였는지 여부는 당해 위반행위와 관련된 모든 사정, 즉, 당해 법률의 입법 취지, 처벌조항 위반으로 예상되는 법익 침해의 정도, 위반행위에 관하여 양벌규정을 마련한 취지 등은 위반행위의 구체적인 모습과 그로 인하여 실제 야기된 피해 또는 결과의 정도, 법인의 영업 규모 및 행위자에 대한 감독가능성이나 구체적인 지휘·감독 관계, 법인이 위반행위 방지를 위하여 실제 행한 조치 등을 전체적으로 종합하여 판단하여야 한다"라고 판시하고 있다.[232]

　즉, 법 제48조 단서에 해당하기 위한 구체적이고 명확한 기준이 있다고 보기는 어렵고, 개별적인 사안에서 법인이나 개인이 행한 모든 노력이나 실제 위반행위로 인하여 촉발된 결과 등 모든 제반사정을 고려하

---

232) 대법원 2010. 4. 15. 선고 2009도9634 판결, 대법원 2012. 5. 9. 선고 2011도1264 판결 등 참조.

여 당해 법인이나 개인을 면책시키는 것이 적절한지 여부를 종합적으로 검토하게 되는 것이다.

과태료 규정

I. 조문의 내용

 법 제49조 제1항은 다음과 같은 경우에 대하여 해양수산부장관이 200만 원 이하의 과태료를 부과하도록 정하고 있다. 대체로 사업시행자가 사업을 시행하면서 행사할 수 있는 권한을 방해하거나 거부하는 등의 경우에 대하여 과태료를 부과토록 하여 사업시행자 권한 행사의 실효성을 확보하고자 하는 것으로 보인다.

  1. 정당한 사유 없이 제21조 제1항에 따른 사업시행자의 행위를 거부하거나 방해한 자 : 법 제21조 제1항은 사업시행자에게 항만재개발사업의 시행에 필요한 경우 타인의 토지 등에 출입할 수 있도록 정하고 있는바, 그 권한의 실효성 확보를 위한 것이다.

  2. 제21조 제2항 또는 제3항을 위반하여 토지의 소유자 또는 점유자의 동의 없이 토지에 출입하거나 관할 특별자치도지사 또는 시장·군수·구청장의 허가를 받지 아니하고 출입한 자 : 사업시행자에 대하여 법 제21조에 따라 부여된 토지 등의 출입권한을 행사함에 있어 최소한 요구되는 절차는 준수하도록 정하고 있는 조문으로 사료된다.

  3. 제21조 제5항을 위반하여 증표를 지니지 아니하고 토지에 출입한 자 : 법 제21조 제5항은 사업시행자가 타인의 토지를 출입하는 경

우 증표를 휴대할 것을 요구하고 있는데 이를 위반한 경우에 대한 제재조항이다.

4. 제21조 제6항 후단을 위반하여 사업시행자의 공유수면에의 출입 또는 일시 사용을 가로막거나 방해한 자 : 사업시행자에게 부여된 공유수면 출입 등의 권한의 실효성 확보를 위한 제재조항이다.

II. 과태료 부과 기준

각 행위 태양별로 과태료를 부과하는 기준에 대하여는 시행령(안) 별표 2에서 상세히 정하고 있다. 별표 2 중에서도 각 행위별 개별 기준에 대하여 정하고 있는 것만 발췌하여 소개하면 다음과 같다.

위반행위	근거 법조문	과태료 금액(만원)		
		1회 위반	2회 위반	3회 이상 위반
가. 정당한 사유 없이 법 제21조 제1항에 따른 사업시행자의 행위를 거부하거나 방해한 경우	법 제49조 제1항 제1호	50	70	100
나. 법 제21조 제2항 또는 제3항을 위반하여 토지의 소유자 또는 점유자의 동의 없이 토지에 출입하거나 관할 특별자치도지사 또는 시장·군수·구청장의 허가를 받지 아니하고 출입한 경우	법 제49조 제1항 제2호	50	70	100
다. 법 제21조 제5항을 위반하여 증표를 지니지 아니하고 토지에 출입한 경우	법 제49조 제1항 제3호	20	30	50
라. 법 제21조 제6항 후단을 위반하여 사업시행자의 공유수면에의 출입 또는 일시 사용을 가로막거나 방해한 경우	법 제49조 제1항 제4호	100	150	200

III. 질서위반행위규제법의 적용

과태료처분에 대하여는 일반법으로서 질서위반행위규제법이 적용된다. 그 내용들 중 주요사항들에 대하여 정리하면 다음과 같다.

1. 법 적용의 범위

과태료의 근거가 되는 법령의 적용에 있어서는 '행위 시 법'을 적용하도록 정하고 있다(질서위반행위규제법 제3조 제1항). 다만, 행위 시 이후에 법이 질서위반행위자에게 유리하게 개정된 경우에는 특별한 규정이 없는 한 그에 따라 경한 처분을 부과하거나 부과된 과태료의 징수 및 집행을 면제하도록 정하고 있다(동조 제2항, 제3항).

2. 고의 또는 과실(귀책)의 요구

헌법상 요구되는 책임주의의 원칙에 따라, 과태료 처분을 위해서는 고의 또는 과실이 인정되어야 한다(질서위반행위규제법 제7조). 따라서, 질서위반행위를 한 자가 자신의 책임 없는 사유로 위반행위에 이르렀다고 주장하는 경우 법원으로서는 그 내용을 살펴 행위자에게 고의나 과실이 있는지를 따져보아야 한다.[233]

질서위반행위규제법은 ① 위법성의 착오를 인정하는 조문을 두어 자신의 행위가 위법하지 아니한 것으로 오인하고 행한 질서위반행위는 그 오인에 정당한 이유가 있는 때에 한하여 과태료를 부과하지 아니하도록 정하고 있고(동법 제8조), ② 14세 미만의 경우 과태료를 부과하지 않거나(제9조), ③ 심신미약의 경우에 대한 감면 규정을 두고 있다(제10조).

---

233) 대법원 2011. 7. 14. 자 2011마364 결정 참조.

3. 수개의 질서위반행위의 처리

가. 하나의 행위가 수개의 과태료 요건에 해당하는 경우

하나의 행위가 2 이상의 질서위반행위에 해당하는 경우에는 각 질서위반행위에 대하여 정한 과태료 중 가장 중한 과태료를 부과한다(질서위반행위규제법 제13조 제1항). 즉, 서로 다른 법령에서 동일 행위에 대하여 여러 과태료 규정을 두고 있는 경우라 하더라도, 그 중 가장 중한 것만을 부과토록 한 것이다.

나. 둘 이상의 질서위반행위가 경합하는 경우

둘 이상의 질서위반행위가 경합하는 경우에는 다른 법령이나 조례에서 특별한 규정을 두고 있지 않는 한 각 질서위반행위에 대하여 정한 과태료를 각각 부과토록 정하고 있다(법 제13조 제2항). 즉, 결국 법 제13조 제1항과 제2항의 차이는 어떠한 행위가 하나의 행위인지 둘 이상의 행위인지를 구분하는 기준에 따라 달라지는 것이고, 실제 행정청의 실무에서도 어떠한 연속적이고 계속적인 행위를 몇 개의 행위로 보아야 하는지 여부를 두고 질의가 잦은 편이다. 관련하여 항을 바꾸어 검토한다.

다. 하나의 행위인지를 판단하는 기준

질서위반행위규제법의 주무부처인 법무부는 어떠한 연속적이고 계속적인 행위를 하나의 행위로 볼 수 있는지 여부를 판단하는 기준으로 다음과 같은 기준을 설명하고 있다. 예컨대 항만재개발사업의 경우에도 토지소유자가 사업시행자의 토지 등의 출입행위를 일정기간 동안 계속적, 반복적으로 방해하는 경우 이를 한 개의 행위로 볼 것인지, 복수의 행위로 볼 것인지를 판단함에 있어 이와 같은 쟁점이 대두될 수 있다.

법무부는 "하나의 행위는 행위의사의 단일성과 행위의 동일성이 인정되는 것을 의미하는데, 이는 자연적 행위 개념이 아닌 규범적 행위 개념으로 판단해야"한다고 하면서, "위반자가 동종의 질서위반행위를 일정기간 주기적으로 반복한 경우 반복된 행위의 시간적·장소적 근접성, 의무위반자의 동일성 등을 종합하여 규범적으로 질서위반행위의 개수를 판단해야 하며, 행위의 단일성과 동일성이 인정된다면 포괄하여 하나의 행위가 있었던 것으로 평가할 수 있을 것"이라는 기준을 설명하고 있다.[234]

구체적으로 법무부는 일정기간 동안 지속된 11건의 도서정가제 규정 위반 판매행위를 1건의 질서위반행위로 보면서, "최초의 질서위반행위가 중단 없이 계속되는 경우라면 과태료 부과의 대상이 되는 질서위반행위는 최초의 관리행위 1개"라는 입장을 취하고 있다.[235]

4. 과태료의 제척기간과 시효

질서위반행위규제법은 과태료에 대하여도 제척기간 및 시효제도를 규정하고 있다.

먼저, 행정청은 질서위반행위가 종료된 날(다수인이 질서위반행위에 가담한 경우에는 최종 행위가 종료된 날을 말한다)부터 5년이 경과한 경우에는 해당 질서위반행위에 대하여 과태료를 부과할 수 없는 것이 원칙이다(동법 제19조 제1항). 다만, 행정청은 동법 제36조 또는 제44조에 따른 법원의 결정이 있는 경우에는 그 결정이 확정된 날부터 1년이 경과하기 전까지는 과태료를 정정부과 하는 등 해당 결정에 따라 필요한 처분을 할 수 있다.

다음으로, 과태료는 행정청의 과태료 부과처분이나 법원의 과태료 재

---

234) 법무부, 질서위반행위규제법 해설집, 2018. 12., 340면에서 직접 인용.
235) 법무부, 질서위반행위규제법 해설집, 2018. 12., 344면에서 직접 인용.

판이 확정된 후 5년간 징수하지 아니하거나 집행하지 아니하면 시효로 인하여 소멸하도록 정하고 있다(동법 제15조). 즉, 이는 일단 부과는 되었으나 그 이후 징수절차를 진행하지 아니한 경우에 관한 시효규정이다. 이와 같은 과태료채권의 소멸시효의 중단·정지 등에 관하여는 국세기본법 제28조가 준용된다.

■ 변호사 **김태건**

〈학력 및 경력〉

- 부산 사직고등학교 졸업
- 서울대학교 경제학 학사
- 건국대학교 부동산대학원 석사

- 現 법무법인(유) 율촌 근무(부동산건설부문 파트너변호사)
- 제40회 사법시험 합격
- 사법연수원 제30기 수료
- 서울행정법원 판사 재직
- 대한건설협회, 건설기술교육원, 광운대학교 건설법무대학원 등 강사
- 대한상사중재원 중재인
- 국민권익위 중앙행정심판위원회 위원, 법제처 법령심사위원, 국민권익위
  비위면제자 취업제한 자문위원, 국토교통부 도시정비발전포럼 위원 등
  정부부처 위원

〈저서 및 논문〉

- 민간투자법 해설과 실무, 삼일인포마인 (2019)
- 기타공공기관의 부정당업자제재처분의 처분성에 대한 대법원 판결 및
  이에 대한 비판적 검토, 건설관리학회 (2011)
- 국세기본법상 후발적 사유에 의한 경정청구제도, 행정소송의 이론과 실무,
  사법연구지원재단 (2007)

■ 변호사 **이승용**

〈**학력 및 경력**〉
- 서울 한영외국어고등학교 졸업
- 고려대학교 법학과 학사
- University of Southern California 법학석사(LL.M.)

- 現 법무법인(유) 율촌 근무(부동산건설부문 파트너변호사)
- 제44회 사법시험 합격
- 사법연수원 34기 수료
- 군법무관

〈**저서 및 논문**〉
- 대형마트 영업제한에 관한 최근 고등법원 판결 연구,
  유통법연구 제2권 제1호 (2015)

■ 변호사 **주동진**

〈학력 및 경력〉

- 서울 대신고등학교 졸업
- 서울대학교 외교학과 학사(정치학/경제학)
- 서울대학교 법학전문대학원 법학전문석사
- 독일 슈투트가르트대학교 토목환경공학부 경영공학석사(MBE)

- 現 법무법인(유) 율촌 근무(부동산건설부문 파트너변호사)
- 제1회 변호사시험 합격
- 건설법연구회, 한국행정판례연구회, 행정법이론실무학회 회원

〈저서 및 논문〉

- 도시개발사업의 개발계획 변경과 소의 이익, 건설법연구 (2019)
- Force Majeure Clauses in the Construction Contract of the Republic of Korea - A Comparative Approach, University of Stuttgart (2019)

■ 변호사 **전진원**

〈학력 및 경력〉
- 마산 창신고등학교 졸업
- 서울대학교 정치학 학사(경제학 부전공)
- 서울대학교 법학전문대학원 법학전문석사
- 서울대학교 법과대학원 박사과정(행정법 전공) 수료
- University of Illinois at Springfield, 법학석사(MLS)과정 재학

- 現 법무법인(유) 율촌 근무(부동산건설부문 변호사)
- 제4회 변호사시험 합격
- 前 서울고등검찰청 세월호사건국가소송수행단 공익법무관
- 前 국토교통부 규제개혁법무담당관실 공익법무관
- 건설법연구회, 행정법이론실무학회, 한국토지공법학회 회원

〈저서 및 논문〉
- 개발행위허가에 관한 연구, 서울대학교 법학전문석사 학위논문 (2015)
- 제주특별법상 개발사업시행승인 제도에 관한 소고, 토지공법연구
  (공저, 2019)
- 도시계획 상호간의 효력과 도시계획의 병합, 건설법연구 (2019)
- 정비사업상 대토의 법적 성격과 효력, 원광법학 (2019)